Pierre

J'espère que tu auras
beaucoup de plaisir à
lire le livre et surtout
qu'il t'apprendra quel-
que chose. Merci pour
ce que tu fais pour nous

Bernard

L'ENFANT DE 7000 ANS

Photographies: Serge Jauvin

Distribution: Dimédia, 539, boulevard Lebeau
               Ville Saint-Laurent H4N 1S2

© Les Éditions du Pélican/Septentrion
Case postale 430
1300, Maguire, Sillery (Qc) G1T 2R8

Dépôt légal: 2e trimestre 1989
Bibliothèque nationale du Québec

ISBN 2-921114-25-9

Bernard Cleary

L'ENFANT
DE 7000 ANS

I

Introduction

Pourquoi la publication d'un ouvrage avec une approche contemporaine, dirigée vers l'avenir, sur les Autochtones, Atikamekw et Montagnais, à cette période-ci de l'histoire?

Les créateurs, aborigènes ou blancs, vous avaient habitués à lire sur les Autochtones des histoires du passé braquées sur la tradition, souvent nostalgiques et folkloriques, ou encore délirantes dans le style «western» américain, avec les méchants Indiens, comme si l'évolution des Amérindiens avait été arrêtée volontairement par «la machine à explorer le temps» il y a quelques siècles pour maintenant servir de souris blanches, objets de recherches scientifiques, aux anthropologues.

On a malheureusement semé la mauvaise graine qui a germé et donné le résultat que les Autochtones sont maintenant perçus comme des éléments d'un musée de cire ou regardés curieusement par les gens tels des animaux préhistoriques dont on regrette la disparition, mais que l'on ne pourrait plus faire revivre dans le siècle présent.

Une époque révolue qu'on semble vouloir oublier le plus rapidement possible, avec raison d'ailleurs...

Plusieurs ont des remords face au tort causé, mais ils ne peuvent pas élaborer une réparation juste, même s'ils le désirent probablement, puisqu'ils ne croient pas que les Autochtones soient capables de vivre à l'époque actuelle.

Il s'ensuit donc une vision paternaliste dans laquelle les Blancs se complaisent en se pardonnant leurs fautes historiques; une approche dans le pur style des compensations monétaires pour faire vivre les derniers Autochtones par les moyens toujours dégradants de l'assistance sociale déguisée, croyant sans doute que l'argent est la panacée.

D'autres Allochtones s'excusent en faisant instruire les enfants aborigènes dans des systèmes d'éducation foncièrement différents, très difficiles, leur rendant aussi l'adaptation, dans l'espoir qu'ils s'assimileront purement et simplement à la masse des Blancs.

Voilà donc pour certains quelques façons bien malhabiles de pardonner les torts incommensurables causés à des générations transplantées dans un développement économique et social qui dicte les genres de métiers ou de professions, où les Amérindiens ne se sentent pas plus à l'aise qu'un poisson hors de l'eau.

La principale raison de la publication de cet ouvrage est que les Atikamekw et les Montagnais ont vécu, au cours des dernières années, la période emballante, mais difficile à cause d'un tas de préjugés et de la négociation territoriale globale avec les gouvernements d'Ottawa, de Québec et de Terre-Neuve.

Ils auront à réaliser la mise en œuvre des résultats d'une telle négociation historique, un bouleversement total qui conduira à la «recouvrance» puis à la reconstruction d'un pays selon un plan tracé par eux à leur image et avec leurs propres préoccupations. Ils devront faire face à d'énormes difficultés à cause de l'attitude discutable des gouvernements en place qui ont pour mission de protéger l'intérêt des tiers et de faire en sorte que les Autochtones acceptent des miettes.

Exorcisés par de petites victoires sur les démons aux divers visages, ils sont maintenant rendus beaucoup moins vulnérables parce qu'ils ont appris à croire en eux, savouré les gains réels et foulé aux pieds les arguments de leurs détracteurs.

Ce livre a trois objectifs précis:

D'abord, faire connaître une partie du chemin parcouru par les Autochtones; donc, changer le focal de la caméra toujours fixé sur les éternels clichés, dépassés et souvent erronés, qui veulent que les Amérindiens soient des assistés sociaux alcooliques, paresseux, profiteurs et manipulés, qui vivent au crochet de l'État.

Ensuite, démontrer aux Blancs qu'en se fermant les yeux, ils n'ont pas perçu cette mutation profonde des habitants des territoires des premières nations.

Enfin apporter comme élément de preuve que les Atikamekw et les Montagnais sont particulièrement prêts à se prendre en main pour se développer selon leur propre *projet de société*.

Ce livre sera sans doute perçu comme une analyse critique de ce qui se passe en milieu autochtone où, là comme ailleurs, plusieurs profitent du système et ont intérêt à ce qu'il ne change pas tellement.

Je ne cache pas les failles et je sais reconnaître les erreurs de parcours. Comme artisan de cet écrit, je n'ai pas peur de faire des reproches aux miens, car je sais qu'ils comprendront: ils sont formulés pour mieux corriger.

Cependant, les opinions ou les idées émises dans l'ouvrage n'engagent que l'auteur. Il ne s'agit aucunement de positions sociales, politiques ou de négociation, du Conseil Attikamek-Montagnais dans la négociation tripartite actuelle ou dans les débats sociaux de l'heure.

Maintenant, pourquoi ce titre: *L'enfant de 7 000 ans?*

Je crois fermement que, lorsque nous voulons illustrer la négociation territoriale globale et ses enjeux, nous avons le choix entre l'image d'un vieillard pour la sagesse qu'il incarne ou celle d'un enfant pour évoquer l'avenir, le futur.

Personnellement, je favorise le portrait d'un enfant parce qu'il représente à mes yeux, tant dans l'imaginaire que dans le réel, la raison d'être, la poursuite de la vie et le futur. Il s'agit tout aussi bien d'une donnée consciente ou inconsciente. De plus, cette image est pratiquement universelle et du moins fort résonnante chez les Québécois, peuple latin en manque de natalité qui se torture de cette faille par rapport aux familles nombreuses d'autrefois.

L'enfant de 7 000 ans devrait éteindre une partie de la jalousie de certains Québécois face aux revendications des Autochtones. Cet *enfant de 7 000 ans*, par la pureté de ses intentions, rend difficiles de basses attaques.

L'enfant de 7 000 ans favorise donc les alliances avec les Québécois.

On pourrait se battre physiquement pour cet *enfant de 7 000 ans* et cette action habituellement répréhensible acquerrait une certaine noblesse.

Le portrait du nouvel Amérindien devrait être tracé à partir de cette représentation de *L'enfant de 7 000 ans*, une illustration encore tout innocente de l'enfant, mais non dépourvue d'intelligence et de désir.

L'enfant a toujours pour effet d'intéresser et d'émouvoir. Cette figure de l'enfant «charrie» une vision vers l'avenir, comme le suggère un *projet de société*, et un regard neuf, comme doit le proposer un *nouveau discours*.

Le reflet de l'enfant a une triple consonance: chez les Québécois, elle fait résonner la fibre sensible de la dénatalité, objet de culpabilisation de bien des gens; chez les Atikamekw et les Montagnais, l'enfant est le sujet premier de l'affection manifestée par l'effort de le rendre autonome; pour tous, l'enfant est la représentation de l'absence de corruption, ou les autres fléaux modernes, de la candeur, de la pureté des gestes et du futur.

L'enfant n'est pas alcolique, il n'a pas de préjugé. Et s'il est dépendant, c'est tout à fait temporaire.

Une nouvelle vision de l'Autochtone implique une innocence retrouvée et un nouveau départ qui se fonde sur ce qui a de plus primaire, mais aussi de plus beau et de plus noble: la jeunesse. Cette jeunesse n'est-elle pas la garantie de l'avenir?

Le 7 000 ans insiste sur la présence des Amérindiens bien avant l'arrivée des Blancs sur le continent qui ne remonte au plus qu'à 500 ans.

L'enfant de 7 000 ans est vieux avec un avenir neuf et prometteur devant lui. Tout ce que nous voulons dans la négociation territoriale, nous le souhaitons pour cet *enfant de 7 000 ans*. Il serait donc facile d'utiliser cet *enfant de 7 000 ans* pour faire comprendre nos messages. Par exemple, aux Blancs qui disent: «Ne donne pas un poisson à un homme pour le nourrir, mais apprends-lui plutôt à pêcher», nous pourrions répondre: «S'il sait pêcher, comme c'est le cas pour cet *enfant de 7 000 ans*, pourquoi lui avoir enlevé ses rivières?»

Redonne-les simplement à cet *enfant de 7 000 ans* et tu le nourriras pour la vie. Ou encore: Les Allochtones prêchent que la terre est la propriété des hommes alors que les Atikamekw et les Montagnais enseignent à cet *enfant de 7 000 ans* que ce sont les hommes qui appartiennent à la terre.

Nous demandons pour cet enfant que ce qui lui est dû. Nous voulons qu'il ne dépende de personne d'autre que de lui-même pour se développer sainement par ses propres moyens.

Enfin, ce livre se veut un cri du cœur qui, il faut l'espérer, réveillera autant les leaders autochtones endormis par des avantages secondaires que les décideurs blancs écrasés par tant d'injustice à réparer, pour faire de cet instant historique que constitue la négociation territoriale globale un moment de rattrapage social qui redonnera confiance en l'avenir pour les *enfants atikamekw et montagnais de 7 000 ans*.

Il est aussi le rêve d'un pays à construire pour *cet enfant de 7 000 ans*...

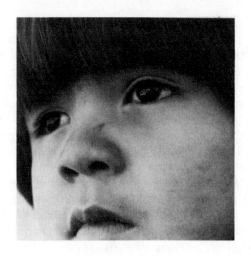

L'enfant de 7 000 ans
avait jadis un pays
sans frontière, sans paperasse,
où il était chez lui.
Devant le futur,
lui aussi a peur.

II

Un pays rêvé

Depuis près d'une heure, mon père était là, immobile dans sa «cache», surveillant les mouvements du soleil, à la manière du commentateur sportif attentif à la grande horloge et aux mouvements des joueurs, et qui doit décrire une partie de hockey.

Aucun changement des éléments de la nature ne pouvait lui échapper.

Comme une ombre chinoise, son visage aux pommettes saillantes et son nez aquilin ressortaient de cette murale. Rien en lui ne bougeait. Seuls ses yeux suivaient l'évolution du lever du jour.

Tel un majestueux bouleau, centenaire et en santé, il se fondait à la nature.

À mesure que le jour pointait, on pouvait mieux distinguer les traits de son visage impassible. Sa tête, droite comme un piquet, trahissait la noblesse de ses ancêtres. Ses cheveux blancs encore très fournis soulignaient de deux traits toute la sagesse qui se dégageait de sa personne. Sa peau cuivrée était lisse comme celle d'un tambour. Elle lui donnait l'allure du chaman qui peut guérir tous les maux de la terre, ce charisme que ma fille et mon fils aimaient tant quand ils parlaient de «papou», comme ils l'appelaient familièrement.

Il était beau et j'ai dû le contempler ainsi pendant près d'une bonne heure, comme on doit le faire pour une apparition d'un être fascinant d'un autre monde...

Pour la première fois depuis qu'il était dans son abri temporaire, son corps bougea. Je pus constater alors qu'il avait son «éternelle» chemise de chasse à carreaux rouges et noirs; une chemise usée jusqu'à la corde qu'il ne voulait pas jeter même si, presque à chaque anniversaire de naissance, nous lui en offrions une du même modèle avec les mêmes couleurs.

On aurait dit que cette chemise était le témoin oculaire de tous ses plaisirs qu'elle enregistrait et que jamais il ne s'en départirait de peur qu'elle montre ce qu'elle avait vu ou connaissait de sa vie intime.

Lentement, son fusil à double coup s'éleva et il rabattit au passage, par un mouvement naturel, le chien de chaque canon. Il visa la surface du lac plus éclairée par le soleil levant et fit feu juste à l'instant où trois canards émergeaient. Il épaula ensuite son arme pour tirer en l'air une décharge de plombs au moment où une volée d'autres canards amerrissaient sur le lac près de leurs congénères.

Bilan: quatre canards abattus d'un seul mouvement.

Même si je connaissais les talents de mon père comme chasseur, je fus surpris par un tel exploit, surtout à cause de son âge et son manque d'entraînement.

Je compris alors à quel point cette activité traditionnelle de chasse était ancrée chez lui même s'il n'avait pas pu la pratiquer à son soûl. Jamais il n'en perdrait l'habileté héritée.

Pour la première occasion depuis que nous étions arrivés dans le bois, il ouvrit la bouche:

— Viens, allons chercher les canards abattus.

Il était souriant et ses yeux pétillaient. Aucun plaisir ne pouvait être plus grand pour lui que cet instant précis.

Après être allé ramasser les quatre canards sauvages en canot, tués, blessés ou renvoyés par la houle sur la plage du lac, nous nous approchâmes d'un immense tronc d'arbre abaissé par la foudre. Mon père alluma un feu de branches sèches pour faire bouillir le thé, boisson privilégiée des Autochtones. Il s'assit près de moi sur ce banc public naturel avec une immense tasse fumante de granite écaillé à la main, souvenir de ses nombreux campements comme chasseur ou garde-feu.

Sans mot dire, fouillant dans ses pensées pour bien se remémorer le sermon préparé depuis déjà longtemps, il avait l'air d'un prédicateur en chaire qui attend que ses ouailles soient bien assises et ainsi mieux disposées pour écouter ses propos bibliques remplis de conséquences pour leur avenir.

Je compris alors qu'il voulait me parler sérieusement.

Sans bouger la tête, regardant droit à l'horizon, l'autre bord du lac, il commença à m'adresser la parole avec sa voix grave et harmonieuse:

— Mon fils, tu dois savoir à quel point ma vie a été transformée par le fait que je sois parti vivre hors de la réserve. Cet éternel combat, je l'ai livré pour vous autres, mes enfants, et pour mon peuple. Vous devez donc m'aider à en concrétiser les objectifs pour que cette décision de s'éloigner, si difficile à prendre et si coûteuse par la suite à cause de toutes les joies perdues et toutes les frustrations subies, ne fut pas inutile.

Il fallait que certains d'entre nous quittent les communautés pour aller chercher le meilleur de la civilisation des Blancs pour le redonner ensuite à leurs enfants et à leur nation.

Cette forme d'infiltration extrêmement utile pour atteindre nos objectifs de société — juste retour des choses — fourbira de nouvelles armes, de nouveaux atouts, qui permettront à nos descendants de pouvoir combattre nos adversaires avec les mêmes moyens qu'eux, et surtout, reprendre le terrain perdu.

Ainsi, les Allochtones, dans les futures négociations avec nous, ne pourront plus nous donner des «miroirs». Ils feront face à des négociateurs autochtones mieux préparés et vraiment motivés par le fait qu'ils doivent regagner le territoire qu'on a volé à leurs ancêtres. Ils utiliseront alors les méthodes dites modernes et les meilleurs moyens des civilisations autres que la nôtre.

Par conséquent, nous négocierons un nouveau contrat social d'égal à égal qui sera une richesse pour tous les habitants de cette partie du Canada. On aura enfin redonné la fierté aux représentants des premières nations, dont les Atikamekw et les Montagnais.

Il s'établira alors un esprit de bon voisinage entre nous et les Québécois parce qu'il sera maintenant édifié par les deux parties sur une base de respect mutuel et non pas par une société dominante aveuglée par les développements profitables à tout prix.

Partir des réserves pour certains était le prix que nous devions payer si nous voulions sérieusement, un jour, reprendre tout ce que l'on nous avait dérobé.

Évidemment, le risque est grand parce que je suis aussi persuadé que nous allons ainsi perdre plusieurs d'entre nous, les plus vulnérables, qui feront leur cette nouvelle culture plus complaisante et plus riche en avantages de toutes sortes. Comme on le sait, cette vie facile reposant sur l'aisance s'est construite sur la domination de nos ancêtres et l'exploitation des ressources qui nous appartenaient de droit.

Ces gens qui se sont détournés de nous, il faut dire que nous les aurions fort probablement perdus d'une façon ou d'une autre.

Ils auraient grossi le nombre de ceux qui, même sans sortir des réserves, se sont contentés de prendre bêtement, chez les Blancs, leurs vices, mettant de côté ce qui aurait pu nous aider plus tard dans notre lutte pour reconquérir pacifiquement ce que l'on s'était approprié.

Ils ont souvent été les exemples commodes et surtout largement utilisés par les dominants intéressés. Ce qui leur permettait alors de dire que les Autochtones n'avaient pas les moyens ni les ressources humaines nécessaires pour prendre en main leur destinée.

Ce sont eux qui auront retardé l'avènement tant attendu par les générations précédentes et celle d'aujourd'hui du lever du soleil d'un grand matin qui consacrera la reconnaissance d'un territoire tout à nous et d'un gouvernement autonome, désirs normaux de toute nation qui veut développer son propre *projet de société*.

Ces personnages nuisibles ont souvent cherché des excuses à leur situation personnelle en utilisant avec tricherie les éternels clichés qui spécifient faussement que les Autochtones ont des principes moraux différents des Allochtones, que leurs valeurs ne sont pas les mêmes et qu'ils ne veulent pas utiliser les schèmes qui leur sont imposés.

Sur le fond, tous les Autochtones sont d'accord avec ce genre d'énoncé, mais c'est sur l'application biaisée que l'on en fait que les gens sérieux et sincères ont quelque chose à redire.

Je ne suis pas le seul Amérindien à croire que la paresse, l'inefficacité, le manque de sens des responsabilités, l'absence de motivation pour se construire un avenir prometteur et la perte de principes fondamentaux n'étaient certainement pas le propre de nos ancêtres.

Au contraire, la vie difficile en forêt pour subvenir à leurs besoins les obligeait à une discipline exemplaire. Ils avaient le sens des responsabilités en se servant des moyens à leur portée pour développer leur société d'alors. Ils croyaient à l'entraide. Ils savaient partager leurs biens et surtout leurs connaissances et leurs valeurs qu'ils transmettaient à leurs descendants.

Les calamités que l'on connaît aujourd'hui leur ont été transférées beaucoup plus tard par des civilisations qui se prétendaient plus évoluées.

Les plus faibles d'entre eux et d'entre nous ont répondu et répondent encore aujourd'hui favorablement à cet appel de la facilité.

On a souvent caché nos déboires derrière une bouteille de boisson alcoolisée, des pilules et tous les autres artifices, mais cela n'a jamais rien solutionné. Cette approche n'a fait qu'avilir nos concitoyens et rendre nos peuples encore beaucoup plus dépendants.

On ne pourra pas éternellement chercher des excuses parce que nos enfants, détruits par le fait que nous n'aurons pas eu la force de caractère de guérir ces cancers qui rongent certains d'entre nous, nous reprocheront ces faiblesses. Ils nous diront avec raison que nous n'avons pas su arrêter l'hémorragie et rallumer la flamme par un projet de société qui aurait attisé, dans le cœur de tous les Autochtones, cette fierté qui caractérisait nos ancêtres.

Le courage, l'autonomie, l'indépendance, la volonté et les principes fondamentaux, c'est dans la tête de chaque individu que ces valeurs prennent naissance et surtout retrouvent leur véritable signification.

Tant et aussi longtemps que ce ne sera pas le cas, les leaders autochtones vont prêcher dans le désert. Ce qu'il nous faut, c'est investir beaucoup d'énergie dans des programmes de motivation et d'animation sur notre devenir collectif.

C'est de là que partiront notre indépendance, notre autonomie et la «recouvrance» de cette fierté tant de fois soulignée avec nostalgie, des beaux mots qui auront alors une véritable signification.

Ensemble, droits, forts et majestueux, comme les bouleaux d'une forêt qui n'a pas été atteinte par les fléaux des sociétés modernes ou, encore, comme l'orignal ou le caribou de tête d'un troupeau, nous marcherons vers cette liberté et nous verrons rapidement poindre l'orée du bois.

La période de portage sera beaucoup plus courte si chacun de nous transporte, sur ses épaules, une partie de la charge.

Nous arriverons ensuite à ce grand lac conservé à son état pur, un paradis pour les Autochtones, qui fournira la nourriture par les poissons qui y vivent, les orignaux ou les caribous qui s'y nourrissent et les oiseaux qui viennent s'y rafraîchir.

Long et difficile portage

Après des paroles si graves, comme pour laisser une pause pour la méditation, mon père s'arrêta soudain de discourir, se rendit jusqu'au feu, se pencha et saisit la grande casserole noircie par la fumée, suspendue à une fourche et remplie de thé bouillant qu'il versa dans sa tasse.

Il en profita pour jeter quelques branches sèches sur le feu pour que le thé reste bien chaud.

Le soleil de plus en plus resplendissant était presque à son apogée.

Derrière nous, les animaux de la forêt avaient depuis belle lurette pris leur petit déjeuner et vaquaient le plus normalement du monde à leurs occupations coutumières sans se soucier de nous, comme si nous faisions partie du décor naturel.

Sur le lac, les canards pêchaient, insouciants et enchantés de ne pas être dérangés par les chasseurs; les truites effrontées les agaçaient en sautant ici et là autour d'eux. Leur insolence semblait même choquer certains pêcheurs ailés revenus bredouilles de leurs plongeons dans les eaux du lac.

Il n'y avait pas moins de deux heures que mon père monologuait lentement, calmement et sans arrêt, en pesant tous ses mots.

Il avait décidé de livrer son message et rien n'aurait pu l'arrêter.

On aurait dit qu'il avait gardé le silence pendant de nombreuses années, comme ses ancêtres, et que maintenant qu'il avait la parole, personne ne pourrait lui enlever. Il voyait dans son seul interlocuteur un porte-voix qui enregistrait ses propos pour les crier plus tard à la face des autres, aux oreilles du monde.

La sagesse de son discours faisait obligatoirement de moi un fidèle attentif et émerveillé.

Je buvais religieusement ses paroles et j'acceptais la justesse de son analyse de la situation en essayant de graver dans ma mémoire tous les sujets abordés et surtout toutes les solutions préconisées.

Je sentais qu'il avait beaucoup réfléchi sur ces importantes questions avec son «gros bon sens». Son message clair qui ne blessait pas, sans fard, ne semblait pas vouloir camoufler quoi que ce soit, ni épargner qui que ce soit.

Pendant cette courte intermission, je n'avais pas osé briser le silence par des paroles qui auraient paru futiles. Je préférais laisser mon père poursuivre sa judicieuse réflexion et ne pas risquer de couper son inspiration.

Il reprit alors sa position, assis sur le tronc, le regard fixé vers l'horizon, et continua là où il avait laissé:

— Il faut cependant souligner que le dossier a avancé énormément au cours de la génération actuelle.

On se rappellera qu'au moment de notre première jeunesse, les Blancs n'avaient aucun respect pour ces «maudits p'tits sauvages» qui osaient sortir de leur réserve.

Par la suite, leurs gouvernements ont cherché des moyens de s'approcher de nous. Certains dirigeants politiques, honnêtement, voulaient nous comprendre.

Ils ont alors vu dans les associations aborigènes une voie par laquelle ils pourraient avoir plus de contact avec nous. Ils ont aidé le développement de ces organisations.

Réunis dans plusieurs groupements politiques indépendants il y a une vingtaine d'années, les Autochtones du Canada ont commencé à parler de prise en charge, d'autonomie, de coexistence, de négociations d'égal à égal et de peuples souverains.

À ce moment, même parmi nous, ces mots ont fait peur.

Nous avions depuis si longtemps été écrasés qu'il nous restait peu de confiance en nous-mêmes.

Notre fierté s'est rallumée petit à petit comme la braise d'un feu de camp presque éteint que la brise attise.

Des conseils de bande ont commencé à prendre en main leur destinée administrative; d'abord par des services secondaires, timidement, en faisant des erreurs de parcours, et ensuite dans des services plus importants tels l'éducation, les services sociaux et le développement économique.

Des politiciens retors, pour faire plaisir à une partie de leurs électeurs, ont essayé d'éteindre dans l'œuf ces projets des membres des premières nations en insistant sur l'excuse toujours facile que les Autochtones n'étaient pas prêts.

Pour eux d'ailleurs, comme c'est le cas pour les oppresseurs de tous les peuples du monde, les Autochtones ne seront jamais prêts.

Certains fonctionnaires des gouvernements concernés par l'évolution des Autochtones ont été réticents au départ face à ces marques normales d'évolution d'une société. Ils ont cherché des méthodes pour bloquer cette *longue et lente marche vers la délivrance.* Ils ont pris les moyens toujours efficaces de nous diviser les uns les autres pour tenter de mieux régner et ainsi retarder toute évolution souhaitable pour tous, autant Allochtones qu'Autochtones.

Tous ces soubresauts de la dernière chance, par dépit ou par désespoir, ont été peine perdue parce que nos peuples avaient retrouvé leur fierté.

Ils rêvaient de prendre les décisions qui les concernaient...

Ils rêvaient de faire leurs propres choix...

Ils rêvaient de reprendre en main leur culture, leur éducation et leur développement...

Ils rêvaient de retrouver une partie importante de leur territoire volé...

Ils rêvaient de se gouverner...

Quelques politiciens blancs plus vigilants que les autres ont compris que le mouvement était irréversible. Ils ont bien saisi que les Aborigènes, écrasés par de nombreuses années de domination, avaient relevé la tête, redressé le dos et bombé le torse. Ils avaient goûté à la liberté, s'étaient abreuvés de ce délicieux nectar et avaient trouvé cela délectable.

Ils ont saisi à juste titre que plus jamais les Autochtones ne retourneraient en arrière.

Par convictions personnelles, ou par intérêts politiques, ces leaders blancs ont alors commencé à parler le même langage et ont donné plus d'espace de manœuvre avec comme résultat que le cheminement fut plus rapide.

Présentement, nous jubilons lorsque les politiciens en place, au Québec ou ailleurs, parlent de négociations d'égal à égal, de négociations entre peuples souverains pour préparer une coexistence évolutive entre les Autochtones et les Québécois.

Ils répètent ainsi tous les termes si chauds et si doux à notre cœur.

Il nous restera maintenant à vérifier si ces paroles sont sincères ou prononcées du bout des lèvres pour endormir ou enjôler comme les sirènes des voyages d'Ulysse.

Cette période-ci est donc une occasion unique pour nous et il ne faut pas la perdre. Plus encore, nous devons l'utiliser au maximum pour reprendre le terrain perdu et ainsi répondre aux attentes des Atikamekw et des Montagnais qui nous font pleinement confiance et qui ont investi beaucoup de rêves et d'espoirs dans une opération de négociation territoriale.

Les nouveaux politiciens ont permis aux représentants des premières nations de s'asseoir à une grande table avec les délégués des gouvernements provinciaux et de discuter d'amendements constitutionnels susceptibles de reconnaître dans la Constitution canadienne les droits ancestraux des Autochtones.

Cette place que veulent occuper les habitants des premières nations risque évidemment de réduire les pouvoirs des gouvernements provinciaux. Il faut donc comprendre, sans l'accepter, que certaines provinces aient un cheminement plus lent face à cette évolution normale. Cependant, nous ne devrons jamais admettre que le processus soit arrêté.

Trop de chemin a été parcouru pour consentir à mettre un frein à cet engrenage salutaire pour tous les Autochtones du Canada. Il faudra que nous nous battions avec toute l'énergie nécessaire, sans relâche et toujours aux aguets, pour que ce projet merveilleux de retrouver nos territoires et d'y ériger nos gouvernements autonomes se concrétise.

Jamais devrons-nous nous arrêter, satisfaits du chemin parcouru. Au contraire, nous devrons aller de l'avant le plus loin possible. Il en va de notre évolution naturelle ou de notre génocide.

Une œuvre collective

Comme l'heure du repas du midi était largement dépassée et que la faim commençait à nous tenailler, mon père proposa d'aller pêcher quelques bonnes truites pour ensuite les faire rôtir sur le feu de branches réanimé.

Nous montâmes dans son vieux canot à deux places, léger, qu'il traînait sur ses épaules comme une tortue trimbale son habitat, un peu partout dans la forêt, lorsque la «maladie» du bois le prenait et qu'il partait pendant plusieurs jours vivre sur «son territoire», sans dire à personne où il allait, à la grande inquiétude de notre mère qui n'a jamais bien compris ce besoin de solitude de mon père et cet attrait pour la nature.

À grands coups d'avirons, nous nous dirigeâmes vers le côté droit du lac, à l'embouchure d'une petite rivière, presque un ruisseau, où les canards plus futés s'étaient attardés pour pêcher. Du bord de la rive, mon père avait pu constater que les truites sautaient beaucoup plus à cet endroit précis, gage d'une bonne pêche en un temps record.

Pendant qu'il avironnait, mon père continua à me livrer son message, mais sur un ton beaucoup plus près de la confidence qui s'approchait presque du murmure pour ne pas déranger les poissons qui nageaient calmement autour du canot.

— Les Atikamekw et les Montagnais plus instruits, avec sûrement beaucoup d'enthousiasme, n'hésiteront pas à mettre au service de l'ensemble des populations leurs connaissances acquises par des années d'expériences professionnelles ou d'études, richesses inaltérables de grande valeur, pour la préparation d'un projet de société.

Ce serait alors une grande primeur chez nous et même chez tous les Autochtones du Canada. On pourrait aussi ajouter qu'ils sont rares les pays supposément civilisés qui ont réussi à mettre en plan un projet de société. Ils ont toujours beaucoup de difficulté à se projeter dans l'avenir parce que très souvent leurs habitants sont peu soucieux de l'intérêt collectif. Ces derniers ne croient qu'en ce qui a un intérêt particulier, surtout pour eux isolément.

Il faudra donc voir les participants à ce projet de société historique comme des sculpteurs aborigènes devant une immense pierre de savon qui n'aura pas encore été travaillée par les mains de l'artiste.

Ce projet de société constituera la pierre angulaire de toutes nos opérations internes ou externes. Il contiendra les réponses aux questions que se poseront nos opposants. Il nous permettra de mettre en plan notre devenir et d'en négocier les grandes lignes au cours de négociations historiques. Il sera l'argumentation pour l'obtention de nos réclamations. Il fera la preuve que ce que nous exigeons n'est que légitime. Il démontrera que nous ne revendiquons pas seulement pour revendiquer, mais que nous avons un besoin normal pour réaliser nos idées les plus importantes.

Elle est pure cette pierre. Elle est belle dans son état naturel. Elle est invitante. Elle est pleine de promesses pour l'avenir.

Ces artistes auront donc à façonner au cours des prochains mois, voire des prochaines années, cette pierre qui deviendra une œuvre collective de grande valeur parce qu'ils auront mis toute leur âme, tout leur cœur, tout leur amour, toute leur sensibilité, tout leur talent, tout leur savoir, pour réaliser une sculpture de grande qualité.

Il faudra le faire pour la génération actuelle et les générations futures, sans oublier toutefois les générations passées, qui ont souffert dans le fond de leur être parce qu'on leur a enlevé toute dignité. Il faudra le faire pour eux du fait qu'on leur doit bien cela, mais aussi parce que ça redorera un blason qui a été terni pendant de longues années d'histoire, faussée par des gens qui avaient intérêt à avilir nos peuples.

Nous allons nous redonner collectivement cette dignité perdue.

Même si, par définition, un projet de société ébauche nécessairement l'avenir, nous ne devrons jamais oublier qu'il a pris racine dans le passé.

Nous ne devrons jamais mettre de côté une culture millénaire pour se laisser berner par le «clin-clan» de l'évolution moderne.

Par contre, nous ne devrons pas fermer nos sociétés à cette évolution par peur d'y faire face. Nous devrons simplement la contrôler, l'utiliser dans ce qu'elle a de plus intéressant pour nous. Nous devrons la «dresser», comme on dompte un cheval sauvage. Elle sera ensuite docile et répondra à toute commande. Elle deviendra un nouvel atout dans notre jeu.

Il ne faut donc pas craindre cette évolution que nous contrôlerons.

Au contraire, étant allés chercher le meilleur des sociétés blanches, nous deviendrons des gens aguerris, capables de rivaliser sur le même terrain.

Plus encore, notre volonté de réussir et notre désir de vaincre nous rendront invincibles.

Si le dompteur du cirque réussit à amadouer le tigre et le lion pour en faire des «toutous» dociles, pourquoi ne ferions-nous pas de même avec l'évolution moderne?

Dans cette offensive, nous devons miser sur des propositions positives en fonction de notre développement culturel, social et économique.

Ainsi, nous revendiquerons nos droits territoriaux de façon différente en démontrant notre capacité de se prendre en main politiquement et de gérer notre propre territoire retrouvé.

Il nous faut jouer l'action positive au maximum en faisant connaître à la population québécoise, trop souvent aveuglée lorsqu'il s'agit des Autochtones, tout le chemin que nous avons parcouru au cours des dernières années.

Il nous faut semer, dans l'esprit des membres de nos communautés, cette fierté collective et bien leur faire comprendre que tous, même les plus petits d'entre nous, sont des ambassadeurs de la cause autochtone et qu'ils peuvent aider ou détruire ce noble mobile.

La négociation historique du Conseil Attikamek-Montagnais, avec les gouvernements fédéral et provinciaux de Québec et de Terre-Neuve, est une occasion unique que nous ne devons pas laisser passer.

Le nouveau contrat social, que nous voulons négocier avec les gouvernements, ne se construira pas sur du négatif, mais bien sur du positif. Nous ne voulons rien enlever à personne. Nous voulons simplement récupérer une infime partie de ce que l'on n'a jamais cédé et qui n'a pas été conquis. Donc, ce qui nous appartient encore.

En plus, nous voulons le faire avec un grand respect de bon voisinage entre deux propriétaires égaux qui se respectent mutuellement.

Les Québécois devraient savoir que la présence des non-Autochtones fut plutôt tolérée sur les territoires. Ce qui fut considéré comme un phénomène d'établissement pacifique. Ils devraient démontrer une plus grande ouverture d'esprit qu'ils le font présentement pour réussir à développer une entente satisfaisante entre nos deux peuples.

Nous sommes convaincus de pouvoir arriver à un traité moderne ou à une convention acceptable pour les deux parties si les gouvernements, fédéral et provinciaux, s'assoient honnêtement pour trouver les véritables solutions qui permettront aux Atikamekw et aux Montagnais de se développer harmonieusement selon leur propre choix de société.

Même s'il reste beaucoup de chemin à parcourir, le gouvernement du Québec semble le plus avancé, parmi les gouvernements provinciaux du Canada, dans la voie de cette acceptation de voir les Autochtones se gouverner eux-mêmes, selon leurs propres priorités.

Le gouvernement du Québec pourrait être un pionnier dans ce domaine et permettre aux Atikamekw et aux Montagnais de cheminer dans le sens désiré.

Avec un peu d'efforts, les beaux mots deviendraient des réalités à la satisfaction des Autochtones qui retrouveraient cette fierté perdue. Nos nations seraient ainsi beaucoup plus productives puisqu'elles se développeraient dans le sens de leurs intérêts.

Les gouvernements y retrouveraient sûrement une très grande satisfaction car ils auraient permis aux nations autochtones de respirer à l'aise dans un climat serein de bon voisinage.

Les Blancs deviendraient ces gens en qui les Autochtones pourraient enfin avoir confiance, sans arrière-goût désagréable.

Les Atikamekw et les Montagnais seraient alors un exemple pour les autres nations autochtones par leur rôle positif et critique, permettant ainsi de bâtir ensemble un Canada meilleur.

Je suis convaincu que les gouvernements blancs attendent le signal de la population québécoise pour démontrer cette ouverture d'esprit souhaitée et souhaitable.

Il reste maintenant aux Québécois à cheminer dans le sens d'une plus grande considération des peuples autochtones. Quand ce pas sera franchi, nous pourrons établir une cohabitation évolutive satisfaisante pour les Atikamekw et les Montagnais.

Un nouveau discours

Nous étions maintenant rendus à l'endroit précis où mon père avait repéré les indices d'une pêche satisfaisante. Nous cessâmes d'avironner, prîmes nos cannes à pêche, appâtâmes les mouches fabriquées par mon père et lançâmes nos lignes à l'eau, face à la brise légère.

Sitôt l'appât disparu, je vis la canne à pêche de mon père se courber, se redresser et retrouver sa forme, puis s'arquer de nouveau à la suite d'un mouvement sec du poignet alors que le moulinet commença à laisser la ligne se défiler rapidement sous l'impulsion d'un poisson agité qui voulait se dégager de l'hameçon.

En quelques instants, mon père avait sorti de l'eau une magnifique truite mouchetée de plusieurs livres.

Après quelque dix minutes, nous avions déjà pêché la nourriture nécessaire pour un copieux repas, soit une demi-douzaine de prodigieuses truites bien dodues.

Nous repartîmes lentement vers le rivage pour aller préparer ce repas en songeant tous les deux à ce généreux garde-manger que constituent les lacs et les forêts.

Mon père reprit ensuite ses propos:

—Le train est parti de la gare et il nous conduira vers un avenir meilleur. Ce convoi ne s'arrêtera plus. Il doit franchir toutes les étapes même si le parcours pourra être, à certains moments, rempli d'embûches.

Nous serons forts, invincibles, si nous sommes unis.

Pour l'amour de Dieu, cessons de chercher immédiatement les aspects négatifs quand nous décidons de foncer dans quelque projet que ce soit; cessons de toujours regarder ce qui ne fonctionnera pas comme si on avait un malin plaisir à éteindre toutes les initiatives.

Jetons, à tout jamais, nos éteignoirs...

Au contraire, encourageons et canalisons ces initiatives. Plus encore, invitons les gens à participer le plus possible au développement de nos communautés. Essayons de démêler la politique de la gestion administrative de projets qui doit surtout viser à obtenir des résultats tangibles.

Donnons une chance égale à tous les habitants de nos communautés pour qu'ils puissent travailler dans le sens du développement communautaire.

Nos ressources humaines sont si peu nombreuses que nous ne pouvons pas nous priver d'une seule d'entre elles.

Au lieu de nous diviser en petits clans inefficaces, soudons-nous en une chaîne solide où tous les maillons ont leur importance. Employons nos compétences respectives.

Oublions nos luttes fratricides et précipitons-nous à une vitesse vertigineuse vers l'avenir pour rattraper le plus rapidement possible les années que l'on nous a usurpées en travaillant de toutes nos forces au service du bien commun.

Nous ne devrions pas avoir le temps de nous chicaner entre nous car le travail à faire est beaucoup trop considérable.

Quand nous le faisons, nous perdons des moments importants, retardons ainsi nos échéanciers et nous rendons service aux gouvernements des Blancs. En plus, nous faisons le jeu de certaines cliques venant de chez nous et d'ailleurs qui ont des intérêts évidents à nous voir divisés.

Analysons nos querelles et nos divisions en relation avec les objectifs à atteindre et elles tomberont une à une parce qu'elles seront tellement insignifiantes face à nos projets.

Parlons-nous franchement.

N'ayons pas peur d'aborder entre nous les questions qui soulèvent des passions chez nos peuples.

Critiquons-nous positivement même si cela, au début, peut paraître difficile. Acceptons ces critiques en n'y voyant pas immédiatement des procès d'intentions.

Habituons-nous à travailler véritablement en équipe.

Ayons un esprit complètement ouvert.

Parlons des choses comme nous les voyons pour faire jaillir, au choc des idées, une lumière éblouissante qui saura éclairer notre longue marche vers la délivrance.

Ensuite, collectivement, fonçons dans un projet de société accepté par tous que nous aurons bâti ensemble et que nous complèterons au fur et à mesure que notre futur prendra forme.

Sachons que ces divisions nous affaiblissent considérablement et font le jeu des gouvernements qui peuvent ainsi retarder de quelques années l'évolution souhaitée par tous. Ce sera pour eux autant de temps gagné et de profits «empochés» sur le dos des premières nations.

Est-ce cela que nous souhaitons?

Il faudrait peut-être y penser et aller dans le sens de nos intérêts communs en oubliant certaines susceptibilités qui ne font pas le poids face à nos objectifs communs.

C'est donc dire à quel point notre mission est importante. Nous ne devons pas l'aborder à la légère. Il faut s'y préparer avec minutie.

Il est impérieux collectivement de ne ménager aucun effort pour faire de notre projet de société, cet instrument majeur de développement, un chef-d'œuvre.

Je suis convaincu que nous avons en main tous les éléments pour réussir un tel travail.

La réflexion personnelle de tous et de chacun d'entre nous, notre vision de l'avenir et notre formation académique font des Montagnais et des Atikamekw de la génération actuelle des intervenants de première main capables de penser et surtout de réaliser un projet de société qui nous distinguera.

Nous n'avons pas besoin d'aller chercher des compétences ailleurs pour réaliser un tel projet. Elles sont là, étalées devant nous. Il s'agit simplement d'en avoir la volonté. D'ailleurs, on peut facilement déceler ce désir dans toutes nos communautés.

Ce projet de société, qui planifiera obligatoirement notre avenir pour plusieurs années d'avance, va en quelque sorte à l'encontre des coutumes des Autochtones historiquement plus habitués à vivre au jour le jour pour subvenir à leurs besoins primaires de subsistance.

Pour le chasseur qui ne croyait pas pouvoir conserver intacte la nourriture pour sa famille, il lui fallait organiser sa chasse à chaque jour sans trop penser au lendemain. Pour les membres de sa famille, il était normal de manger tout ce qu'ils pouvaient au moment de cette chasse puisqu'ils n'étaient pas convaincus d'avoir du gibier frais pour le lendemain.

C'est donc pour cette raison qu'il faut comprendre et surtout accepter qu'il n'est pas dans la mentalité habituelle des Atikamekw et des Montagnais de prévoir lontemps d'avance. Cet exercice difficile et obligatoire ne sera pas nécessairement une mince tâche pour nous, même si plusieurs sont convaincus de son utilité pour notre avenir. Par contre, il est évident que tous les efforts seront fournis pour atteindre cet objectif de société.

Face à toute cette évolution des mentalités, il est souhaitable que le discours pessimiste des années passées change. Il ne répond plus aujourd'hui au cheminement qui a été suivi, ou plutôt aux résultats obtenus jusqu'ici. Pas plus d'ailleurs qu'il ne colle à la conception de l'avenir imaginé par les visionnaires de nos nations, surtout ceux de la génération montante.

Ce discours n'a pas les intonations qui sauront faire vibrer les jeunes et les faire «embarquer» avec nous. Il doit être plus moderne et plus encourageant pour l'avenir. Il doit être différent de celui que nous entendons depuis des années et que les jeunes, sans le rejeter complètement par respect pour les aînés, trouvent dépassé. Il doit faire appel à des sentiments différents. Il doit bien démontrer que nos aspirations les plus légitimes débouchent sur des résultats concrets et non pas sur du verbiage à caractère pleurnichard.

Nos droits qui se fondent sur le passé sont en principe et en très grande partie pour bien des gens reconnus. Il nous faut maintenant les définir pour le futur et les faire passer dans notre projet de société.

Nous n'avons plus à quémander, nous devons prendre, exiger, si nous voulons qu'on nous traite d'égal à égal.

C'est là toute une conception de mentalité différente que nous devons développer avec un discours qui l'accompagne.

Nous devons parler en propriétaires et non pas en locataires...

Nous devons cesser de revendiquer des droits, qui se fondent uniquement sur ce que nous avons perdu, donnant ainsi l'impression de ne vouloir que simplement récupérer...

Nous devons arrêter de regarder exclusivement le passé pour se construire un véritable projet de société qui planifie automatiquement notre avenir...

Nous devons précéder, devancer, et non pas suivre comme nous l'avons toujours fait...

Nous ne devons pas répondre, nous devons questionner...

Nous ne devons pas apprendre, nous devons enseigner...

Nous ne devons pas écouter, nous devons parler...

Nous ne devons pas chuchoter, nous devons crier...

Nous ne devons plus dire qu'on nous a continuellement écrasés, nous devons affirmer nos capacités...

Nous devons avoir une mentalité de gagnants et non pas de perdants...

Nous devons nous voir en vainqueurs et non en vaincus...

Tant et aussi longtemps que nous ne changerons pas notre mentalité défaitiste, nous n'atteindrons pas vraiment nos objectifs.

Tant et aussi longtemps que notre patience culturelle donnera l'impression de pesssimisme et de mollesse face à la culture dominante, nous serons d'éternels perdants.

Tant et aussi longtemps que nous abdiquerons au départ devant l'adversaire, il est impossible que nous puissions enregistrer de véritables triomphes.

Il nous restera toujours des demi-gains et des victoires morales. A-t-on déjà vus, des généraux aller de défaites en défaites jusqu'à la victoire finale?

Pourtant, lorsqu'on agit dans nos éléments naturels, nous savons quoi faire.

Pourquoi alors ne pas mettre la même détermination quand nous nous «frottons» avec les gouvernements des Blancs...

Répéter les activités du passé ne fait pas partie de la tradition

Après cette dernière réflexion, mon père cessa de discourir et, pendant un bon moment, continua d'avironner en silence. Il voulait sans aucun doute reprendre son souffle après autant de paroles dites sans prendre un moment de répit.

Sitôt descendu du canot sur le bord du lac, il se mit à préparer le repas.

En un tournemain, il avait attisé le feu et sorti sa grosse poêle noircie par la fumée qu'il ne lavait jamais, se contentant simplement de l'essuyer. Il prétendait qu'elle rôtissait mieux ainsi. Il prit ensuite ses ustensiles et son couteau de chasse de son immense sac à dos confectionné grossièrement dans de la toile de tente blanche, rendue grise par l'âge, avec des courroies de cuir robustes reliées par des rivets solides à toute épreuve pour les besoins de la charge.

Il mit la graisse dans la poêle et la remplit de pommes de terres déjà bouillies apportées de la maison dans une petite boîte de tôle fermée hermétiquement. Découpées en tranches minces, elles commencèrent presque immédiatement à rôtir. Il y ajouta des oignons coupés.

Pendant ce temps, il s'était rendu au bord du lac pour vider les truites et les laver.

Il revint au feu de bois et enleva les pommes de terres déjà bien rôties. Il ajouta de la graisse pour faire place aux truites qui ne tardèrent pas à se tordre dans le «poêlon» en rôtissant à cause de leur fraîcheur.

Quand elles furent à point, il les plaça pour les servir dans deux assiettes de métal avec les pommes de terre. Nous les dégustâmes avec voracité à cause du bon goût de cette nourriture, mais aussi parce que l'heure normale du dîner était largement dépassée.

Mon père reprit alors son monologue.

— Que nous le voulions ou non, les Autochtones ont changé et nos sociétés vont sûrement se transformer encore plus rapidement au cours des prochaines années avec une meilleure instruction de nos enfants et les possibilités que permettront les résultats des négociations territoriales.

Il nous faut donc être fin prêts si nous voulons récolter pleinement ce que nous avons semé.

Nous devons donc tout faire pour canaliser cette énergie créatrice, une richesse inestimable pour notre avenir collectif. Nous ne pouvons plus continuer à bouder cette évolution normale de notre jeunesse.

Au contraire, nous devons l'encourager et surtout la concentrer sur notre développement et ses priorités.

Les résultats de cette indubitable mutation, par une meilleure formation académique de nos enfants, devraient servir au développement de nos communautés respectives avant d'être au service des autres.

Nous devons être sévères et leur enseigner le sens des responsabilités. Il nous faut leur donner le goût du travail bien fait et de la satisfaction que l'on ressent après avoir accompli son devoir.

C'est ce que nous devons faire pour eux si nous voulons les préparer pour le futur d'une façon impeccable comme les ancêtres apprenaient à leurs enfants à subvenir à leurs besoins en leur montrant comment survivre en forêt.

Notre devoir va en ce sens. Nous ne pouvons pas nous y soustraire si nous voulons vraiment le bien de nos jeunes.

Des Allochtones influents ont réussi à disséminer dans la tête de certains Amérindiens une telle confusion face à l'intérêt que portent les Autochtones aux activités traditionnelles de chasse et de pêche, que plus d'un croient encore aujourd'hui que le cheminement de notre avenir doit passer exclusivement par cette voie.

Ils ont semé tellement de doutes chez nos anciens que certains de nos esprits étroits contemporains font l'équation simpliste entre le véritable Autochtone et les activités traditionnelles de chasse et de pêche.

Combien de fois avons-nous entendu que tu n'es pas un authentique Atikamekw ou Montagnais si tu ne chasses pas ou ne pêches pas?

On rejette donc du revers de la main tous les autres.

Pourtant, notre tradition n'a jamais consisté à répéter bêtement les activités du passé. Nos ancêtres n'ont jamais agi ainsi. C'est une interprétation simplifiée par des malins intéressés par nos richesses naturelles pour qui une telle situation fait l'affaire et souhaitent nous y distraire le plus longtemps possible.

Au contraire, en hommes et femmes pratiques comme l'imposaient les conditions difficiles d'alors, ils ont toujours cherché à innover pour améliorer la qualité de leur vie.

Ces ancêtres s'occupaient beaucoup plus du présent, mais ne délaissaient pas l'avenir.

Donc, suivre la tradition, c'est continuer d'agir ainsi.

D'ailleurs, la fidélité à cette tradition ne nous a jamais exigé d'être confinés pour l'éternité à la chasse et à la pêche. Elle tient surtout à la façon de cueillir et d'utiliser les diverses richesses naturelles de notre territoire, de les partager entre nous et de s'assurer que les générations futures pourront aussi en vivre.

La chasse et la pêche, bien sûr, mais aussi les autres richesses que les étrangers continuent à s'approprier en extrayant du sein de notre territoire les forces hydrauliques de nos rivières, les minerais, le bois, etc.

Il ne faut jamais oublier que confier notre développement économique aux seules activités de chasse et de pêche serait nous condamner à la pauvreté et à l'assistance sociale. Cette démonstration a été faite ailleurs dans bien d'autres pays qui se sont organisés pour que leurs Autochtones se contentent de vivre exclusivement de ces activités. Ce serait aussi éliminer toutes nos chances de profiter de l'avancement normal des civilisations actuelles.

Cessons de se fermer les yeux pour ne pas voir, ou de se boucher les oreilles pour ne pas entendre, et constatons objectivement que l'on ne doit pas continuer à enseigner uniquement des activités traditionnelles de chasse et de pêche qui se pratiqueront probablement de moins en moins au cours des prochaines années.

En continuant à promouvoir presque uniquement ces métiers plus classiques pour les femmes Autochtones alors que nous remarquons que ce ne sont pas toujours ces activités qui les intéressent vraiment pour préparer leur avenir, nous faisons fausse route et gaspillons leurs talents.

Par ignorance ou par peur d'échouer dans cet enseignement, nous les frustrons d'une période active qui leur appartient.

La raison inavouée n'est-elle pas souvent que nous ne connaissons pas assez ces métiers éventuels pour les enseigner à nos enfants?

Nous devrons donc adapter cette partie d'une tradition qui veut que seuls les aînés puissent enseigner les métiers d'avenir aux enfants. Comme on peut normalement s'y attendre, ces derniers favorisent l'enseignement des métiers qu'ils ont pratiqués eux-mêmes, la chasse et la pêche, et ont tendance à suggérer aux jeunes de ne pas fréquenter les écoles des Blancs.

Il en résulte qu'on en fait presque à tout coup des jeunes adultes inadaptés tout en élargissant dangereusement le fossé qui les sépare de leurs émules allochtones mieux disposés pour l'ère dite moderne.

Il s'ensuit alors que nos enfants ne sont pas initiés aux métiers actuels ni intéressés à la chasse et à la pêche; donc mal préparés pour leur avenir. Ils sont continuellement assis entre deux chaises.

D'abord, ils ne sont pas à l'aise avec le peu qu'ils ont appris à l'école parce qu'ils n'ont souvent pas pu terminer leurs cours dans la spécialité choisie. Cet abandon, habituellement dû au manque d'adaptation, ne leur permet pas d'occuper des postes importants de gestionnaires dans leur communauté ou ailleurs ou de jouer un rôle politique à la dimension de leurs espérances. Il s'ensuit donc que cette instruction est totalement inutile pour eux car elle n'a pas été donnée en fonction des besoins réels pour les communautés autochtones.

Ensuite, le fait qu'ils en connaissent plus que la majorité de leurs amis qui végètent souvent dans les communautés avec quelques années d'école primaire, fait en sorte qu'ils se sentent supérieurs à ces jeunes. Ils ne sont plus prêts à se contenter uniquement des métiers reliés à la pratique des activités traditionnelles de chasse et de pêche. Ils désirent beaucoup plus. Après quelques échecs dans l'une ou l'autre des sphères décrites, ils choisissent plutôt de ne rien faire, grossissant ainsi le nombre des «droup-out» autochtones.

Il est bien évident que l'on n'échafaude pas l'avenir en enseignant uniquement les métiers du passé, mais bien ceux du futur.

Cela ne signifie aucunement qu'une partie significative des Autochtones ne puisse pas vivre financièrement des retombées économiques des activités traditionnelles de chasse et de pêche et de leur dérivés.

A-t-on déjà vu un coureur olympique gagner un marathon en courant la tête tournée en arrière? Non, il regarde droit devant lui, vers l'avant.

Il en est de même pour bâtir l'avenir...

Nous étions maintenant assis sur le sol, avec comme dossier l'arbre abattu, près du brasier, après avoir savouré les truites fraîches et exquises, un repas de roi. Les deux derniers poissons, mêlés avec les restes de pommes de terre rôties, baignaient dans la graisse fondue, dans la poêle.

Mon père, maintenant silencieux comme une truite, fatigué de tous ces efforts de concentration et écrasé par le soleil ardent, alluma sa vieille pipe et se délecta d'un tabac fort et naturel. Après quelques bouffées prises d'une manière saccadée et rapide, le tempo de son inhalation commença à ralentir.

Les yeux à demi clos, somnolant légèrement, il se reposait. Son visage était souriant comme celui du juste libéré d'un lourd fardeau, qui vient d'accomplir son devoir.

Il était ainsi, depuis une bonne heure. Sa pipe était tombée sur le sable près de lui et sa tête sur sa poitrine.

Mon père, à sa manière et sans le dire clairement, venait de tracer un programme de travail aux siens qui pourrait consister à la préparation et à la réalisation d'un *pays rêvé*.

Il a continué à faire «un travail de Blancs», comme le soulignaient malicieusement ses détracteurs autochtones en ayant toujours en tête ce *pays rêvé*. Il a cultivé dans l'esprit de ses enfants cette fierté difficile à vivre à tous les niveaux d'être des descendants des premières nations. Il les a convaincus que des jours meilleurs surviendraient pour les Autochtones et qu'il fallait tous s'y préparer sérieusement. Il a toujours gardé cette flamme allumée dans leur cœur. Il a enrichi et raconté de nombreuses fois le *rêve de ce pays autochtone*.

Son pays, plus grand que le regard,
on l'a réduit à Canada, à Québec.
Ce sont des mots qu'il connaît
seulement depuis la nuit
des temps américains.

III

«Blanc» de mémoire

Note de l'auteur: La scène de ce chapitre se passe dans une université québécoise. Le négociateur en chef du Conseil Attikamek-Montagnais a été invité à prononcer une conférence sur les droits des nations atika-mekw et montagnaises à négocier avec les gouvernements du Canada et du Québec. Le président de ce groupe important d'écologistes a la parole et présente le contenu de cette conférence.

* * *

Plusieurs parmi nous, Allochtones, s'interrogent sur la nature des négo-ciations territoriales entre les Autochtones du Canada et les gouverne-ments fédéral et provinciaux. Nous nous demandons, avec un peu de crainte il faut l'admettre, ce que comporte cet inconnu et ce que deviendra ce pays que nous habitons présentement après que nos ancêtres, venus de France ou d'Angleterre, l'aient occupé pacifiquement.

Nous ne connaissons pas vraiment ce que sont les droits ancestraux. Certains d'entre nous se posent même de sérieuses questions sur leur existence réelle et leur fondement juridique.

Comme la majorité des Québécois, même si les questions humanitaires nous préoccupent un peu plus, nous en savons peu. Nous avons dû nous contenter de ce que les médias ont bien voulu nous en dire par bribes incomplètes. Nous avons donc entendu parler du contenu des négociations territoriales avec les premiers occupants du Canada, informations filtrées par le prisme de la société dominante et de ses instruments de propagande.

Les non-Indiens connaissent surtout une infime partie du contenu des ententes que le gouvernement du Québec a négociées avec les Cris et les Inuit pour le territoire de la Baie James dans le but de réaliser son «projet hydro-électrique du siècle». Nous avons en tête, un peu péjorativement nous en convenons, les 225 millions de dollars qu'ils ont obtenus comme compensation monétaire pour les deux groupes. Il faudrait aussi ajouter les 110 millions de dollars de l'entente «La Grande», conclue récemment avec les Cris. Pour plusieurs d'entre nous, il s'agissait d'Autochtones qui avaient vendu leur terre pour une «grosse poignée de dollars». Nous n'oublions pas encore aujourd'hui la manchette des médias qui s'est dégagée des propos du premier ministre du temps, monsieur Robert Bourassa — un peu dans le style de ses 100 000 «jobs» de la campagne électorale précédente — avec ses 250 millions de dollars en compensation monétaire pour les Cris et les Inuit. Cette révélation bien orchestrée avait eu un effet extrêmement négatif dans la population. Aujourd'hui encore, lorsqu'on entend parler publiquement de la Baie James, c'est presque toujours une question de gros sous.

On oublie facilement tout le reste.

Nous nous associons de temps à autre avec les Autochtones pour les appuyer dans leurs revendications, mais nous sommes toujours un peu mal à l'aise car nous avons l'impression qu'ils croient, peut-être pas tout à fait à tort, que nous les utilisons pour mousser nos propres causes.

Nous sommes parfois convaincus que les gestes posés pour eux, quelques fois maladroitement, ne sont pas nécessairement ceux que les Autochtones désireraient.

Cependant, pour quelques-uns d'entre nous qui ont participé activement au débat embryonnaire sur l'énergie du début des années 1970, nous sommes persuadés que les Cris de la baie James nous ont utilisés pour faire des pressions sur le gouvernement du Québec et ainsi obtenir beaucoup plus dans leurs négociations. Ils ont semblé peu préoccupés par le véritable débat sur l'énergie, surtout après qu'ils eurent obtenu ce qu'ils souhaitaient. Ce qui nous a laissé un goût amer face aux négociations territoriales des Autochtones et de l'appui que nous pourrions leur donner.

Présentement, le Québec vit avec les nations atikamekw et montagnaise une négociation territoriale importante qui fera sans aucun doute sa marque dans l'histoire contemporaine. Les Atikamekw et les Montagnais ont occupé ancestralement près du quart du territoire actuel de cette province et tentent d'en récupérer la plus grande partie.

Ils ont, de la négociation territoriale globale, une toute autre approche que celle des Cris et des Inuit. Leurs revendications sont beaucoup plus orientées vers la récupération du territoire et la mise en place d'un gouvernement responsable et autonome que vers les compensations monétaires.

Il faut aussi préciser que les Atikamekw et les Montagnais ne sont pas bousculés par un projet d'envergure qui doit se réaliser rapidement comme c'était le cas pour les Cris. Ils désirent prendre tout le temps nécessaire pour mener à bien cette négociation.

Leur territoire ancestral est, en très grande partie, présentement occupé par de nombreux Allochtones qui s'y sont installés dans leurs villes et villages, avec leurs infrastructures et toutes leurs réglementations; ce qui rend cette négociation territoriale beaucoup plus difficile à mener parce qu'elle touche directement plusieurs Québécois dans leur vie de tous les jours. Ces Allochtones ne comprennent pas que les Atikamekw et Montagnais aient des droits aborigènes puisque, selon eux, leurs propres ancêtres ont aussi occupé ce territoire depuis une centaine d'années et souvent plus.

Plusieurs parmi eux s'opposent donc à cette négociation territoriale avec toute l'énergie de personnes ignorantes qui y perdraient certains privilèges.

Par l'utilisation des techniques modernes de communication de masse et leur association avec d'autres groupes de pression populaires québécois, nationaux et même internationaux, ils se sont créé un pouvoir de négociation (*bargaining power*) qui force le gouvernement du Québec et celui du Canada à négocier sérieusement avec eux. Ils ont fait la démonstration, par leur lutte contre la puissante Hydro-Québec dans le cas de l'exploitation de ressources de leur territoire ancestral et la non moins puissante armée canadienne dans celui du dossier des vols à basse altitude, qu'ils se battraient jusqu'au bout pour obtenir satisfaction dans leurs revendications territoriales.

C'est de cette revendication territoriale que nous entretiendra aujourd'hui le négociateur en chef et coordonnateur des négociations du Conseil Attikamek-Montagnais. Ce Montagnais pourra certes répondre à toutes vos interrogations sur cette période cruciale.

Le Conseil Attikamek-Montagnais (C.A.M.) est une association qui regroupe environ le tiers des Autochtones du Québec, soit environ 12 000 personnes. Ils vivent dans douze communautés, dont neuf montagnaises situées au lac Saint-Jean, sur la Côte-Nord, la Moyenne et la Basse Côte-Nord, qui sont: Pointe-Bleue, Les Escoumins, Betsiamites, Sept-Îles-Maliotenam, Schefferville, Mingan, Natashquan, La Romaine, Saint-Augustin et trois communautés atikamekw établies sur la Haute-Mauricie qui sont: Manouane, Weymontachie et Obedjiwan.

Le C.A.M. a été constitué en corporation sans capital-action en vertu de la partie deux de la Loi sur les Corporations canadiennes, le 6 février 1976.

Les objets pour lesquels cette corporation a été constituée sont:

1. Faire la promotion sociale, économique et culturelle des Indiens, Atikamekw et des Montagnais;
2. Définir, promouvoir et défendre les droits de ces mêmes Indiens;
3. Agir comme porte-parole officiel du groupe atikamekw-montagnais;
4. Permettre une organisation, politique et administrative, autonome des Indiens, Atikamekw et Montagnais;
5. Permettre la prise en charge administrative, progressive, de tous les services dispensés aux Indiens, Atikamekw et Montagnais, par le ministère des Affaires indiennes et du Nord du Canada, ou autres organismes;
6. Pouvoir négocier, pour reconnaissance, avec le consentement des membres des bandes, le droit de tous les Indiens concernés;
7. Pouvoir déléguer, à un organisme indien provincial (en vue d'une confédération indienne québécoise) ou national, certaines responsabilités;
8. Assumer et administrer certaines activités déléguées par les bandes, ou par une, ou des régions.

Lors d'une réunion qui a eu lieu à Chicoutimi les 21 et 22 mars 1978, l'assemblée générale du Conseil Attikamek-Montagnais a adopté une résolution à l'effet que le C.A.M. reçoive le mandat de chaque bande de préparer les procédures, objectifs et orientations en vue de négociations futures de ses revendications territoriales pour présenter au gouvernement fédéral pour acceptation.

Le 25 avril 1980, l'assemblée des chefs a confirmé le mandat donné au Conseil Attikamek-Montagnais par l'assemblée générale en adoptant une résolution à l'effet que chaque conseil de bande mandate le Conseil Attikamek-Montagnais de négocier avec les autorités gouvernementales (Québec, Terre-Neuve et le gouvernement fédéral), d'après les grands principes suivants:

a) reconnaissance de droits;

b) compensations pour les dommages survenus sur le territoire atikamekw-montagnais ;
c) autodétermination;
d) participation aux développements futurs.

Avant qu'une entente soit signée avec les gouvernements concernés, chaque conseil de bande procédera à un référendum avec sa population afin de faire accepter les termes de cette entente.

Le Conseil Attikamek-Montagnais, entité surtout politique, est présentement une des associations autochtones les plus dynamiques. Petit à petit, avec les communautés qui le composent, le Conseil Attikamek-Montagnais a pris en charge divers services comme l'éducation et la culture, l'information, la protection publique, par la police amérindienne, les services sociaux et bientôt la santé, le fonds de pensions de ses employés et ceux des communautés et, enfin, ses institutions de développement économique.

Malheureusement, le portrait économique actuel des communautés qui composent le Conseil Attikamek-Montagnais est pour le moins sombre.

Les emplois sont en général très rares dans les communautés.

En 1977, le revenu annuel moyen per-capita des habitants de Manouane était de 1 517 $, d'Obedjiwan, 1 739 $, de Weymontachie, 1 902 $, alors que pour les Québécois, au cours de la même année, il était de 5 310 $.

Au cours de l'année 1980, 53 % des habitants de l'ensemble des communautés atikamekw et montagnaises recevaient de l'aide sociale et ce taux allait jusqu'à 77,5 % pour Natashquan. Comparativement, dans les régions québécoises où l'on retrouve nos communautés, ces taux étaient de 9 % pour les Québécois du Lac-Saint-Jean, 9,6 % pour ceux du Nord-ouest et de 8,4 % pour ceux de la Côte-Nord alors qu'il était de 7,5 % pour l'ensemble des Québécois.

Pour la période 1983-1984, le revenu per capita des Montagnais de la Moyenne et de la Basse Côte-Nord était de 3 671 $, comparativement à 9 148 $ pour les Québécois de la Côte-Nord. Les revenus des paiements de transfert représentaient 55,1 % des revenus totaux de Mingan, 55,3 % de Natashquan, 66,5 % de La Romaine et 59,3 % de Saint-Augustin.

Moins considérés que les abeilles et le poulamon

Il y a des évidences qui devraient sauter aux yeux de ceux qui sont les décideurs et qui veulent surtout voir plus loin que le bout de leur nez.

Prenons un seul exemple pour démontrer que la logique ne trône pas toujours lorsqu'il s'agit des Autochtones.

Avant que le Québec pense à exporter l'électricité aux États-Unis, n'aurait-il pas été plus normal que les deux communautés atikamekw de

Weymontachie et d'Obedjiwan qui ne sont pas raccordées au réseau d'Hydro-Québec et qui vont être pour le moins incommodées par les lignes de transmisssion du projet Radisson-Nicolet-Des Cantons reçoivent les mêmes services de cette société d'État que les autres Québécois?

Ces deux communautés étaient alimentées par des centrales à génératrices diesel installées et entretenues par le ministère des Affaires indiennes et du Nord du Canada. Elles fournissaient suffisamment de puissance pour l'éclairage et les appareils ménagers, mais pas assez pour le chauffage électrique. À Weymontachie tout au moins, les pannes mineures étaint fréquentes l'hiver en début de soirée.

Pendant des années, des négociations ont eu lieu entre le ministère des Affaires indiennes et du Nord du Canada et Hydro-Québec pour le raccordement de ces deux communautés au réseau. Hydro-Québec utilisait le territoire ancestral des Atikamekw pour produire une partie de son électricité, s'appropriait ainsi, sans aucune compensation, de cette richesse naturelle et exigeait en plus que les Affaires indiennes défraie la construction de la ligne entre le point d'approvisionnement le plus proche et chacune de ces réserves.

Plus encore, comment a-t-on pu être aussi injuste envers ces communautés qui dépendaient d'un système d'autoproduction électrique inadéquat et coûteux pour eux alors que la rivière Saint-Maurice, qui traverse leur terre ancestrale, est harnachée pour des fins de production électrique depuis les débuts du siècle?

Lors des réunions du Bureau des audiences publiques sur l'environnement (BAPE) du Québec sur le projet Radisson-Nicolet-Des Cantons, nous avons appris avec étonnement qu'*Hydro-Québec considérait moins les Autochtones que les abeilles et le poulamon*. N'avait-elle pas fait des études d'impact sur les abeilles et le poulamon alors que ce n'avait été le cas pour les populations atikamekw et montagnaises?

Ce n'est qu'après de fortes pressions publiques que cette créature milliardaire québécoise a daigné s'asseoir avec nous pour corriger certains inconvénients et faire participer les Atikamekw aux retombées économiques normales pour de tels projets.

Je tiens à utiliser l'exemple d'Hydro-Québec parce que cet organisme est un fleuron de gloire pour les Québécois et qu'il se développe rapidement en utilisant notre territoire ancestral pour produire son électricité. Il ne faut jamais oublier que cette multinationale d'État est une menace constante pour les Atikamekw et les Montagnais puisque la très grande majorité de ses projets nous atteint en plein cœur.

Plus encore, cet organisme a toujours eu peu de considération pour les Autochtones.

À chaque fois qu'Hydro-Québec a décidé de construire des barrages, une partie active de notre vie a changé complètement sans notre consentement.

Nous n'avons pas choisi — ni été consultés pour ce choix de société — les développements économiques dans le sens de l'exploitation de nos ressources hydrauliques. On nous a toujours imposé les visées insatiables d'Hydro-Québec qui nous font peur, nous l'avouons candidement, puisqu'elles risquent de noyer ou d'occuper en le détruisant par des produits chimiques une grande partie de ce qui nous est cher et qui n'a jamais été cédé: notre territoire ancestral, notre seule richesse.

Il faut comprendre notre farouche opposition aux projets fastueux d'Hydro-Québec qui remplissent d'aise le premier ministre actuel du Québec, monsieur Robert Bourassa, et ses chevaliers servants qui vivent un beau «trip» professionnel à nos dépens et peut-être à ceux de bien d'autres citoyens canadiens et québécois qui, eux aussi, n'auront pas participé à ce débat sur l'avenir de l'énergie hydro-électrique qui se sera livré dans les «bunkers», les tours d'ivoire et les antichambres.

Nous avons une sérieuse expertise du territoire, de la production et du transport de l'énergie d'Hydro-Québec, parce qu'une bonne partie des équipements de production et de transport de la matière première de cette société d'État est implantée chez nous, sur le territoire ancestral des Atikamekw et des Montagnais, territoire grevé légalement par le titre autochtone et sur lequel une revendication globale a été acceptée par les gouvernements du Canada et du Québec.

En raison du vaste débat suscité au Québec par le passage de la ligne à courant continu Radisson-Nicolet-Des Cantons, il serait dans l'intérêt du public canadien de savoir que le gouvernement québécois actuel, qui est l'actionnaire majoritaire et unique d'Hydro-Québec, n'a pas de mandat à long terme de planifier et d'appliquer une politique de bousculade perpétuelle des intérêts autochtones et québécois pour servir toutes les demandes d'énergie ferme des clients canadiens ou américains.

Quand on entend des personnages importants comme le vice-président exécutif d'Hydro-Québec déclarer que l'inquiétude en approvisionnement des clients canadiens, particulièrement de l'Ontario et du Nouveau-Brunswick, n'a pas lieu d'être, qu'en tout temps cette société est prête à s'asseoir et à négocier des contrats fermes avec tous et que le temps «que nos voisins prendront à construire leurs lignes de transports et facilités de distribution de cette énergie, suffirait à Hydro-Québec pour acheminer l'énergie à la frontière», nous nous interrogeons sérieusement à savoir si sa politique de développement se fonde dorénavant sur la bousculade des échéanciers en contrevenant ainsi à nos droits et en oubliant les intérêts des Québécois et les conséquences sur l'environnement au Québec.

Même le p.-d.-g. d'alors d'Hydro-Québec, monsieur Guy Coulombe, que l'on ne pouvait tout de même pas considérer comme un analyste impartial, a prétendu que la consultation du public sur ces projets n'avait pas été bien faite et que, dans l'avenir, il faudrait éviter le style de scénario vécu lors de l'examen de la ligne Radisson-Nicolet-Des Cantons.

Nous ne pouvions d'ailleurs pas plus être d'accord avec les allégations du vice-président exécutif d'Hydro-Québec lorsqu'il a déclaré que le potentiel de 40 000 mégawatts du Québec n'attend que les demandes des futurs acheteurs pour être utilisé.

Ce serait alors faire fi de la négociation territoriale que nous menons avec les gouvernements d'Ottawa et de Québec sur ces importantes questions pour notre développement futur, bien mal connaître aussi la réglementation existante au Québec et, surtout, méconnaître les Québécois pour qui un vaste débat sur les choix énergétiques et environnementaux est réclamé depuis longtemps.

Comme les Atikamekw et les Montagnais, les Québécois n'accepteront pas nécessairement que toutes les rivières soient jonchées de barrages et le territoire de toiles d'araignées de lignes et de pylones et que leur avenir soit hypothéqué définitivement et sans consultation même pour de l'énergie aussi «propre».

Ce n'est donc pas si sûr que cela que la sécurité des approvisionnements des demandes éventuelles des autres provinces canadiennes soit garantie par l'équation magique et simpliste d'Hydro-Québec qui veut qu'une demande d'énergie ferme égale le harnachement rapide de rivières, les constructions à la sauvette de lignes et les livraisons frontalières à tout coup avant même l'arrivée des pylones de l'Ontario, du Nouveau-Brunswick ou d'ailleurs.

Il serait peut-être temps que les dirigeants d'Hydro-Québec descendent du haut de leurs pylones et analysent sérieusement, les deux pieds sur terre, tous les débats soulevés par le tracé de la ligne Radisson-Nicolet-Des Cantons et cette question d'exportation de l'électricité.

Ils y verraient sûrement que, dans le cas de l'étude d'impact de cette ligne reliée au contrat alors sous examen, pour satisfaire à leurs contrats de vente, le gouvernement québécois a «court-circuité» toute procédure légale d'examen environnemental et a restreint considérablement le mandat de son Bureau des audiences publiques sur l'environnement (BAPE).

De telles méthodes, qui bafouent les instances de protection de l'environnement, appréciées par la majorité des Québécois, ne reçoivent pas l'appui de l'ensemble de la population. Le temps où Hydro-Québec était toute puissante, plus que l'État, comme on le soulignait dans les officines gouvernementales, est révolu.

Cette société devra se civiliser et apprendre à travailler dans l'intérêt de la population, intérêt défini par cette population.

Les clients voisins du Québec ne doivent pas être naïfs au point de croire que le potentiel, ou la réserve de 40 000 mégawatts du Québec, sera à vendre simplement sur demande et livré à la suite du coup de baguette magique d'Hydro-Québec pour harnacher, une après l'autre, toutes les rivières du Québec.

Il y aura des résistances sociales et de droits à cette planification; des changements de conjonctures politiques et des négociations territoriales avec les Autochtones qui conditionneront les développements sur les territoires. Et je ne suis pas convaincu que leurs orientations iront dans le même sens que le préconise Hydro-Québec.

Il y a évidemment des dangers de poursuites ou d'injonctions sur les gestes de bousculade d'Hydro-Québec.

Il ne faudrait cependant pas déduire de ces propos que nous sommes contre le développement. Nous voulons simplement exprimer que nous n'accepterons jamais que ce développement se fasse à notre détriment comme cela s'est produit jusqu'à maintenant.

Nous voulons évidemment nous assurer en premier lieu d'une reconnaissance de nos droits fonciers par les gouvernements. Ensuite, nous désirons que l'on nous considère comme des partenaires égaux et réels dans certains projets importants que l'on développera sur nos territoires ancestraux. Nous voulons nous assurer également de la non-aliénation à tout jamais de nos propres possibilités de planification et d'aménagement du territoire autochtone en harmonie avec l'ensemble des Canadiens et des Québécois.

Nous avons aussi constaté à plusieurs reprises, lorsqu'Hydro-Québec parle de la rentabilité financière et sociale des contrats d'énergie pour la population québécoise, qu'elle ne tient aucunement compte des effets économiques et sociaux de la production et de l'exportation d'électricité vers les États-Unis.

Pour nous, il est évident que les bas prix d'électricité consentis par Hydro-Québec à ses clients sont attribuables en grande partie au fait qu'une portion importante de l'électricité produite par cette société d'État provient des territoires des Atikamekw et des Montagnais encore grevés de droits et que ce sont ces derniers qui subissent d'une façon négative la plupart des conséquences écologiques, économiques et sociales, de cette production hydro-électrique.

Pour bien comprendre cet avancé, il est d'abord nécessaire de fournir un bref aperçu de toutes les installations de production hydro-électrique que la société Hydro-Québec a construites ou achetées sur nos territoires sans notre autorisation.

D'abord, le nombre total des centrales hydro-électriques établies sur le territoire ancestral revendiqué par les Atikamekw et les Montagnais est de quatorze: dix sur la Côte-Nord et quatre dans le Haut Saint-Maurice, pour une puissance nominale de 8 031 710 kilowatts, par rapport à la puissance totale nominale de toutes les installations hydro-électriques d'Hydro-Québec qui est de 22 054 261 kilowatts.

Il faut ajouter que ces chiffres ne tiennent pas compte des installation de la compagnie Alcan en territoire montagnais du lac Saint-Jean qui représentent une puissance nominale de 1 116 500 kilowatts.

Ensuite, les grands réservoirs mis en place pour alimenter ces centrales de production totalisent une superficie supérieure à 2 000 milles carrés de nos territoires de chasse qui ont été ainsi inondés.

Les principaux réservoirs sur les territoires des Atikamekw et des Montagnais sont: Smallwood: une partie seulement en territoire du C.A.M.; Manic 5: 750 milles carrés; Pipmuacan/lac Cassé: 340 milles carrés; Gouin: 300 milles carrés; Outardes 4: 250 milles carrés.

Enfin, 20 lignes électriques de transport d'importance majeure (230 kilovolts et plus), dont onze à 735 kilovolts: trois lignes en provenance de Churchill Falls, six lignes en provenance de la baie James; et deux lignes en provenance du complexe Manic-Outardes, traversent des milliers de kilomètres de nos territoires de chasse pour approvisionner les centres urbains de la vallée du Saint-Laurent et acheminer l'électricité vers les provinces voisines et les États-Unis[1].

À la constatation de ces quelques données statistiques, il devient évident qu'une partie importante des installations de production hydro-électrique d'Hydro-Québec, soit environ 36,4 % selon nos estimations, se situent présentement sur les territoires ancestraux des Atikamekw et des Montagnais.

Or, J.T. Bernard et son groupe de recherche ont démontré en 1983 que les bas prix de l'hydro-électricité au Québec et dans certaines autres provinces du Canada sont attribuables en grande partie au fait que les producteurs ne versent aucune rente pour les secteurs d'utilisation des ressources hydrauliques, contrairement à la pratique établie dans les domaines de la production gazière et pétrolière par exemple.

Pour ce qui est de la réponse que font habituellement les défenseurs d'Hydro-Québec à cet argument en soulignant qu'une rente est effectivement versée aux Québécois sous forme de bas prix et de remise au gouvernement du Québec d'une partie des profits de cette société d'Etat, les Atikamekw et les Montagnais, quant à eux, la rejettent totalement. Ces formes déguisées de rentes les défavorisent encore une fois, et ce, d'une manière plus accentuée.

Comment pourrait-on sincèrement accepter de redistribuer les fruits de richesses naturelles qui nous appartiennent de droit et qui nous ont été usurpés en sachant que cela se fait à notre détriment? En fondant leurs calculs sur la comparaison de la production hydro-électrique avec les coûts de production d'électricité à l'aide de centrales thermiques au charbon ou au pétrole, les mêmes auteurs ont établi que le taux de rente de la production hydro-électrique au Québec pouvait s'élever à près de un milliard de dollars en 1979, soit plus exactement 980 millions[2].

Dans le cas des Atikamekw et des Montagnais, la rente hydro-électrique qui leur est redevable serait donc d'environ 361 millions $ par année si on accepte les données des chercheurs dirigés par monsieur Bernard en 1979.

Non seulement aucune rente n'est versée aux Atikamekw et aux Montagnais pour l'exploitation des ressources hydrauliques de leurs territoires ancestraux par la société Hydro-Québec, mais de plus, contrairement aux Cris et aux Inuit qui ont signé l'entente de la Baie James, aucune compensation digne de ce nom ne nous a été versée à date pour la mise en place de toutes les installations de productions décrites plus haut.

Pour la ligne Radisson-Nicolet-Des Cantons, les Atikamekw ont reçu des montants d'argent symboliques pour les inconvénients causés, sans préjudices à la négociation territoriale globale en cours. Ce n'est qu'après de nombreux efforts de revendication qu'Hydro-Québec a décidé que les Atikamekw bénéficieraient de contrats ou d'emplois reliés à la réalisation de ce projet. De plus, ils ne sont plus exclus du programme de mise en valeur environnementale.

Pourtant, comme l'a démontré le professeur Paul Charest de l'Université Laval dans un article publié dans la revue *Recherches amérindiennes au Québec* datant de l'automne 1980, les Montagnais de la Côte-Nord et du lac Saint-Jean et tout particulièrement ceux de Bersimis ont subi des dommages irréparables à leurs territoires et à leurs activités traditionnelles de chasse, de pêche, de piégeage et de collecte, suite à la mise en place des complexes hydro-électriques comme celui de Bersimis-Manic-Outardes. Dans le seul cas de la communauté de Bersimis, la moitié des quelque 80 territoires de piégeage a été affectée par les modifications apportées aux réseaux hydrographiques, particulièrement dans leurs parties les plus productives, soit les habitats riverains les plus propices à la pratique de ces activités traditionnelles.

Dans la région de la Haute-Mauricie, territoire de chasse des Atikamekw, les premiers aménagements hydro-électriques remontent aussi loin que 1916 avec la création du réservoir Gouin qui a inondé des centaines de milles carrés de territoires de chasse des plus giboyeux et qui a obligé la relocalisation de la réserve d'Obedjiwan.

Nous subissons donc depuis des décennies les inconvénients du développement hydro-électrique sur nos territoires ancestraux sans pour autant bénéficier de certaines de ses retombées.

Très peu d'Autochtones ont eu la possibilité de travailler sur les immenses chantiers qui ont envahi leurs territoires depuis le début du siècle. Par contre, les travailleurs non-autochtones et les autres résidents du Québec et d'ailleurs en ont profité pour exploiter les ressources fauniques de nos territoires en nombre sans cesse accru d'année en année. De telle sorte que nous nous retrouvons aujourd'hui en grande partie dépossédés de nos territoires et de nos ressources sans contrepartie aucune sous forme de rentes économiques, d'indemnisations pour les dommages aux territoires, de projets de développement permanent ou d'emplois salariés stables.

Par ailleurs, contrairement aux affirmations d'Hydro-Québec dans son document sur la «rentabilité sociale» de son projet d'exportation d'électricité vers la Nouvelle-Angleterre, le devancement des échéanciers de la construction de la ligne de transport Radisson-Nicolet-Des Cantons a comporté des coûts écologiques et sociaux non compris dans les coûts d'électricité à l'exportation.

Le mémoire du Conseil attikamek-montagnais présenté devant le Bureau des audiences publiques sur l'environnement (BAPE) démontrait clairement que le devancement des échéanciers d'Hydro-Québec dans ce cas se traduisait par des études d'impacts écologiques, économiques et socio-culturelles, baclées ou tout simplement inexistantes, plus particulièrement en ce qui concerne la partie des 300 kilomètres du tracé proposé en territoires atikamekw et montagnais.

L'absence quasi totale d'études environnementales sur cette partie du tracé se traduisait donc par des prévisions tout à fait inadéquates en ce qui concernait les impacts écologiques, sociaux et économiques du projet de ligne sur les territoires de chasse et les activités traditionnelles des communautés atikamekw et montagnaises concernées, soit Weymontachie, Obedjiwan et Pointe-Bleue. En conséquence, les mesures de mitigation prévues étaient aussi inadéquates.

Finalement, les droits aborigènes ont toujours été complètement ignorés par Hydro-Québec, de même que l'existence de la négociation territoriale tripartite actuellement en cours, pour la mise en œuvre de nos droits, y compris entre autres des formes d'indemnisations pour l'exploitation des ressources dans le passé et dans le futur par des grands projets de développement, tels que les projets hydro-électriques.

En ne tenant pas compte de tous ces coûts économiques et sociaux, actuels et futurs, reliés à son projet de ligne de transport vers les États-Unis, Hydro-Québec a sous-estimé les coûts réels de l'exportation d'électricité et a trompé la population québécoise et la population canadienne en général.

Plus globalement, comme les coûts de la rente hydro-électrique ne sont pas incorporés dans le calcul des coûts de production d'hydro-électricité établis par Hydro-Québec et dans les coûts d'exportation, nous considérons que la rentabilité sociale établie par la société d'État pour son projet d'exportation vers la Nouvelle-Angleterre n'est pas positive, mais négative.

Selon nous, comme ce fut le cas pour tous les autres projets de production à partir des territoires ancestraux des Atikamekw et des Montagnais, celui-ci se réalise à nos dépens sans nous accorder une juste compensation pour l'utilisation des ressources hydrauliques de nos territoires, pour la destruction d'une partie de nos territoires de chasse, pour la perte de rendement dans nos activités traditionnelles et pour la transformation de notre mode de vie.

Il est donc évident que les bas coûts de l'électricité sont en grande partie réalisables grâce à notre dépossession. Comme ils le font depuis qu'ils se sont implantés sur nos territoires, les non-Autochtones s'enrichissent à nos dépens pendant que nous sommes réduits au sous-développement et à la pauvreté.

Droits reconnus par la Constitution canadienne

Voyons maintenant que *la mémoire des Blancs a des «blancs» de mémoire.* Cette partie est à mon sens la plus importante ou au moins le cœur de cette présentation. Elle vous démontrera l'obligation qu'ont les gouvernements de négocier avec nous.

Puisque nous n'avons jamais cédé nos droits sur nos terres ancestrales par la signature d'un traité, nous détenons toujours des droits ancestraux ou aborigènes sur ces terres, qui sont d'ailleurs protégées depuis 1982 par la Constitution canadienne.

Aucune partie de nos terres, aucun lac, aucune rivière, aucune montagne, aucune forêt n'a fait l'objet d'une cession de notre part au profit de quelque gouvernement ou quelque compagnie que ce soit comme ce fut le cas pour d'autres terres autochtones situées dans les limites de certaines autres provinces.

Dans certains cas, quelques compensations mineures ont été versées à certains groupes lorsque les spoliations de la terre les mettaient dans des situations particulièrement difficiles, voire de famine, comme celà est arrivé sur la Côte-Nord et au lac Saint-Jean au siècle dernier.

Ces dédommagements firent suite à des revendications de notre part transmises en haut lieu par des missionnaires ou des administrateurs. Nous pensons que ces quelques «bonnes actions» visaient simplement à masquer le malaise de certains agents de décision face à une négation aussi outrancière de nos droits fondamentaux. C'est-à-dire de nos droits à assurer notre subsistance à partir des ressources de nos terres.

Dans la plupart des cas cependant, nos revendications les plus fondées ne furent pas écoutées par les différentes instances gouvernementales de la société dominante et on nous a laissés mourir de faim après nous avoir empêchés de pêcher le saumon dans les rivières de la Côte-Nord louées à des industriels ou à des hommes politiques puissants.

Nous avons démontré facilement au gouvernement fédéral, textes à l'appui, que l'histoire de nos revendications territoriales n'est pas récente. Elle date de plusieurs siècles.

Jusqu'à maintenant, les agents politiques et économiques de la société dominante ont toujours fait la sourde oreille.

Nous exigeons maintenant qu'ils nous écoutent attentivement et étudient sérieusement nos revendications.

Nos droits territoriaux se fondent sur notre titre de descendants des premiers occupants des terres que nous revendiquons suite à une utilisation traditionnelle. Nous sommes convaincus que ces droits aborigènes sont équivalents à des droits de souveraineté et nous sommes appuyés en cela par l'opinion de juristes québécois et de spécialistes en droit constitutionnel renommés.

Nous n'accepterons évidemment jamais que ces droits soient limités à la notion étroite de droits résiduels de chasse, de pêche et de piégeage, que veut nous appliquer sournoisement le gouvernement du Québec.

Le territoire et la compétence des nations autochtones, autant atikamekw que montagnaise, ont été reconnus avant 1763 comme en fait foi le traité de paix et d'amitié conclu en 1603 entre les Indiens et le roi de France. Par ce traité, les Français étaient autorisés à coloniser certaines parties du territoire indien en retour d'un appui militaire.

On pourrait ajouter que ces compétences ont aussi été reconnues par la Couronne britannique dans l'article 40 de la Capitulation de Montréal alors que l'Angleterre a promis que les diverses nations indiennes continueraient d'occuper leur territoire en paix.

Enfin, la Proclamation royale de 1763 a prévu un processus de conclusion de traités entre la Couronne britannique et les Nations indiennes du Canada. Elle garantit un processus continu de traités de nation à nation.

C'est donc évident qu'au cours de l'histoire, les Français et les Anglais ont reconnu aux nations autochtones la légitimité de leur territoire comme celle de leur gouvernement autonome et responsable en signant ces traités avec leurs autorités en place.

À partir des célèbres prises de position du juge Marshall dans les années 1820 et 1830 jusqu'à celles beaucoup plus récentes des juges Malouf et Berger, de nombreuses opinions de juristes et jugements sont venues renforcer la thèse des droits aborigènes des Amérindiens.

Ces droits ont d'ailleurs été reconnus officiellement par différents gouvernements américains et canadiens à l'occasion de divers traités, ententes, dédommagements, etc.

C'est ainsi que le juge Berger écrit en parlant du Canada de 1872 que, et je cite: «*Le principe de la reconnaissance des titres des Autochtones était profondément ancré dans la politique et les statuts de cette nouvelle nation* [3].»

Ce qui n'a pas toujours été défini clairement lors de tous ces jugements, traités ou ententes, c'est la nature des droits aborigènes. Sur cette question, nous ne sommes pas d'accord avec la conception restrictive que s'en font les représentants de la société dominante.

Nous affirmons bien haut que nos droits ancestraux sont des droits de pleine souveraineté car comment aurait-il pu en être autrement dans notre situation de complète autonomie économique, sociale, politique, culturelle et religieuse. Nous étions les maîtres absolus des terres et de leurs ressources, des lacs, des rivières et des forêts qui nous assuraient notre subsistance dans une interdépendance totale avec la nature.

Nous ne pensons pas que la venue d'étrangers européens sur nos terres, même si ceux-ci furent acceptés jusqu'à un certain point par nos ancêtres, ait modifié notre situation de peuples souverains sur nos territoires.

Seule la conquête armée ou notre consentement explicite à aliéner nos droits au profit de la société dominante aurait pu nous faire perdre cette souveraineté.

Or, rien de tel s'est passé.

Nous savons en fait que la position de la société dominante et sa négation de nos droits se trouvent uniquement fondées sur des rapports de force. *Lorsque l'avantage de votre nombre, de vos armes et de votre technologie, n'était pas aussi évident qu'il est devenu depuis les siècles derniers, votre attitude était passablement différente; nous étions alors considérés comme des nations alliées jouissant de leur autonomie complète.*

Aujourd'hui, votre situation de force et votre peur de ne pas avoir accès à nos terres et à leurs ressources immenses vous font reculer devant la reconnaissance de nos droits souverains.

Pourquoi les gouvernements blancs auraient-ils, seuls, tous les droits sur les terres et leurs ressources ainsi que le contrôle économique et politique?

Si nous, peuples amérindiens, sommes aussi égaux que vous devant le Créateur de toutes choses, nous pouvons pouvoir jouir des mêmes droits.

Votre jurisprudence nous reconnaît généralement au moins des droits d'usufruit sur nos terres ancestrales. La célèbre cause St. Catherine's Milling and Lumber Company vs The Queen définit le titre indien comme étant un droit «personnel et usufruitier dépendant du bon vouloir du Souverain».

Il est bien évident cependant que nous nous opposons catégoriquement à cette définition unilatérale de nos droits par l'appareil législatif et juridique de la société dominante. Nous nous y objectons d'autant plus qu'on en a toujours fait une interprétation abusivement restrictive limitant nos droits d'usufruit aux seuls activités de chasse, de pêche et de piégeage sur des territoires appartenant prétendument à la Couronne. Qui plus est, en dehors du piégeage des animaux à fourrure, nos supposés droits de chasse et de pêche ne sont même pas exclusifs.

Le gouvernement du Québec autorise des dizaines de milliers de chasseurs et de pêcheurs soi-disant «sportifs» à capturer du gibier et du poisson sur nos terres.

Par ailleurs, le même gouvernement autorise les compagnies forestières à raser les forêts, les compagnies minières à creuser leurs trous et Hydro-Québec à inonder de vastes superficies.

Que nous reste-t-il après que tous ces exploiteurs allochtones soient passés sur nos terres et se soient servis prioritairement?

Nous en sommes malheureusement rendus à ramasser les miettes qui tombent de la table copieusement garnie des Blancs.

Dans une perspective de respect des équilibres écologiques qui a toujours été la nôtre, la reconnaissance des droits d'usufruit passe par le respect des relations d'interdépendance des principaux éléments des écosystèmes: sol, eau, végétation, faune, etc.

Notre éducation traditionnelle nous a appris à préserver les habitats des animaux terrestres et des poissons dont nous dépendons pour notre alimentation.

Malgré les connaissances accumulées par vos biologistes, il semble que vous ne vous rendez pas compte que les activités industrielles et forestières, minières et hydro-électriques, ainsi que vos loisirs cynégétiques et halieutiques, sont incompatibles avec le respect des droits d'usufruit des peuples amérindiens.

Des droits d'usufruit de ce genre, nous n'en voulons pas; pas plus que nous ne voulons que nos droits aborigènes soient définis comme des droits d'usufruit un peu plus élargis.

Nous redoutons, dans cette notion étroite de droit d'usufruit, un piège qui aboutit inévitablement à la mainmise par les entreprises privées sur les ressources de nos terres qui leur apparaissent les plus rentables à un moment donné: couvert forestier, sous-sol minier, réseau hydrographique et ressources fauniques.

Le juge Berger est allé jusqu'à reconnaître que les droits territoriaux des Autochtones pouvaient aussi englober les droits sur le sous-sol.

Nous pensons que la transposition, dans le contexte actuel de nos droits de souveraineté, concerne la globalité des ressources de nos territoires et non seulement le gibier et le poisson.

Selon le droit écrit de la société dominante, les droits aborigènes ont été en quelque sorte créés par la Proclamation royale de 1763 qui en définissait aussi l'application territoriale. Même si elle est apparue fort généreuse envers nous aux yeux de plusieurs, nous ne reconnaissons pas la validité de cette décision unilatérale du chef du gouvernement colonial d'alors.

Le caractère unilatéral de cette déclaration et son imposition par la suite aux populations amérindiennes nous apparaissent uniquement fondés sur des rapports de force de type colonial qui prévalaient au moment et qui constituent un déni évident du droit des peuples à disposer d'eux-mêmes.

Pour les mêmes raisons, nous ne reconnaissons pas le découpage de nos terres opéré à l'occasion de cette déclaration unilatérale qui aurait eu pour effet, selon certains intéressés, d'abolir nos droits aborigènes sur une partie de nos terres situées le long de la vallée du Saint-Laurent.

Nous ne pensons pas qu'une seule personne, fut-elle roi d'Angleterre et représentant la nation alors la plus puissante au monde, ait le pouvoir de créer ou d'abolir à son gré les droits fondamentaux de peuples souverains.

Il s'agit encore là d'un abus de pouvoir incompatible avec la notion d'égalité des hommes et des groupes humains entre eux qui est la base de notre droit transmis oralement.

Ces droits ancestraux, existants et issus des traités, des peuples autochtones du Canada sont reconnus et affirmés dans la Constitution canadienne.

Il est clairement prévu dans la Constitution canadienne que le Parlement et le gouvernement du Canada favorisent le développement économique des Amérindiens pour réduire l'inégalité des chances et prennent l'engagement de principes d'effectuer des paiements de péréquation aux Autochtones.

Que ce soit par la Constitution canadienne ou à la suite de rapports de commissions d'études ayant pour mission de recommander des changements majeurs de perception face aux droits des Autochtones, le gouvernement du Canada reconnaît et affirme sa responsabilité particulière à l'égard des Amérindiens et des terres qui leur sont réservées.

Le gouvernement du Canada s'est engagé à préserver et à promouvoir les droits et la culture des Autochtones ainsi que le développement économique des collectivités amérindiennes.

Il a aussi pris l'engagement de maintenir et de renforcer les gouvernements autochtones par la reconnaissance des constitutions des nations indiennes et des pouvoirs de leur gouvernement.

Á la suite de tous ces engagements et de toutes ces promesses du gouvernement fédéral, l'adoption de la Loi constitutionnelle de 1982 marque donc un tournant juridique important dans le processus de reconnaissance officielle des droits des Autochtones du Canada.

L'article 35 de cette loi établit que:

1. *Les droits existants-ancestraux ou issus de traités des peuples autochtones du Canada sont reconnus et confirmés.*
2. *Dans la présente loi, «peuples autochtones du Canada» s'entend notamment des Indiens, des Inuit et des Métis du Canada.*
3. *Il est entendu que sont compris, parmi les droits issus de traités dont il est fait mention au paragraphe 1, les droits existants issus d'accords portant règlement de revendications territoriales ou ceux susceptibles d'être ainsi acquis.*
4. *Indépendamment de toute autre disposition de la présente loi, les droits ancestraux ou issus de traités visés au paragraphe 1 sont garantis également aux personnes des deux sexes.*

Cette même loi contient également une Charte des droits et libertés qui prévoit à l'article 25:

Le fait que la présente charte garantit certains droits et libertés ne porte pas atteinte aux droits ou libertés ancestraux, issus de traités ou autres des peuples autochtones du Canada, notamment:

a) aux droits ou libertés reconnus par la Proclamation royale du 7avril 1763;

b) aux droits ou libertés existants issus d'accords portant règlement de revendications territoriales ou ceux susceptibles d'être ainsi acquis.

Il s'agit donc d'une reconnaissance formelle et d'une confirmation explicite des droits ancestraux ou aborigènes des Autochtones.

Le processus de règlement par la négociation des revendications territoriales auquel réfèrent les articles 35 et 25 de la Loi constitutionnelle de 1982 a été adopté par le gouvernement fédéral en 1973 en vertu de sa juridiction exclusive sur *«les Indiens et les terres réservées pour les Indiens»* prévu à l'article 91 (alinéa 24) de la Loi constitutionnelle de 1867.

Cette politique de négociation porte principalement sur les revendications des Autochtones qui n'ont jamais signé de traité avec le gouvernement du Canada concernant leurs droits fondés sur l'occupation et l'utilisation traditionnelles de leurs terres; ce qui est notre cas, Atikamekw et Montagnais. [Nous verrons plus en détails les éléments de ce processus des revendications dans le chapitre «Le tour des propriétaires»].

Cette politique, qui a d'ailleurs été révisée par le gouvernement fédéral en décembre 1986, prévoit dès le début du processus de la négociation des mesures provisoires destinées à préserver les intérêts des Autochtones pendant la durée des négociations. Ces mesures provisoires ont pour objectif d'éviter que des projets soient menés par des non-Autochtones dans les territoires qui font l'objet de cette négociation sans considérer le geste historique en cours.

C'est dans le cadre de cette politique que le Conseil attikamek-montagnais a déposé en avril 1979 ses revendications territoriales au ministère des Affaires indiennes et du Nord du Canada.

Le gouvernement du Canada a reconnu, en septembre 1979, que les revendications territoriales des Atikamekw et des Montagnais sur le territoire des provinces de Québec et de Terre-Neuve (Labrador) avaient un fondement juridique valable et a accepté d'en négocier le règlement sur une base tripartite (Canada, Québec, Conseil attikamek-montagnais) sur le territoire du Québec, dans un premier temps.

Le gouvernement du Canada, par l'entremise du ministre des Affaires indiennes et du Nord du Canada d'alors, monsieur Jack Epp, a d'ailleurs précisé dans une lettre adressée au président du Conseil attikamek-montagnais le 16 février 1982 et je cite entre autres passages:

[...] c'est parce qu'il reconnaît des droits aborigènes du peuple

*attikamek-montagnais que le gouvernement fédéral est disposé à
entamer la négociation de sa revendication...*

*Le gouvernement du Canada accepte le principe de négocier des
dédommagements pour les accrocs qui ont pu être faits aux droits
historiques des Attikameks-Montagnais.*

*Dans les limites de sa juridiction, le gouvernement fédéral est disposé
à envisager certaines mesures intérimaires visant à protéger les intérêts
des Autochtones durant la négociation de leurs revendications...*

Entretemps, en 1980, le gouvernement du Québec a confirmé sa participation à cette négociation tripartite et a notamment reconnu dans une
lettre adressée le 30 septembre 1980 par le premier ministre d'alors,
monsieur René Lévesque, au président du Conseil attikamek-montagnais,
et je cite, entre autres passages:

*Le gouvernement reconnaît que les Attikameks et les Montagnais ont
des droits historiques en matière de chasse et de pêche [...]*

*Le gouvernement du Québec reconnaît qu'il va falloir déterminer les
droits spécifiques des Attikameks et des Montagnais [...]*

*Le gouvernement accepte que, dès leur origine, les projets de dévelop-
pement doivent se faire en consultation et, si possible, avec la partici-
pations des Indiens attikameks et montagnais; le gouvernement accepte
que, si un développement vient en conflit avec les droits définis et pré-
cisés des Attikameks et des Montagnais, des mesures compensatoires
soient convenues [...]*

*Le gouvernement du Québec reconnaît que l'exploitation du territoire et
de ses ressources doit se faire en tenant compte des besoins de toute la
société y inclus les besoins des Attikameks et des Montagnais et sans
oublier leurs droits [...]*

*Le gouvernement du Québec reconnaît aux Attikameks et aux Monta-
gnais le droit d'orienter eux-mêmes leur développement selon leurs
choix, notamment en fonction de leurs traditions et de leurs valeurs
propres [...]*

*Le gouvernement s'engage à faire tous les efforts pour que les négocia-
tions avec les représentants des Attikameks et des Montagnais se
fassent dans un esprit d'égalité fondamentale [...]*

C'est donc dans le contexte de cette reconnaissance partielle de nos
droits ancestraux sur nos terres traditionnelles en territoire québécois
que nous négocions actuellement la mise en œuvre de ces droits.

La prudence est de mise

Avant de conclure cet exposé, permettez-moi maintenant de souligner avec emphase que le train est parti de la gare et qu'il doit nous conduire à un avenir meilleur pour nos populations. Ce train ne doit plus s'arrêter. Il franchira toutes les étapes même si le parcours pourra être à certains moments difficile.

Nous vous demandons donc de nous aider à semer cette graine qui saura donner un fruit merveilleux que nous savourerons avec délices car nous le désirons depuis si longtemps.

Quant à vous, groupes de citoyens comme nous défenseurs de l'écologie, nous sommes très heureux de travailler avec vous pour l'avancement de notre cause.

Maintenant, vous devez comprendre que nous n'accepterons jamais que vous preniez notre place. Nous croyons sincèrement que vous devez nous aider, mais le faire en arrière de nous et surtout selon nos propres méthodes.

D'ailleurs, prendre notre place à ce moment-ci serait nous rendre un bien mauvais service. Cela pourrait faire la preuve que nous ne sommes malheureusement pas encore prêts à l'autonomie.

Plus encore, cela démontrerait à des esprits étroits que nous sommes incapables de mener à bien notre propre cause.

Toute infiltration, de gauche, du centre ou de droite, à ce stade-ci de notre histoire, nous nuirait considérablement car les Allochtones réactionnaires cherchent ce genre d'excuse pour écraser encore une fois les Atikamekw et les Montagnais et retarder ce matin tant attendu où nous recouvrerons une très grande partie de notre territoire usurpé.

L'enjeu est tellement important que nous ne pouvons prendre aucun risque en ce sens et vous devez être convaincus que l'on dénoncerait immédiatement une telle situation.

Par contre, nous sommes convaincus que si vous employez vos compétences à travailler avec nous à tracer la voie pour notre libération et à améliorer l'image passablement amochée des Autochtones auprès des Québécois, nous franchirons plus rapidement le chemin à parcourir.

En guise de conclusion, permettez-moi de vous souligner que les Atikamekw et les Montagnais ont vécu au cours de ces dernières années et traversent présentement la période fascinante, mais énormément difficile à cause des préjugés de certains Blancs bornés, de la négociation territoriale.

Je suis maintenant prêt à répondre à toutes vos questions.

* * *

Est-ce que vous pouvez nous décrire en quelques mots l'atmosphère qui règne à la table de négociation et surtout l'esprit des personnes mandatées par les gouvernements, fédéral et provincial?

Il faut être honnête et reconnaître qu'à ce moment-ci [date de la publication de ce volume], les négociateurs des trois parties sont véritablement à la recherche de solutions. Même si on sent que le gouvernement du Québec est sur la défensive, qu'il met les freins et qu'il ne concède peu qu'après de longs et fastidieux débats, l'atmosphère à la table est excellente.

Il est évident qu'entre les beaux discours enjôleurs des ministres du gouvernement Bourassa [messieurs Gil Rémillard, des Affaires intergouvernementales, et Herbert Marx, de la Justice], qui parlent *«de négociation entre peuples souverains, de négociation d'égal à égal, d'autonomie gouvernementale»* et la réalité de la négociation, il y a une large marge.

La prudence du négociateur en chef du Québec, monsieur Gilles Jolicœur, est de bon aloi puisqu'il a l'approche de celui qui, comme c'est le cas pour la partie patronale dans une négociation de relations de travail, un peu anti-syndicale sur les bords, doit en donner le moins possible.

Il a à défendre l'intérêt des tiers, les Québécois, et il fait bien sa «job». Il le fait cependant d'une façon très correcte avec tout le respect qu'il doit porter à la partie adverse qui, elle aussi, a un travail important à faire qui consiste à récupérer, le plus complet possible, le territoire ancestral des Atikamekw et des Montagnais et à faire réparer les injustices commises depuis des centaines d'années.

Cependant, nous saurons le moment venu faire respecter les belles paroles des ministres séducteurs. Ils ne pourront pas indéfiniment tromper les gens. Les enjôleurs n'enjôleront plus personne. Ils devront livrer la marchandise.

Nous nous faisons peu d'illusion car nous savons que ce sera une bataille de tous les instants. Nous sommes aussi au fait que tout ce que nous allons obtenir par cette négociation territoriale le sera après une lutte épique. Ce genre de bataille constante fait maintenant partie des mœurs des Autochtones.

Toutes les prises en charge, que ce soit l'éducation, la santé, les services sociaux, le développement économique, etc, ont été mises en place après de longues luttes. Les fonctionnaires blancs ont toujours eu comme mentalité d'attendre le plus tard possible pour nous permettre cette évolution normale d'une société comme la nôtre en prétextant souvent que nous n'étions pas prêts.

* * *

Monsieur le Négociateur en chef, je vous avoue que j'ai un peu de difficulté avec les passages de votre intervention où vous semblez rejeter l'aide de certains groupes qui, chez les écologistes ou même les pacifistes, ont des méthodes différentes d'interventions qui font souvent appel à la désobéissance civile.

Pourquoi ne pas nous laisser employer ces méthodes, qui ont eu à plusieurs occasions des résultats probants, pour appuyer votre cause?

Il faut que vous compreniez bien mes propos. Nous ne condamnons pas du tout vos méthodes ou leur efficacité. Nous vous disons simplement que nous n'y serions pas à l'aise en les employant. Je dois vous avouer candidement que je vois mal l'ancien chef de La Romaine, monsieur Jean-Baptiste Lalo, ou celui de Mingan, monsieur Philippe Piétacho, attachés à une clôture de l'édifice du Parlement, ou assis sur le plancher de l'entrée de l'édifice de la Défense nationale du Canada, attendant d'être emprisonnés, en guise de manifestation contre les vols à basse altitude.

Ce n'est pas dans la mentalité des Atikamekw et des Montagnais d'agir de cette façon et les gouvernements ne croiraient certainement pas à ce genre d'action de notre part.

Nous ne voudrions pas non plus être faussement jugés par l'ensemble de la population québécoise et canadienne qui verrait dans ce genre d'opération une infiltration de la part des groupuscules de gauche, catalogués comme agitateurs sociaux, ou simplement prêtés le flanc à ce genre d'interprétation.

La cause que nous défendons est selon nous trop importante pour prendre de tels risques qui détruiraient beaucoup plus qu'ils aideraient.

Les exemples de certains groupes autochtones qui ont porté ombrage à la cause qu'ils défendaient en se laissant utiliser par des gens qui avaient en tête beaucoup plus de détruire les gouvernements en place que de les aider sont nombreux.

Les Atikamekw et les Montagnais ont décidé de mener leur propre offensive contre les gouvernements, comme ils ont fait le choix de négocier et de se prendre en main, en utilisant leurs méthodes d'intervention.

Nous avons besoin de tous les atouts extérieurs et nous le savons, mais nous voulons simplement contrôler le jeu qui aura une influence sur notre devenir.

Nous voulons être le maître-d'œuvre de notre stratégie d'interventions parce que nous croyons être assez «grands garçons» pour le faire nous-mêmes. Nous vous demandons simplement d'accepter ce genre d'accord normal pour tout groupe qui s'est pris en main si vous voulez vraiment notre bien.

Si vous n'êtes pas prêts à le faire, nous aurons des raisons de nous interroger sur les motifs qui vous poussent à nous appuyer. Si jamais vous ne voulez pas vous conformer à ces règles de jeu normales, il serait préférable pour nous que vous ne soyez pas dans la bataille de la défense de nos droits.

Nous avons si souvent été induits en erreur par des Allochtones qui disaient pourtant vouloir nous aider que nous sommes maintenant beaucoup plus prudents dans le choix de nos alliés et j'espère que vous le comprenez.

D'ailleurs, toutes les coalitions que nous avons formées pour la défense de nos droits au cours des derniers mois, comme celle sur les vols à basse altitude ou celle sur l'autonomie gouvernementale débattue lors de la Conférence constitutionnelle des Autochtones, l'ont été avec cette nouvelle approche et les groupements qui en font partie, dans le cas de la militarisation d'une partie importante du territoire revendiqué, tels la Conférence des évêques du Québec, la Ligue des droits et libertés, la Confédération des syndicats nationaux, la Centrale de l'enseignement du Québec, la Fédération des travailleurs du Québec et une trentaine de groupes moins importants, l'ont immédiatement compris et l'ont facilement accepté.

Ils ont trouvé normal de travailler avec nous selon nos méthodes et sous notre inspiration. Ils n'ont jamais eu l'intention de prendre le leadership de nos opérations publiques et c'est derrière nous qu'ils ont emboîté le pas. Ils ont simplement mis à notre disposition leurs moyens, leurs compétences et leurs influences dans le milieu; des atouts extrêmement importants dans la lutte que nous menons contre les gouvernements, fédéral et provincial.

Nous pouvons maintenant affirmer sans l'ombre d'un doute que ce genre d'appui nous a été fort profitable.

Notes
1. Source: Hydro-Québec, carte Production et transport d'énergie, 1982.
2. Jean-Thomas Bernard, Gleen E. Bridges et Anthony D. Scott. *Une évaluation de la rente potentielle des sites hydro-électriques au Canada*, 1982, p. 22.
3. Volume 1, page 77.

L'enfant de 7 000 ans
vivait dans une cour sans muraille,
entouré de ses animaux,
comme les ours et les renards.
Mais un jour des inconnus sont venus.
Ils ont fait tomber les arbres.
Les animaux familiers
de l'enfant de 7 000 ans
sont partis,
poussés eux aussi par la peur
comme si la forêt brûlait sur leurs talons.

IV

Sans crier gare!

Il était une fois un fermier qui habitait avec sa famille, depuis de nombreuses années, une ferme de quelque cent arpents sur les bords de la magnifique rivière Jacques-Cartier au début du parc des Laurentides, entre la région de Québec et celles du Saguenay et du lac Saint-Jean.

Ce fermier que nous nommerons Mathieu vivait en toute quiétude sur cette terre. Il se promènait allègrement sur cet immense territoire hérité de ses parents qui l'avaient eu de leurs parents.

Il cultivait cette terre fertile, chassait et pêchait à volonté sans que personne ne le dérange jamais.

Cette riche ferme lui procurait tout ce dont il avait besoin pour vivre sainement: nourriture, vêtements, travail et loisirs.

Les animaux qui habitaient la forêt étaient ses amis et il les protégeait à sa façon.

Il n'avait pas le sentiment de posséder cette terre, mais plutôt celui de lui appartenir.

Il était donc seul avec les siens et bien heureux dans ce paradis terrestre.

Il n'enviait pas ceux qui vivaient ailleurs dans les grandes villes et surtout connaissait peu cette vie si différente de la sienne.

Il avait réussi jusqu'ici à se tenir loin de ces gens dont les valeurs étaient totalement différentes des siennes.

Il avait fait son propre choix de société: toute sa vie, il la consacrerait à jouir de cette magnifique nature et il espérait que ses enfants en feraient de même puisque ce territoire était l'héritage qu'il leur laisserait, une succession riche en possibilités de toutes sortes.

Il était son seul maître et personne ne lui dictait une autre façon de vivre, de se développer et de se gouverner. Cette liberté totale était certainement pour lui ce qu'il y avait de plus précieux au monde et jamais il n'aurait eu à l'esprit un seul instant qu'il pourrait la troquer pour quoi que ce soit d'autre.

Cette vie simple qu'il avait choisie librement le satisfaisait pleinement. Il ne croyait sincèrement pas avoir besoin d'y changer quelque chose de majeur pour être heureux. Il lui suffisait de vivre au jour le jour des bienfaits de cette nature que lui avaient donnée les dieux.

Un jour, arriva chez lui à l'improviste une personne qu'il avait rencontrée fortuitement à quelques occasions. Il s'appelait Louis.

De passage dans le secteur et sans abri, Louis demanda gentiment à Mathieu la permission de camper un jour ou deux sur sa ferme à son extrémité près de la rivière Jacques-Cartier.

Comme Mathieu faisait pleinement confiance aux gens, que personne ne l'avait encore vraiment trompé et qu'il était habitué à partager ce qu'il possédait, il lui donna cette permission de dresser sa tente chez lui sur le bord de la rivière.

Après avoir passé plusieurs semaines de rêve sur le bord de la rivière Jacques-Cartier à pêcher, à chasser et à se baigner, Louis, qui adore vraiment les lieux, décide de couper du bois dans la forêt pour se construire un modeste chalet et se créer ainsi un pied-à-terre définitif.

Parce que Mathieu n'a pas insisté outre mesure pour démontrer extérieurement qu'il était incommodé par le fait que Louis ait campé sur son terrain pendant plusieurs jours, ce dernier ne croit pas nécessaire de lui demander la permission pour construire un chalet.

«Pourquoi le ferais-je, pense-t-il, puisque le territoire de Mathieu est immense et que ce petit chalet situé tout au bout de la ferme ne le dérangera sûrement pas.»

Il décide donc d'occuper cette partie du territoire de Mathieu comme s'il en était devenu le propriétaire.

Ainsi débute l'occupation pacifique...

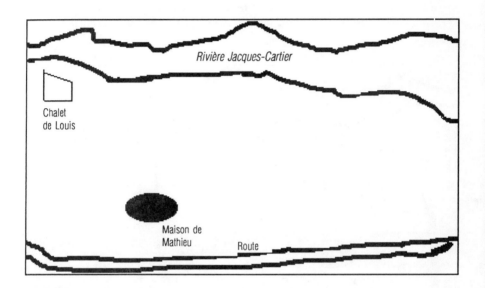

Louis, qui aime de plus en plus cet endroit tranquille, décide d'inviter ses amis à venir camper près de son nouveau chalet au cours d'une fin de semaine pour leur faire connaître les joies d'une telle nature.

Constatant au cours de ce week-end que ses amis sont très heureux dans cet endroit et qu'ils désirent y revenir régulièrement, Louis prend la décision d'aménager sur le bord de la rivière Jacques-Cartier un magnifique terrain de camping. Ses amis et d'autres personnes pourront eux aussi profiter de cet endroit.

Il abat les arbres, défriche le terrain, construit des chemins et nettoie la plage. Il fait si bien qu'il aménage en quelques semaines un des plus merveilleux terrains de camping de la région. Il lui reste maintenant à attendre les clients qui ne tardent pas à venir. Le bouche à oreille fonctionne à merveille et son terrain de camping devient rapidement celui qui est le plus recherché par les amateurs de la véritable nature.

Parmi ses amis qui eux aussi adorent rapidement ce site enchanteur, se trouve une homme d'affaires averti du nom de Georges. Ce dernier ne pense qu'à réaliser rapidement des profits.

Constatant immédiatement la richesse que renferme cet endroit touristique et voyant le succès que remporte le modeste terrain de camping de Louis, il persuade ce dernier de construire, en association avec lui évidemment, un vaste hôtel sur le bord de la rivière Jacques-Cartier.

Il est certain qu'avec un peu de publicité les touristes qui aiment la nature viendront en masse profiter de cet endroit et l'argent qu'ils y laisseront sera assez abondant pour les faire vivre richement tous les deux.

Plus encore, Georges échafaude des plans de développements qui feront de cet endroit un des sites touristiques les plus fréquentés du Canada.

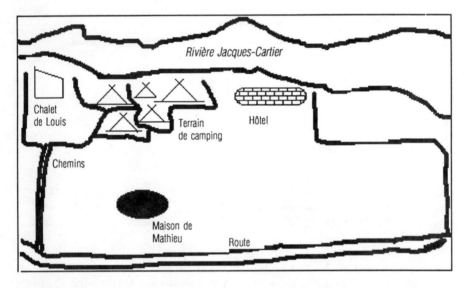

Il décide d'impliquer d'autres «développeurs» parmi ses connaissances et forme un conseil d'administration. Ces derniers pourront eux aussi profiter de la richesse prodigieuse des lieux. Ils aideront sûrement par leur expérience et leurs connaissances à développer d'autres secteurs de ce territoire.

Puisque Mathieu n'a rien dit après que Louis eût réalisé la construction du chalet et l'aménagement du terrain de camping, les deux comparses décident de ne pas lui parler de ce nouveau développement et de commencer immédiatement les travaux de l'hôtel pour ne pas perdre la période de manne au cours de l'été qui s'en vient.

Ils concluent simplement que Mathieu et les siens ne sont pas intéressés à ce genre de développement ou, s'ils le sont, ils n'ont pas la compétence pour faire fructifier une telle richesse.

Comme le va-et-vient des visiteurs et des employés de ce complexe touristique devenait de plus encombrant, que les routes serpentaient le territoire, que les animaux familiers quittaient la forêt pour éviter d'être abattus par les chasseurs sportifs, que l'eau était de moins en moins potable, que l'air était vicié par la pollution due à une activité beaucoup trop intense, que lui et ses enfants ne pouvaient plus aller pêcher dans la rivière Jacques-Cartier sans demander la permission aux dirigeants du terrain de camping et payer un permis et qu'ils commençaient à manquer de place pour vaquer à leurs occupations traditionnelles, Mathieu alla rencontrer Georges, qui avait rapidement éliminé Louis comme roi et maître des lieux, et lui fit remarquer timidement qu'il exagérait en occupant une partie importante de sa ferme alors qu'il en n'était même pas propriétaire.

Mathieu lui exposa simplement que cette ferme lui appartenait légalement depuis une éternité et qu'il avait simplement toléré que Louis et les autres s'installent temporairement à cet endroit. Il lui dit que son intention n'avait jamais été d'empêcher quelqu'un de fréquenter cette terre, mais que l'occupation que l'on en faisait présentement était nettement exagérée.

Mathieu ne comprenait pas que Georges et ses semblables puissent utiliser les lieux comme s'ils en étaient propriétaires et les développer sans prendre en considération les intérêts des véritables possesseurs. Il avait de la difficulté à accepter que lui et ses descendants ne participent pas d'une manière ou d'une autre à ces développements.

Très bien intentionné, Mathieu était prêt à accepter l'argument que sa ferme était vaste et qu'en partager une partie n'était pas nécessairement si désastreux. Il faudrait cependant que Georges et ses amis ne projettent pas d'occuper les autres secteurs parce que bientôt lui et sa famille ne pourraient plus jouir des avantages de cet endroit merveilleux.

Déjà, les usurpateurs s'étaient emparés des plus beaux secteurs.

Georges a donné l'impression de comprendre les arguments raisonnables de Mathieu et lui a écrit une lettre d'engagement. Elle soulignait que, pour couvrir une partie des troubles causés pour les développements déjà effectués, il prendrait la responsabilité de voir à ce que lui et les siens ne manquent de rien. Il s'est aussi engagé par écrit qu'il ne ferait plus aucun développement sur sa ferme et que la partie de sa terre qui restait intacte lui était définitivement réservée ainsi qu'à ses descendants. Il a rajouté que si jamais lui, Georges, et d'autres de ses amis, ou descendants, voulaient réaliser un projet quelconque sur un secteur du territoire réservé sur sa ferme, ces derniers devraient négocier et signer une entente contractuelle avec lui, Mathieu, ou ses descendants, avant d'entreprendre quoi que ce soit qui pourrait affecter l'héritage de ses ancêtres.

Mathieu repartit heureux parce qu'il avait eu l'assurance de Georges que jamais plus aucun développement ne se ferait sans qu'il soit d'accord, qu'il en ait accepté le projet et qu'il en fasse partie. Il faisait de nouveau confiance à cet étranger.

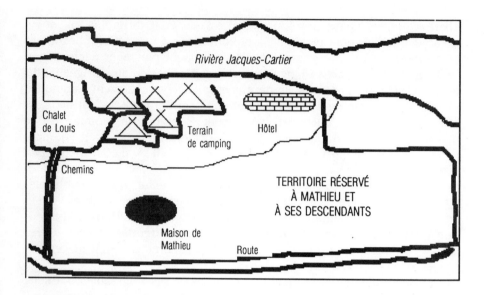

Comme l'avait prévu le flair de Georges, homme d'affaires perspicace, les visiteurs ont rapidement envahi les lieux. Si bien que, quelques mois après l'ouverture officielle de l'hôtel, on refusait déjà des clients.

Ayant l'intention bien arrêtée de ramasser coûte que coûte cette manne enrichissante, les actionnaires de l'hôtel décidèrent d'ajouter à leur édifice déjà exigu une cinquantaine de petits motels qui longeraient la rivière Jacques-Cartier.

Par intérêt personnel, Georges oublia complètement la promesse qu'il avait faite à Mathieu de s'entendre avec lui avant tout nouveau développement. Il se dit, pour se convaincre qu'il ne manquait pas à sa parole, que le projet d'agrandissement empiétait si peu sur le terrain réservé à Mathieu et aux siens, et qu'il serait le dernier, que cela ne valait pas la peine d'entreprendre un long et fastidieux processus de discussion entre eux.

Il s'est convaincu rapidement de la justesse de son geste et a ainsi minimisé le tort causé à Mathieu et aux siens en mentionnant que l'intérêt général serait mieux servi par ce nouveau développement.

Il s'est dit que d'une façon ou d'une autre Mathieu et les siens ne pourraient pas développer cet endroit aussi bien qu'eux et que ces derniers n'étaient pas prêts à ce genre d'exploitation.

Et, pour calmer sa conscience, il a rajouté que, quand le temps serait venu, il compenserait Mathieu et les siens pour les torts causés. Entre-temps, il verrait à ce qu'ils reçoivent plus d'argent en assistance de toutes sortes.

Georges préconisa que lui et les promoteurs pourraient peut-être

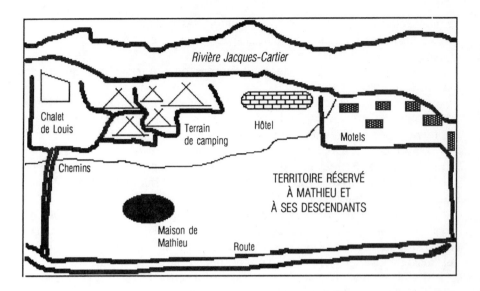

offrir à Mathieu et aux siens certains emplois secondaires, comme par exemple l'entretien des lieux, pour les calmer.

Il favoriserait en outre l'instruction de leurs jeunes plus talentueux, selon ses critères, pour qu'ils puissent un jour être assimilés à la masse de ses amis et abandonner leurs façons traditionnelles de vivre.

Les descendants de Mathieu, croyait-il, accepteraient ainsi plus facilement les développements modernes parce qu'ils auraient changé leur philosophie de vie et goûté à la facilité que procure la richesse financière.

De cette façon, il les contrôlerait plus facilement et pourrait mieux les utiliser en leur faisant oublier qu'ils ont des droits de propriété. Les facilités ainsi offertes placeraient les descendants de Mathieu dans une mauvaise posture puisque lui et les siens pourraient toujours invoquer qu'ils ont voulu les aider, mais que ces derniers n'ont pas su profiter de la chance offerte.

Bonasses, Mathieu et les siens ne dirent pas un mot et acceptèrent certains emplois de second ordre. Ils se laissèrent distraire et berner par la facilité offerte par Georges et les promoteurs que procurait l'argent.

Ils goûtèrent à l'alcool puis furent séduits par les vapeurs destructrices des drogues.

Cette forme de guerre bactériologique eut pour résultat de les affaiblir et de les décimer.

Ils oublièrent lentement la lutte et perdirent petit à petit certains de leurs principes fondamentaux.

Comme des ours polaires ou des phoques placés dans une forêt tropicale, ils ne purent s'habituer à vivre au rythme des gens qui avaient envahi leurs terres. Ils étaient maintenant des marginaux faciles à exploiter et impuissants face aux défauts qu'ils avaient contractés des amis de Georges.

Même entre eux, ils étaient incapables de s'affirmer et d'imprégner un certain leadership.

La loi du moindre effort avait séduit l'ensemble du groupe et l'assistance sociale les avait avilis. Ils ne semblaient plus capables de reprendre le terrain perdu et avaient jeté les gants et baissé les bras.

Mathieu, très âgé, avait beau essayer de les arrêter, c'était peine perdue. Nostalgique, il voulait que ses enfants et ses petits enfants reviennent au temps passé, celui des ancêtres, où ils étaient heureux de vivre seuls sur la ferme ou en forêt.

Pour lui, revenir en arrière était la seule façon de se débarrasser une fois pour toutes de ces indésirables. Il souhaitait dans le fond de son cœur que les amis de Georges foutent le camp ailleurs avec leurs projets et laissent les siens vivre en paix, en harmonie avec la nature.

C'était selon lui le seul moyen de reprendre le terrain perdu et de retrouver les siens. Pour lui, ils s'étaient orientés sur une voie dangereuse qui risquait de les détruire à tout jamais.

Voilà ce que lui recommandait alors la raison.

Profitant de cette période d'accalmie pour eux et croyant sans doute que les descendants de Mathieu ne réussiraient jamais à se relever, donc qu'ils avaient gagné définitivement la bataille de l'occupation du territoire, les «promoteurs» ajoutèrent à leurs développements une série de condominiums.

Mathieu et quelques-uns des adeptes de cette philosophie très pure et innocente du retour en arrière prêchèrent dans le désert. Ils ne purent convaincre les leurs d'abandonner la facilité offerte par le modernisme pour les suivre parce qu'ils étaient déjà trop «embarqués» dans cette nouvelle façon de vivre.

Ils eurent plus de résultats auprès de certains marginaux hélas sans aucune influence du groupe de Georges qui achetèrent d'emblée la thèse de Mathieu et la développèrent à leur façon en l'expérimentant sur les sujets qui vivaient encore.

Ces gens qui manquaient malheureusement de vision d'avenir étaient de bonne foi et voulaient sans aucun doute que les descendants de Mahieu s'en sortent. Ils étaient leurs amis et ils les aimaient du fond du cœur.

Ils ne manquèrent pas de moyens financiers fournis par Georges et les «promoteurs» pour étudier cette forme de civilisation en voie d'extinction d'un autre âge.

Les thèses et les études s'empilèrent sur les tablettes des gouvernements ou des universités, mais les problèmes restaient toujours les mêmes.

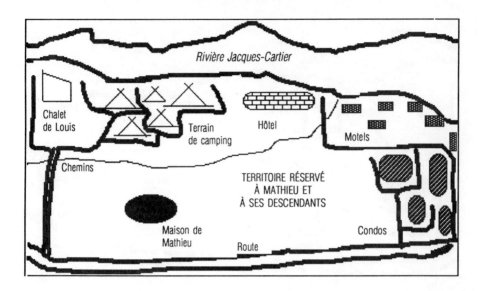

Les «développeurs» avaient même formé un groupe parmi eux qui, prétendaient-ils sans rire, était là pour défendre les descendants de Mathieu contre les abus des descendants de Georges. Évidemment, ce comité avait été créé pour jeter de la poudre aux yeux et tenir les descendants de Mathieu bien loin de toutes leurs prétentions de propriétaires.

Les membres de ce groupe faisaient en sorte de les isoler le plus possible pour mieux les contrôler.

Ils ont écarté une partie d'entre eux en adoptant des règles discriminatoires comme celle d'éliminer les femmes qui se mariaient avec les enfants ou les petits-enfants de Georges et de ses amis; ce qui donnait comme résultat qu'elles n'étaient plus légalement considérées comme des descendantes de la lignée de Mathieu.

Ils ont aussi soulevé le racisme entre eux en leur mettant solidement en tête qu'il y avait «des vrais et des pas vrais» descendants de Mathieu.

Puis, ils ont semé le doute dans leur esprit en leur soulignant qu'ils étaient incapables de se prendre en main et de réaliser leur propre projet de société.

Enfin, ils les ont divisés entre eux aussitôt qu'ils essayaient de se regrouper pour se défendre.

On accrédita si bien cette thèse du recommencement à l'état pur, à l'abri de tout contact avec l'autre civilisation, que les descendants de Mathieu ne purent pas imaginer d'autres façons de reprendre le contrôle de leur société perdue.

Sous les conseils de certaines personnes influentes, ils s'isolèrent de plus en plus tout en espérant ainsi vaincre le mal qui les rongeait.

Pendant que les descendants de Mathieu et leurs supporteurs

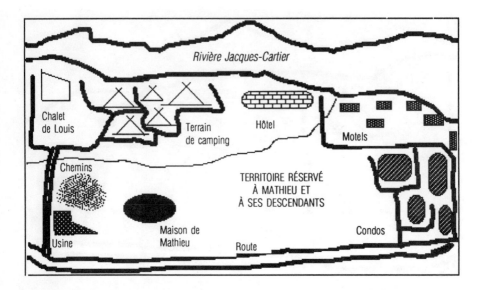

impuissants s'étudiaient et palabraient, ceux de Georges continuaient à développer des projets comme cette usine de construction de bateaux de plaisance.

On avait convaincu certains jeunes descendants de Mathieu de se faire instruire dans les écoles dirigées par ceux de Georges.

Avec beaucoup de difficultés, entre autres à cause des différences de langues, ils réussissaient à franchir certains échelons. Et, après avoir passé quelques années difficiles dans les écoles de cette culture et de cette langue différentes, ils s'adaptaient tant bien que mal au moment où ils devaient revenir auprès des leurs.

Ils n'étaient pas assez instruits pour occuper des postes clés et pour influencer la société développée par la majorité, les parents de Georges, ou leur propre société.

Par contre, ils l'étaient beaucoup trop pour continuer de vivre à la manière primitive que prônaient les adeptes de la philosophie du retour en arrière.

Ils avaient de la difficulté à se trouver à l'aise et heureux dans la façon de vivre traditionnelle des leurs. Ils avaient connu une vie autre qui à certains égards leur plaisait.

Ils ne pouvaient plus se satisfaire de la pratique des seules activités traditionnelles et leurs parents ne réussissaient pas à les convaincre de vivre sur la ferme ou en forêt avec eux.

Cette forme de rejet du passé de certains jeunes déplaisait aux aînés qui, à cause d'une fausse interprétation, souvent les rejetaient.

Ces derniers les considéraient comme des renégats parce qu'ils semblaient avoir adopté la philosophie de vie des oppresseurs.

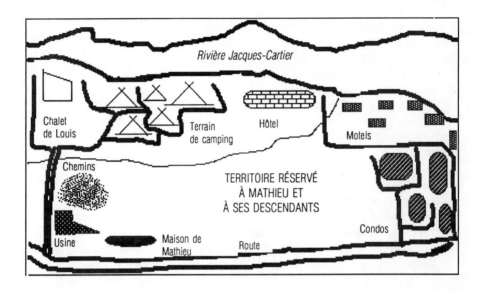

Ils le firent d'abord avec tellement d'intensité que certains jeunes se sentirent mis de côté, ou assis entre deux chaises.

Ils ne pouvaient plus vivre avec la société qu'ils aimaient parce qu'elle s'était fermée sur elle-même à toute évolution normale, comme une huître, pour mieux se défendre.

Ils devinrent rapidement des inadaptés et des «drop-out» qui végétèrent sur ce qui leur restait de terre.

Pour toutes sortes de raisons et de circonstances, mariages entre les descendants de Georges et ceux de Mathieu, choix obligatoires parce qu'ils étaient rejetés par quelques-uns des leurs et qu'ils ne pouvaient pas s'épanouir normalement au nom de cette philosophie du retour en arrière ou choix personnels, certains d'entre eux vécurent avec difficulté d'abord puis plus facilement la vie des nouveaux venus.

Pendant ce temps, les descendants de Georges, sans aucune retenue, profitaient du fait que les parents de Mathieu étaient désemparés pour accélérer les développements sur le territoire qui était réservé à ces derniers.

Ils y allèrent avec tellement d'ampleur qu'ils forcèrent les descendants de Mathieu à transférer leurs pénates beaucoup plus loin sur le terrain réservé.

De plus en plus de jeunes fréquentaient les écoles et les connaissances accumulées, loin de favoriser totalement l'assimilation comme c'était prévu dans la stratégie des descendants de Georges, développèrent des sentiments nationalistes nouveaux parmi les petits-fils de Mathieu.

Ces derniers réussirent lentement, pour ne pas brusquer qui que ce soit, à regrouper les parents de Mathieu dans des associations où on commença à parler de prise en charge, d'autonomie, de coexistence, de peuples souverains, de négociation d'égal à égal.

Ces mots leur ont d'abord fait peur parce qu'ils avaient tellement été écrasés et qu'ils avaient perdu toute confiance en eux-mêmes.

Petit à petit, cette fierté que l'on croyait à tout jamais éteinte a repris vie, attisée par un souffle nouveau de plus en plus présent dans les cœurs de tous les descendants de Mathieu qui avaient maintenant plus confiance en eux.

Ils se remettaient même à rêver...

La passion de la terre habituellement présente dans les pupilles des enfants et des petits-enfants de Mathieu lorsqu'ils parlaient de cette richesse perdue, même dans les périodes les plus sombres du fond de l'abîme, retrouva une vigueur nouvelle.

Cette lumière vivifiante ne quittait presque plus leurs yeux.

Ils relevaient lentement la tête, redressaient le dos et bombaient le torse.

Ils redevenaient ce qu'ils avaient été: des gens fiers et heureux maintenant plus décidés que jamais à reprendre le territoire perdu et surtout à en faire ce qu'ils désiraient depuis longtemps.

Ils voyaient maintenant au fond du tunnel cette lumière naturelle, attirante et prometteuse d'un avenir ensoleillé. C'est donc dire qu'il restait une issue possible.

Ils étaient en ce moment convaincus qu'un jour ils s'en sortiraient et plus rien ne pouvait les empêcher de reprendre lentement en main leurs leviers de développement social, économique et culturel. Ils échafaudèrent des plans en ce sens.

Les membres de la descendance de Georges ont commencé à paniquer devant ce nouvel esprit qui habitait les petits-fils de Mathieu.

Ils ont essayé de mêler les cartes par toutes sortes de moyens, mais c'était peine perdue parce que les descendants de Mathieu avaient goûté à la victoire et ils la savouraient.

Voyant que l'assiette à beurre risquait de leur échapper, les descendants de Georges construisirent un immense centre commercial qui occupa le reste de presque tout l'espace réservé à la lignée de Mathieu.

«Assez, c'est assez!», dirent en chœur les descendants de Mathieu.

Ce à quoi ceux de Georges répondirent, en s'adressant surtout à la majorité dominante, leur groupe, pour se donner bonne conscience et surtout écraser ces galeux qui osaient les attaquer et revendiquer ces terres:

«Nous ne comprenons sincèrement pas que les descendants de Mathieu s'opposent à ce que nous avons fait.

Nous avons développé ces secteurs pour le plus grand bien de l'ensemble de nos populations, autant la vôtre que la nôtre, et nous faisons vivre par ces développements une partie de vos gens. Vous pouvez donc en profiter presque au même titre que nous.

Plus encore, nous sommes moralement convaincus que ces secteurs n'auraient jamais été développés si nous ne l'avions pas fait.

Nos populations et les vôtres auraient donc perdu une occasion en or de prendre le virage économique.

Comment pourrions-nous objectivement cesser ces développements alors que l'on sait qu'ils sont cruciaux pour notre avenir? Plus encore, ils peuvent vous permettre un futur prometteur si vous voulez vraiment saisir l'occasion et vous impliquer avec nous à développer cette terre

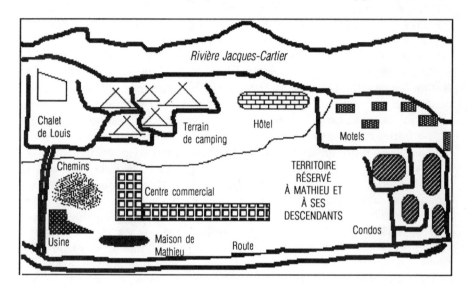

que nous aimons autant que vous et qui peut tous nous faire vivre honorablement.

Vous écouter serait accepter qu'une minorité puisse arrêter complètement la majorité de prospérer.

Nous habitons ce territoire depuis des générations et nous croyons avoir aussi des droits. Nos ancêtres ont, plus que tous les autres, fait que ces parties de territoire soient ce qu'elles sont aujourd'hui et nous serions prêts à laisser à d'autres les fruits de cette réussite économique.

C'est complètement insensé...

Oui, nous sommes d'accord à nous asseoir avec vous et à négocier une entente qui tiendra compte de vos besoins actuels et futurs en essayant le plus possible d'oublier ce qui s'est passé, ou de le réparer d'une certaine façon.

Il ne faudrait cependant pas que cette réparation porte ombrage à notre propre avenir.

Vos concitoyens doivent comprendre que cette négociation territoriale se fera en respectant l'intégrité du territoire que nous occupons présentement. Il n'est pas question pour nous de céder un pouce de terrain que nous développons présentement.

Nous pourrions peut être admettre que certains droits existent, mais nous sommes incapables, et vous aussi d'ailleurs, de les décrire précisément. Nous ne pouvons pas fonder cette négociation territoriale sur la base de votre occupation traditionnelle.

Puisque ces droits sont indéfinis, sinon indéfinissables, et que nous ne sommes pas entièrement convaincus de leur fondement juridique, il serait préférable de les éteindre avant toute négociation et ensuite d'essayer de trouver des formules qui vous permettront de vous développer le mieux possible à l'intérieur de notre société.

Vous avez déjà des secteurs précis que vous habitez. Nous pourrions évidemment les agrandir, vous donner certains pouvoirs de gérance et élargir les possibilités de prise en charge des services qui vous concernent, mais de préférence dans le cadre des lois que nous avons votées.

Étant donné que vos activités traditionnelles se résument plutôt à l'agriculture, à la chasse et à la pêche, nous sommes prêts à favoriser le fait que vous puissiez les pratiquer le plus librement possible. Nous devons cependant prendre en considération que les chasseurs et pêcheurs sportifs constituent pour nous et pour vous un élément majeur du développement économique. Il est donc important que vous vous limitiez dans la pratique de vos activités traditionnelles pour permettre aux nôtres de se divertir ici tout en ouvrant la porte aux visiteurs étrangers.

Ce régime de chasse et de pêche ne devra évidemment pas nuire aux chasseurs sportifs qui accepteraient difficilement que vous jouissiez de certains avantages dans ce domaine à leur détriment.

Vous devez donc comprendre et accepter qu'il est important que nous prenions la défense des intérêts des personnes qui ont fait ces développements. Nous ne pourrons jamais plus retourner en arrière et défaire ce qui a été fait de bonne foi par nos ancêtres...»

Dans le fond de leur pensée, les descendants de Georges avaient certains remords face au tort causé, mais ils étaient incapables d'élaborer une réparation juste, même s'ils le désiraient. Ils étaient moralement convaincus que les descendants de Mathieu ne pouvaient pas prendre en main leur propre destinée.

Pour eux, ils appartenaient à une civilisation d'un autre âge, sans préparation adéquate pour vivre à l'époque actuelle, et, avec paternalisme et intérêt, ils voulaient continuer à les tenir par la main tout en choississant pour eux ce qu'ils croyaient bon pour leur avenir.

La mauvaise graine semée par les partisans de la philosophie du retour en arrière avait germé et donnait maintenant ses fruits.

Voilà ce que signifie pour nous l'occupation pacifique.

J'espère que cette histoire, très près de la vérité, vous aura fait comprendre l'importance de la négociation territoriale pour nous.

Vous saisirez mieux pourquoi nous sommes souvent aigris lorsque nous parlons d'occupation pacifique qui nous oblige à la récupération d'un territoire que l'on nous a purement et simplement volé.

L'enfant de 7 000 ans
est encore capable de grandir,
de sentir
qu'il a encore besoin des siens,
mais aussi des autres.

V

Honteuse discrimination

Francine, avec ses trois enfants en bas âge, le benjamin endormi dans les bras, est sur le pont du *Fort-Mingan*, le plus illustre des bateaux de passagers et de marchandises connus des gens de la Moyenne et de la Basse Côte-Nord, et salue joyeusement de sa main libre ses frères et sœurs montagnais qui l'attendent sur le bout du quai bondé d'Autochtones.

Il est deux heures du matin.

Une très grande partie des Montagnais de la réserve, comme à chaque semaine même si le navire accoste à une heure tardive, attend ses frères et sœurs qui reviennent de la ville et regarde descendre les quelques étrangers, habituellement des fonctionnaires fédéraux et provinciaux, qui se rendent les visiter par affaires, et quelques touristes égarés.

Le *Fort-Mingan* constitue le seul moyen populaire de communication sur la côte du printemps à l'automne.

L'autre, l'avion de ligne à certains moments donnés, nolisé pour les plus pressés et les plus fortunés, n'est pas à la portée de la bourse des Autochtones qui voyagent isolément ou des autres habitants des villages côtiers de pêcheurs blancs pas plus riches qu'eux d'ailleurs.

Quelques vieilles grand-mères retirées par timidité dans un coin sombre et vêtues du costume traditionnel des Montagnaises, composé de magnifiques bonnets d'étoffe rouge et noir, de longues jupes à carreaux aux teintes écossaises ou irlandaises qui descendent presque à la cheville, recouvertes de grands tabliers blancs immaculés et de châles qui protègent leurs épaules de la fraîcheur de la nuit, attendent pour vendre les fruits de leur travail d'artisanat.

Elles trimballent dans leurs mains de magnifiques mocassins blancs pour les femmes et de couleur naturelle pour les hommes, fabriqués dans des peaux de caribous et décorés d'un motif distinctif de fleurs à trèfles en perles colorées sur le dessus de chaque pied, de longs bas de laine fournie aux tons flamboyants qui montent aux genoux et des pendentifs de perles multicolores de tous les modèles.

Quelques-unes sont accompagnées de leur mari qui a revêtu la veste traditionnelle de toile blanche brodée de riches fils multicolores rouge, jaune or et vert. Cet habillement du dimanche a l'allure d'un complet léger.

Hommes et femmes sont chaussés de mocassins et de longs bas de laine épaisse, serrée, qui mettent en évidence leurs jambes arquées, traces de leur façon de s'asseoir par terre les jambes croisées sous eux dans les tentes et dans les canots.

Ce n'est pas pour attirer l'attention des clients en faisant plus folkloriques par cet accoutrement que les mémés sont ainsi habillées.

Non!

Elles portent cette tenue à tous les jours dans leur maison ou dans leur tente si elles sont à la chasse sur le territoire et vous pouvez les rencontrer ainsi endimanchées en arpentant les artères de la réserve ou en magasinant à la Baie d'Hudson.

Parmi ces vieilles femmes, se trouve la mère de Francine.

En quittant la passerelle, la Montagnaise en exil la devine à peine, étant encore trop éloignée d'elle. Elle l'imagine comme elle le fait depuis quelques années au téléphone.

Les Montagnais de cette communauté sont tenus à l'écart de l'endroit où descendent les passagers sur le quai, sous prétexte d'accidents passés en déchargeant les marchandises du bateau, par une barrière métallique qui les empêche de s'approcher plus près.

Francine trottine, laissant ainsi plus de temps à ses deux jeunes enfants de la suivre, comme des petits canards qui nagent derrière leur mère dans les eaux calmes et limpides d'un lac splendide, pour parcourir ce trop grand espace qui l'isole encore de sa famille.

Son cœur se serre soudainement en les voyant tous penchés sur la barrière.

Elle les imagine un instant en animaux de la forêt comme les caribous habitués à la grande liberté, qu'on a enfin réussi à capturer après les avoir longuement traqués et ensuite à les enfermer dans une cage exiguë d'un jardin zoologique.

Cette image la rend temporairement triste.

Elle accélère le pas et décide ensuite de courir pour franchir à la hâte le dernier bout de chemin qui la sépare encore des siens.

Elle distingue enfin sa mère dans un coin derrière la barrière, loin de la sortie des passagers et du passage des tracteurs qui transportent les marchandises lourdes du bateau à l'entrepôt dans des chariots à bagages.

Elle bifurque brusquement vers elle, trop pressée pour franchir la clôture, comme un joueur de football qui veut éviter d'être plaqué par un adversaire, et se jette dans ses bras.

Même si la palissade est un obstacle, elle ne les empêche pas de s'embrasser et de se caresser mutuellement le visage, démonstrations de l'amour filial de Francine envers sa mère et de l'affection maternelle.

— Maman, tu n'as pas changé depuis cinq ans, lui murmure-t-elle, les yeux remplis de larmes. Tu es toujours aussi belle et aussi vraie.

Cette effusion de tendresse de la mère et de la fille retrouvées aurait duré une éternité si le plus vieux des fils de Francine, un beau grand garçon de quatre ans, lui ressemblant comme deux gouttes d'eau, n'avait pas réussi à couper le charme en tirant fortement et avec acharnement sur le bas de sa robe.

Distraite par tant de joies en même temps, comme une mère dénaturée, Francine a complètement oublié ses enfants.

— Maman, regarde mes trois beaux rejetons.

Elle lui transfert dans les bras le benjamin déjà réveillé par le sprint sur le quai, les embrassades et les serrements. Elle saisit la princesse réservée de trois ans qu'elle soulève comme une plume et lui donne aussi dans l'autre bras. Enfin, elle attrape l'aîné par les épaules, le met debout en équilibre sur la clôture, tout en lui tenant la main pour l'aider à rester droit, et le présente à sa mère:

— Voilà Luc, mon plus vieux. C'est un grand garçon, beau, raisonnable et intelligent.

Je lui ai souvent parlé de toi, de mon père décédé et de mes frères et sœurs temporairement perdus.

Il vous connaît tous comme s'il avait vécu avec vous depuis sa naissance et il vous aime.

Il parle aussi bien la langue montagnaise que française et sait déjà presque tout de notre culture.

En disant ces mots, son regard inquisiteur quitte subitement celui de sa mère, décrit un demi-cercle autour de ses frères et sœurs et cherche Antoine, l'aîné du clan, celui qui a les responsabilités du père de famille depuis que ce dernier les a quittés pour son dernier voyage de chasse et de pêche dans l'éternité.

Elle craint pour un instant qu'il ne soit pas venu avec ses autres frères et sœurs la chercher au quai.

Elle se demande s'il a oublié les chicanes puis les déchirements entre elle et lui avant son départ définitif pour la ville il y a maintenant cinq ans.

Elle n'ose pas le demander simplement à sa mère de peur d'avoir une réponse négative.

Elle essaye de le trouver avec ses yeux fouineurs de plus en plus préoccupés.

Enfin, avec soulagement, elle le reconnaît. Il est retiré, en arrière du groupe, gêné, orgueilleux et surtout mal à l'aise, attendant qu'elle fasse les premiers pas.

Il appréhende la réaction de sa sœur plus jeune et plus instruite que lui parce qu'il ne sait pas si elle lui a pardonné son attitude sévère et discutable du passé.

— Antoine, approche-toi! lui lance Francine sur un ton exprimant la joie de l'avoir découvert comme si rien ne s'était passé auparavant. Viens vite me trouver, lui dit-elle les bras tendus et invitants.

Heureux et surtout libéré de toutes ses appréhensions, il se précipite dans ses bras et, contrairement à la mentalité réservée des Montagnais, la serre si fort que les poteaux de fer de la barrière lui brisent presque les os du bassin. Il ne veut plus la lâcher, comme s'il avait peur qu'elle parte encore une fois pour bien longtemps.

Réussissant à se dégager gentiment de cette étreinte fraternelle souhaitée depuis longtemps qui l'écrase à lui faire mal, Francine, en le regardant d'un peu plus loin, lui annonce:

— Antoine, tu ressembles de plus en plus à papa.

C'était sûrement le plus beau compliment qu'elle pouvait faire à son frère ainé qui idolâtre celui qui les avait mis au monde et qui lui avait tout enseigné.

— Si tu savais comment je suis heureuse de te revoir et de te serrer dans mes bras, lui exprime-t-elle avec franchise et sans détour. Tu m'as tellement manqué.

J'ai de bien belles choses à te raconter.

Demain, nous allons marcher tous les deux dans le bois, main dans la main, comme nous le faisions quand j'étais petite lorsque j'avais besoin de ta protection. Tu me décriras alors ta dernière excursion de chasse.

Pendant le temps passé avec vous autres, au cours de ces vacances de rêves, tu vas enseigner à Luc comment se débrouiller en forêt. Tu vas l'instruire sur tous les animaux de ce paradis. Tu vas lui montrer à tendre des pièges et des collets pour se nourrir. Tu vas l'amener sur ton territoire de chasse et de pêche et sur celui de notre père. Tu vas lui apprendre à canoter. Tu vas aller pêcher avec lui. Tu vas lui faire visiter le bord de la rivière où je suis née. Tu vas le faire prier à l'endroit où notre père est enterré sur la montagne. Enfin, tu vas lui raconter toutes les belles histoires que nous contait notre père; ces légendes où les animaux de la forêt règnent en maîtres absolus sur leur royaume sans être dérangés par les fléaux modernes.

C'est maintenant au tour de ses frères et de ses sœurs de l'embrasser, de prendre dans leurs bras les enfants de Francine qu'ils ne connaissent pas et qu'ils n'ont vus qu'en photos, de lui poser des dizaines de questions, de lui caresser les cheveux, de la critiquer sur sa maigreur, de l'interroger sur son mari, de lui faire parler de son logement en ville, de la questionner sur sa vie sociale et professionnelle, de lui faire décrire la naissance de ses enfants, leurs premiers pas, de la sonder sur son état de santé, de lui demander si elle s'est ennuyée de la communauté, de leur parler des Blancs du sud, de lui faire décrire ses voyages...

Comme des pies qui jacassent, ses sœurs et ses belles-sœurs veulent tout savoir en même temps.

Tout à coup, ils s'apperçoivent que tous les autres Montagnais sont partis vers la réserve et qu'ils restent seuls sur le quai avec les employés blancs de la compagnie de navigation qui terminent le transport des marchandises.

Ils ont parlé ainsi plus d'une bonne heure.

Trop pressée pour faire le tour de l'obstacle et surtout pour ne pas quitter un seul instant les siens, Francine, avec l'aide de ses frères, grimpe sur la barrière et saute de l'autre côté.

Le reste du groupe a déjà commencé à se diriger vers le camion d'Antoine.

Les frères et les sœurs de Francine, leurs conjoints, leurs enfants et les siens montent dans la boîte du camion et s'assoient sur le plancher alors qu'avec sa mère et Antoine, elle prend place dans la cabine du véhicule.

Résultats des démolisseurs

Quelques minutes plus tard, après avoir franchi la distance qui sépare le quai de la réserve, ils descendent tous à la maison paternelle. Dans l'obscurité, l'habitat familial semble avoir la même apparence.

Francine, à la course comme une gamine, éclairée par une pleine lune magnifique, fait le tour de la maison.

Elle veut tout voir, autant à l'extérieur qu'à l'intérieur, et vérifier tous ses souvenirs de jeunesse.

Elle cherche à savoir si des choses importantes sont disparues, si elles ont changé, si elles sont telles qu'elle se l'était si souvent rappelé dans ses rêves éveillés loin de ces lieux chéris.

Après avoir goûté, sans trop d'exagération à cause de l'heure tardive, au saumon frais, au castor, à la «banik» (pain indien), au caribou, un vrai festin du réveillon de Noël, et, surtout, parlé abondamment en savourant plusieurs tasses de thé, ils décident d'aller se coucher parce que le jour commence déjà à se lever et ils souhaitent pouvoir jouir ensemble de la belle journée qui s'annonce.

Avec sa mère qui la suit comme son ombre pour faire tous ces caprices, comme une invitée de marque, et pour préparer son lit, Francine regagne sa chambre, celle qu'elle a quittée, sans y revenir une seule fois depuis, il y a déjà cinq ans.

Finissant de la border avec des couvertures de laine chaudes tel qu'elle le faisait lorsque Francine avait l'âge de son fils Luc, sa mère l'embrasse et quitte la chambre pour aller elle aussi se reposer quelques heures en rêvant à sa fille prodigue retrouvée.

Trop énervée pour dormir après cette nuit remplie d'émotions de toutes sortes dues à ces inoubliables retrouvailles et aux nombreuses tasses de thé, Francine visionne dans son subconscient, mais sans aucune amertume, les séquences tumultueuses de sa vie de jeune adulte qui l'avaient tragiquement obligée à s'éloigner temporairement des siens et marquée si profondément.

Elle revoit le jour où, après une discussion virulente avec son frère aîné Antoine sur sa contestation du Conseil de bande, son agitation auprès des femmes autochtones et sur son mariage avec un professeur blanc de l'école primaire du village, elle avait décidé de quitter définitivement la maison paternelle et la réserve à cause du peu de compréhension de la part des siens face à un avenir qu'elle se devait de choisir elle-même.

Elle ressent encore une fois les frissons qui avaient parcouru tout son être lorsque des représentants du Conseil de bande, inspirés sans aucun doute par des fonctionnaires du ministère des Affaires indiennes et du Nord du Canada, les fossoyeurs qui avaient comme mission de convaincre et ensuite de faire appliquer par les dirigeants des communautés cette Loi des Indiens injuste et discriminatoire envers les femmes, avaient refusé dédaigneusement qu'elle s'établisse sur la réserve auprès de sa famille avec son mari.

Puisque seuls les Amérindiens avec statut pouvaient habiter le territoire de la communauté, il était évident qu'en perdant son numéro de bande, identité légale pour les gouvernants blancs, par son mariage avec un non-Autochtone, Francine ne pouvait pas demeurer avec les siens.

Il fallait qu'elle s'expatrie hors des lieux de son enfance.

Cela était d'autant plus frustrant pour elle que le conseiller du

Conseil de bande qui semblait s'acharner avec le plus de mépris contre elle avait marié une Blanche.

Par son alliance avec un Autochtone, cette étrangère avait gagné son statut et tous les droits de premiers occupants qui y sont rattachés tandis qu'elle, pouvant parler la langue, pratiquer les coutumes et transmettre par l'enseignement à ses enfants la culture de ses ancêtres, à cause d'un même mariage mixte, perdait tous ses droits ancestraux, même la considération de ses proches, et était rejetée hors des lieux comme une lépreuse qu'il faut isoler ou une pécheresse que l'on s'apprête à lapider.

Humiliée, elle avait voulu se défendre, se battre avec les représentants du Conseil de bande pour qu'ils n'appliquent pas une telle loi qui va en l'encontre de tout bon sens et qui détruit les fondements mêmes de l'avenir des Montagnais et qu'ils contestent sa légitimité devant les tribunaux des Blancs.

Elle avait soulevé quelques Montagnaises pour qu'elles manifestent en guise d'appui contre les membres du Conseil de bande, les leaders politiques, les autorités gouvernementales canadiennes et leurs valets qui permettaient, sinon favorisaient par une telle loi, le génocide des nations autochtones.

Elle avait alerté ces quelques femmes plus visionnaires en leur soulignant qu'on détruisait ainsi des familles, rejetait des éléments dynamiques qui pourraient jouer un rôle social important dans l'avenir des communautés, et anéantissait des êtres humains parce qu'on leur enlevait toute possibilité de choix pour leur avenir et qu'on les déracinait du sol qui les avait vues grandir pour les transplanter ailleurs dans une terre qu'elles ne connaissaient pas.

Francine, qui venait alors de terminer un cours universitaire, la première dans cette communauté, donc mieux préparée pour débattre ce genre de questions, avait présenté en vain des tas de points d'interrogations sur l'avenir des femmes autochtones.

Elle avait allumé une faible flamme qui ne s'éteindra jamais, même si la victoire était loin d'être évidente.

Elle avait fait comprendre à certaines qu'elles ne devaient plus accepter sans dire un mot tout ce qu'on leur proposait.

Elle avait discuté avec elles du rejet de cette soumission qui caractérisait les femmes autochtones depuis des temps immémoriaux.

Elle leur avait démontré que pour obtenir qu'on les respecte et qu'on les consulte sur le devenir des sociétés montagnaises, il fallait qu'elles s'imposent.

Elle leur avait fourni de la matière à discussion et à réflexion pour un long bout de temps.

Elle avait donc semé une graine vivifiante qui germerait dans l'esprit des femmes autochtones, se propagerait à d'autres et produirait un jour un nouveau fruit délicieux que savoureraient les générations féminines futures. Tout ce branle-bas n'a pas réussi à secouer l'encroûtement profond que causait une telle loi discriminatoire dans cette communauté.

Le travail de mise en marché des démolisseurs blancs avait tellement été bien fait que certains Montagnais s'appropriaient des arguments avancés par les fonctionnaires pour défendre cette loi.

On leur avait fait croire que permettre à des Allochtones mariés à des Amérindiennes de vivre dans la communauté était une menace pour eux parce que tôt ou tard ces derniers prendraient leur place, auraient de l'emprise sur le groupe et nuiraient ainsi au développement des Autochtones.

Ce danger de manipulation de la part des membres des familles montagnaises à part entière, pense Francine, était-il aussi grand qu'on le prétendait?

On peut en douter fortement, croit-elle, surtout dans le cas de ceux qui comme son mari Michel étaient prêts par amour sincère à délaisser les avantages certains pour eux de vivre dans les grandes villes pour suivre leur épouse et s'établir dans des réserves éloignées. Il aurait été bien surprenant que les intérêts personnels de Michel n'aillent pas dans le sens de ceux des membres de sa famille par alliance.

D'ailleurs, noyé dans le milieu, comment aurait-il pu soutenir le contraire sans immédiatement devenir la cible des parents et amis de Francine?

Plus encore, Michel serait devenu, par sa formation académique et par sa conception différente de la vie actuelle et future, une aide nécessaire et intéressée au développement de la société concernée. Il aurait apporté une plus grande pluralité des idées sur la vision de l'avenir pour ses enfants.

Comment se fait-il, réfléchit-elle, que les pays parmi les plus dynamiques au monde, les États-Unis en particulier et même le Canada, se sont construits et développés en allant chercher des compétences ailleurs pour en faire des citoyens à part entière et que nous nous refusons d'y intégrer des gens qui ont tout intérêt au développement bien organisé des communautés autochtones dans lesquelles ils évolueraient avec leurs descendants?

Il semble bien évident, analyse-t-elle, que certaines personnes ont un intérêt à garder le plus longtemps possible les Autochtones dans un isolement culturel et social total et qu'elles ont tissé un écran protecteur presque infranchissable pour pouvoir les contrôler plus aisément.

On a mis dans la tête des nôtres tellement de préjugés que certains ne sont plus capables de démêler le bon grain de l'ivraie. Avec comme résultat que, comme les huîtres, ils se sont refermés sur eux-mêmes sans discernement pour tenter de se défendre et empêcher ainsi les gens bien intentionnés de pénétrer pour les aider réellement.

Après avoir été si souvent trompés, croit-elle, ils ne sont plus en position de distinguer leurs véritables amis de leurs ennemis acharnés. De peur de se tromper encore une fois, ils ont préféré faire le grand vide autour d'eux à la satisfaction de ceux qui avaient intérêt à ce que l'évolution des Autochtones se réalise le plus lentement et le plus tard possible. Les Aborigènes revendiqueraient alors avec acuité ce qu'on leur avait préalablement usurpé.

Les Allochtones les ont conservés à l'état de dépendance la plus totale possible par les moyens toujours dégradants de l'assistance sociale.

Ils ont été décimés par les fléaux des civilisations modernes comme l'alcool et les drogues, sorte de guerre bactériologique déclanchée par les sociétées blanches.

Les Autochtones ont été écrasés par le racisme qui les empêchait d'avoir une place au soleil des voisins blancs qui ont rapidement accaparé tous les postes importants et qui sont évidemment mieux préparés à ce genre de compétition.

Ils ont été foulés aux pieds par des détracteurs qui n'ont jamais cessé de leur répéter malicieusement qu'ils étaient incapables, pas plus qu'ils n'étaient prêts, à se prendre en main et à se diriger.

Les faiseurs d'opinions et d'images qui charrient volontairement les tares des Autochtones pour soulever la passion des populations blanches contre eux les ont bafoués. Les Amérindiens ont toujours été une proie facile pour les manipulateurs qui faisaient miroiter toutes sortes d'avantages à demeurer dans un autre monde, celui du passé, celui de la tradition résumée à sa plus simple expression.

Les yeux grands comme des 25 cennes, incapable de s'endormir, alors que le soleil éblouissant du matin pénètre entre les rideaux de tulle jaune pâle, reflète dans un grand miroir de forme ovale entouré d'une frise du même tissu qui pare la fenêtre et accroché au mur au-dessus d'un petit bureau blanc rempli de peignes, de minuscules miroirs et d'accessoires féminins, et se répand sur le plancher de bois teint d'une couleur jaune foncée, Francine se remémore une discussion acerbe qu'elle avait eue avec un des conseillers de la réserve.

Ce dernier, avec une candeur bien naïve, lui avait admis après une argumentation serrée de Francine qu'une des principales raisons des conseils de bandes pour refuser l'entrée des époux blancs dans les communautés était que plus il y aurait de personnes à se partager les privilèges d'être membres des premières nations, moins la part de la «tarte» serait grande.

Un tel raisonnement part d'une approche beaucoup plus du genre compensations monétaires, prônée par les Blancs qui veulent simplement, par cette formule, acheter les terres aborigènes comme ils le font pour un terrain sur lequel ils vont construire leur série de maisons dans un quartier résidentiel de banlieue d'une grande ville du sud.

C'est une approche complètement opposée à ce que préconise la très grande majorité des Autochtones qui souhaite que l'on reconnaisse leurs droits fonciers de premiers occupants et qu'on leur remette la meilleure partie de ce territoire qui a appartenu à leurs ancêtres et qui leur revient de droit.

Si ce territoire ancestral leur était restitué en toute justice tel que les premiers colonisateurs français et plus tard les colonialistes anglais se l'ont approprié, il n'y aurait pas de problème à recevoir les pères de leurs descendants.

On y retrouverait alors de la place pour tous, est convaincue Francine, et plus le nombre de personnes intéressées et bien intentionnées pour développer ce territoire d'une façon civilisée serait élevé, en prenant en considération sa capacité de se regénérer comme l'ont toujours fait les chasseurs autochtones pour leurs territoires de chasse et de pêche, plus les résultats seraient probants.

La part des Montagnais serait ainsi agrandie à volonté et tous pourraient s'y rassasier dans un esprit de partage, un des principes fondamentaux des Autochtones.

Comme les Blancs ont réduit — ce que leurs hommes de loi appellent eux-mêmes de l'occupation pacique que l'on pourrait traduire simplement par: *appropriation du bien d'autrui en se donnant bonne conscience* comme on l'a vu dans le chapitre précédent — cet espace vital pour les Autochtones à des réserves trop petites pour tous développements normaux d'une société habituée aux grands espaces pour leurs activités traditionnelles, il est évident que les parties de ce tout risquent d'être trop petites.

On pourrait comprendre que les dirigeants des réserves refusent l'entrée à d'autres ou expulsent certaines personnes encombrantes si on acceptait l'approche préconisée par les Allochtones, qui consiste à nous garder dans des réserves étroites et encombrées, pour nos négociations territoriales.

Heureusement, ce n'est pas le cas puisque l'on souhaite récupérer, pour ensuite développer selon nos propres intérêts, le territoire envahi par des étrangers.

Nous devrions donc avoir une position consistante en n'acceptant pas de jouer sur le terrain où veulent nous conduire nos adversaires et sur lequel ils excellent. Il ne faut pas voir notre devenir par le prisme des Blancs, mais selon notre vision propre qui consiste à vouloir récupérer la plus grande portion du territoire ancestral des Montagnais qu'on nous a volé et à le développer selon nos priorités.

Les compensations financières ne sont pas là pour acheter des terres, mais simplement pour défrayer les pertes subies au cours des années par la destruction d'une partie des lieux et l'utilisation temporaire de ce territoire à des fins autres que celles du choix de société de nos ancêtres.

Elles ne sont donc qu'une infime fraction des richesses récupérées et il ne faudrait surtout pas que les Blancs aient l'impression qu'elles passent avant d'autres éléments beaucoup plus primordiaux comme la récupération du territoire et l'autonomie gouvernementale.

Ce débat de fond soulevé par Francine, une des bases fondamentales d'un projet de société, a vite été rabaissé par des conseillers qui préféraient voler au niveau des marguerites à très très basse altitude, à une question purement politique partisane. On a tôt fait de mentionner qu'elle avait des visées de remplacer les membres du Conseil de bande d'alors.

Menacés, ils y sont allés avec toute la force du désespoir en sortant le rouleau compresseur pour écraser à tout jamais cette adolescente qui avait osé se défendre et contester l'«establishment» de la communauté.

Ils ont fait si bien qu'ils ont réussi à semer la zizanie dans la famille unie de Francine à un point tel que ses frères et sœurs ont dû la renier et lui demander de s'exiler pour pouvoir continuer à vivre en paix dans la réserve.

Avec la force des faibles, les conseillers avaient alors tué une mouche avec un bazooka...

Que de souvenirs

Regardant le cadran avec des chiffres lumineux placé sur une table de nuit près du lit, Francine constate qu'il est déjà huit heures du matin, qu'elle n'a pas encore fermé l'œil de ce qui est resté de nuit et qu'elle ne réussirait certainement pas à le faire.

Elle décide alors de se lever, même si tout le monde semble encore dormir dans la maison, et de s'habiller pour aller se promener dans la réserve et sur le bord de la mer, endroit privilégié de ses jeux d'enfant. Arrivée dans la cuisine, elle constate que sa mère est assise près de la fenêtre et regarde vaguement au large du golfe du Saint-Laurent. Son visage est radieux et on sent qu'elle baigne dans le bonheur d'avoir retrouvé sa fille bien-aimée qui lui a tellement manqué.

Comme Francine, sa mère n'a pas réussi à dormir, trop énervée par les émotions de la dernière nuit.

Sans entrer dans les détails verbaux pour ne pas réveiller ses autres frères et sœurs, dont une est couchée sur le divan et deux autres dans des sacs de couchage sur le plancher du salon, Francine fait signe à sa mère qu'elle va dehors.

Rendue sur le perron de la porte, elle sent immédiatement une légère brise, humide et ravigotante, venant du large. Après avoir traversé la rue en sable et pierres concassées, elle s'avanç lentement vers le rivage en franchissant une grande touffe de longues herbes marines mouillées par la rosée du matin, et marche sur la grève.

Cette plage de sable fin magnifique et envoûtante s'étire à perte de vue, tel un serpent géant des défilés de mascarade des pays exotiques. Elle n'a à envier que peu de choses des lieux de vacances du sud des États-Unis comme la Floride et mêmes les Îles. La seule et primordiale différence pour les vacanciers se retrouve dans le climat. Un climat du nord frisquet par la brise de la mer dans ses quelques semaines d'été et froid et venteux au cours de son long hiver.

Au loin, elle aperçiot trois Montagnais, le père et ses deux fils, qui s'apprêtent à prendre le large dans un canot à moteur. Ils vont visiter de bon matin leurs filets de pêche de subsistance à l'embouchure de la rivière à saumons.

Près d'eux, de jeunes enfants s'amusent à lancer des pierres de galets dans l'eau, pariant sans doute sur le nombre de sauts que fera le projectile avant de caler au fond de la mer. Elle se rappelle à quel point ce jeu primaire a occupé une partie de son enfance. Elle ne peut s'empêcher de faire des comparaisons avec les jeux éducatifs que pratiquent aujourd'hui ses enfants avec leur père Michel.

Elle déambule lentement sur la plage, pieds nus dans l'eau glacée et espadrilles sous le bras, en laissant des traces de pas qui s'effacent aussitôt par la vague lorsque l'eau recouvre le sable.

Inspirée par cette scène, elle se demanda alors si les vestiges de sa lutte pour la liberté des femmes dans la communauté il y a cinq ans ont disparu aussi rapidement.

Lorsqu'elle a franchi quelques centaines de pieds, elle s'assoit sur un banc rustique partiellement défait qui semble égaré à cet endroit. Elle remet ses chaussures légères après s'être essuyée les pieds avec ses bas courts qu'elle garde dans ses mains. Puis, elle regagne le chemin qui longe la mer face à l'école désaffectée servant de bureau aux employés du Conseil de bande depuis la construction d'un collège plus vaste dans le village blanc.

Dans sa toute jeunesse, elle avait fréquenté cette école où elle avait eu ses premiers cours de mathématiques en français par une institutrice religieuse venue d'ailleurs, plus au sud. Elle se remémore toutes les difficultés qu'elle avait rencontrées pour pouvoir suivre un enseignement dont les bases lui étaient complètement inconnues dans une langue seconde remplie de subtilités linguistiques qui étaient d'abord pour elle de la «bouillie pour les chats».

Tant bien que mal, contrairement à bien d'autres jeunes Montagnais et Montagnaises de la réserve qui n'avaient jamais pu s'adapter à ce genre d'enseignement, elle avait réussi à apprendre certaines données importantes des civilisations autres que la sienne. Elle s'était intéressée, dès son bas âge et d'abord par curiosité, à tout ce qui touchait l'esprit.

Elle était, à ne pas douter, beaucoup plus intellectuelle que la majorité de ses compagnes ou compagnons d'alors.

Ce goût inné pour la connaissance avait rapidement fait surface et l'institutrice, comme l'avait fait plus tôt le missionnaire, curé de la réserve, l'avait alimenté. Si bien qu'en quelques mois, elle dévorait des livres écrits en français sur des sujets qui dépassaient en intérêt ceux de son âge. Insatiable intellectuellement, Francine devint rapidement une candidate sérieuse pour des études supérieures. On la prépara en conséquence.

Elle passe ensuite devant la petite chapelle en bois peinturé en blanc. Constatant que la porte est débarrée, elle pénètre à l'intérieur de l'église. Francine alors constate que rien n'a changé depuis son mariage et même sa première communion.

Le bénitier original dont le vasque reposait sur les sabots de trois pattes de caribous empaillées et renforcies par des tiges de métal qui servaient de piédestal est encore le même, la fourrure plus poussiéreuse.

Des fleurs sauvages des champs ornent, comme toujours à cette période de l'année, l'autel entouré de chaises inconfortables beaucoup plus chambranlantes à cause de leur âge. Le chemin de croix relaté par des tableaux peints à l'huile par un peintre au style naïf, sans aucune valeur artistique, donnés par un mécène inconnu et peu généreux et accrochés aux murs entourant la nef, continue à lui faire peur.

Les parois sont tapissés de dessins d'enfants sur le thème du temps pascal faits sur du papier maintenant défraichi dont les couleurs voyantes sont rendues des teintes de pastel par le soleil. Accrochées encore ici et là au plafond parce qu'elles onnt tenu le coup, quelques banderoles de papier taillées par des enfants rappellent que la communauté a fêté Pâques avec pompe.

Le Christ sculpté grossièrement au couteau de chasse dans une pièce de bois sur une croix trop grande pour la place, faite de deux immenses troncs d'arbres et déposée là par des gens sans goût pour la décoration, domine encore plus le chœur puisque sa grandeur démesurée oblige à le pencher vers l'avant. On dirait que la croix survole l'endroit.

La balustrade pour la communion, rendue presque inutile parce que les fidèles n'ont plus besoin de s'agenouiller pour recevoir aujourd'hui le corps du Christ, a, par sa simplicité, l'allure d'une clôture d'un champ de cultivateur qui sépare l'homme blanc, le missionnaire, de ses ouailles montagnaises.

Elle revoit les premières messes qu'elle a suivies, assise près de son père, alors que ses frères, beaucoup plus agités et alignés avec d'autres enfants comme eux sur la série de chaises de la première rangée, détachent continuellement les assistants du service religieux en se taquinant mutuellement sans que personne ne les arrête.

Enfin, elle se rappelle la dernière messe vécue dans cette chapelle remplie de souvenirs heureux, celle de son mariage, où, en disant oui à son compagnon pour la vie, elle avait coupé les amarres de son ballon dirigeable qui l'avait conduite si loin des siens sur une terre étrangère.

Après ce souvenir heureux et malheureux en même temps, elle quitte l'édifice de la religion importée par les Allochtones sur cette terre amérindienne, une religion que les Montagnais ont adoptée dès les débuts de la colonie par l'évangilisation et pratiquent encore aujourd'hui avec ferveur.

Elle passe devant la grande maison qui servait de presbytère au curé. Comme dans tous les villages québécois, cette habitation du pasteur était la plus grande et la plus belle de toutes celles qui étaient construites pour les brebis.

Cependant, contrairement à bien d'autres presbytères en milieu québécois, celui-ci était accueillant et sa porte ouverte à tous.

Il n'était pas rare de voir cette demeure remplie de Montagnais qui s'y rendaient pour y prendre un café chaud avec le curé.

Elle était un lieu de rencontres pour tous les habitants de cette petite communauté autochtone et un forum de discussions et d'informations.

Elle était donc le magasin général des petits villages québécois d'antan qui permettaient aux gens de se rencontrer et de discuter de toutes sortes de sujets: de la politique au «potinage».

Quelques femmes s'y risquaient timidement pour parler au curé en privé ou pour retrouver leur mari. On sentait toutefois qu'elles n'étaient pas à l'aise dans ce sanctuaire du «mémérage» masculin qui donne l'impression de régler définitivement le sort du monde comme on le faisait dans les tavernes québécoises d'il y a une quinzaine d'années. C'était un endroit pour les hommes, les aînés surtout.

Si on s'était seulement donné la peine

Elle se dirige vers la gauche pour s'engager dans une artère de ce minuscule village autochtone sans âme érigé sur le bord de la côte et conçu par d'autres, à leur ressemblance, bien loin ailleurs au vingtième étage d'un édifice gouvernemental de la capitale nationale.

Les maisons serrées les unes contre les autres s'alignent comme s'il s'agissait d'une ville de banlieue où l'on est avare d'espaces. Pourtant, c'est ce qui manque à peu près le moins dans ce coin perdu de la «terre de Caïn», comme l'appellent certains Blancs. Une terre que ces derniers qualifient ainsi péjorativement, donc qui a peu d'importance pour eux, mais sans vouloir la restituer aux véritables propriétaires qui la chérissent amoureusement et désirent éperdument la retrouver.

Elles sont barbouillées en blanc et défraîchies par des années sans entretien. Les murs sont, à certains endroits, polis jusqu'au bois au papier d'émeri par le sable que soulèvent régulièrement les grands vents de la côte.

On perçoiit facilement que les gens qui habitaient ces chaumières n'étaient là que de passage. Ils n'avaient pas cette sensation de propriétaires d'un lopin de terre, sentiment qui caractérise les habitants des villes de banlieue des grands centres urbains du sud.

Malheureusement pour les concepteurs, ces baraques un peu trop luxueuses selon les critères de la civilisation des Blancs n'avaient aucun intérêt pour ces chasseurs habitués à vivre dans des tentes à longueur d'année.

La course à l'assimilation rapide n'a donc pas permis de franchir les étapes normales qui auraient laissé le temps aux Montagnais de s'adapter à un habitat différent et plus moderne avec d'autres utilités.

Comme pour ce qui est du reste, on a «garoché» les Autochtones dans une civilisation différente sans aucune préparation.

La conscience des politiciens canadiens était ainsi apaisée puisque leurs aborigènes habitaient maintenant dans des maisons chauffées avec de l'eau courante; comme leur probité l'est en pays riches et favorisés lorsqu'ils parachutent des vivres à des habitants de contrées en famine du Tiers-Monde. Ils se soucient peu de ces gens et croient alors que tout est réglé puisqu'ils ont accompli sans respect humain leur bonne action en lançant du haut des airs leur «trop-plein» de richesses.

Ils les avaient parqués dans des réserves pour qu'ils nuisent le moins possible.

Ensuite, on reproche aux Autochtones de ne pas s'être acclimatés.

Comment le pouvaient-ils objectivement?

D'ailleurs, qu'en serait-il de certains Blancs si on les catapultaient dans le futur, un siècle plus tard, sans aucune préparation? Comment s'adapteraient-ils à ces changements de mode de vie radicaux?

Donc, pour les Montagnais, leurs priorités, lorsqu'ils vivaient dans la réserve pour quelque temps entre deux périodes de chasse ou de pêche, n'étaient pas d'entretenir ces maisons d'une conception étrangère. Ils se préparaient plutôt à leur future expédition sur le territoire en construisant leurs canots, en nettoyant leurs armes à feu, en arrangeant leurs pièges et en fabriquant leurs filets de pêche.

C'était évidemment pour eux, des nomades, un autre campement temporaire où, à cause de la proximité de petits villages blancs et des commerçants, ils en profitaient pour vendre les fruits de leur chasse et acheter ce qu'ils auraient besoin pour leur futur voyage sur leur territoire.

Les grands espaces du territoire ancestral sont leurs terres d'habitation. Ils y sont heureux puisque le nomadisme est encore aujourd'hui ancré solidement dans bien des conceptions de la vie de certains Montagnais.

La maison qu'on leur a construite sur la réserve n'est certainement pas leur principal habitat.

D'ailleurs, constate Francine, ce phénomène est encore une fois confirmé par le fait qu'une maison sur trois est accompagnée d'une tente montagnaise. La fumée qui s'échappe des tuyaux de tôle démontre bien ce matin qu'elles sont occupées.

Pour les autres, ceux qui étaient moins préoccupés par les activités traditionnelles de chasse et de pêche, ceux qui s'occupaient de la bonne marche administrative de la communauté et ceux qui ne pouvaient plus être aussi présents sur le territoire à cause de leur âge avancé ou de leurs jeunes enfants qui devaient fréquenter les écoles, ce genre de village accentuait leur dépaysement au lieu de les satisfaire pleinement.

La conception physique de la réserve contrastait énormément avec ce qui avait été leur façon de vivre en forêt dans leur jeune âge avec leurs parents.

Sur cette réserve, il ne reste plus aucun arbre autour des maisons. Les bulldozers des constructeurs blancs ont quasi tout rasé, sûrement pour faciliter le travail et ainsi réaliser plus de profits, tandis que la hache des Amérindiens non éduqués dans le sens de la protection de ces arbres a fait le reste.

On aurait pu, avec un peu d'ingéniosité ou simplement par considération pour la spécificité des habitants, implanter un village en conservant les éléments naturels, ou choisir un autre endroit si ces conditions n'y étaient pas, comme on le fait aujourd'hui pour des lieux de villégiature où les Allochtones aiment vivre en forêt autour des lacs tout en n'étant pas trop éloignés des grands centres urbains.

En arpentant la réserve, Francine ne peut s'empêcher de faire des comparaisons avec ce merveilleux endroit de villégiature situé autour d'un lac qu'elle a visité. Elle y verrait les siens vivre heureux sans coupure avec la nature dans ce décor enchanteur.

Il ne fait aucun doute dans l'esprit de Francine que les Montagnais seraient moins dépaysés dans ce genre de villages qu'ils le sont encore aujourd'hui. Ils s'y adapteraient peut-être beaucoup plus rapidement.

Pour satisfaire des nomades, la logique aurait possiblement été de construire d'abord des camps en bois rond sur leur principal territoire de chasse et de pêche, même si la rotation des secteurs d'exploitation rendait difficile une habitation fixe. Ces abris auraient été beaucoup plus utiles pour ces chasseurs que les maisons modernes cantonnées dans des réserves.

Par la suite, certaines familles auraient probablement souhaité s'approcher des villages blancs pour y construire des localités à leur image. C'eût été alors leur propre choix.

Les dirigeants politiques des gouvernements blancs avaient ainsi tenu leurs promesses: leurs Indiens habitent maintenant des maisons.

Francine marche ainsi lentement dans ce village qu'elle adore et qu'elle n'a pas revu depuis cinq ans.

Chaque recoin a sa propre histoire et ses souvenirs.

Elle redécouvre des visages connus lui souriant largement dans les fenêtres, souvent sans rideau, des salons. Quelques-unes sortent même sur le perron de la porte pour la saluer et lui souhaiter la bienvenue.

Elle constatea alors que bien des gens semblent se rappeler d'elle d'une façon positive et sont heureux de la revoir. Elle en conclut que le grand feu de la haine s'est éteint définitivement et qu'elle a de nouveau une place dans le cœur de ces personnes qu'elle aime profondément.

Soudain, au loin, elle aperçoit trois jeunes hommes, dans la vingtaine, assis près d'un hangar autour d'une caisse de bière et d'un feu. Elle en déduit rapidement qu'ils ont dû boire ainsi pendant toute la nuit.

Cette scène l'attriste.

Elle retombe sur ses pieds en constatant que ce fléau importé par les Blancs continue de faire des ravages chez les jeunes.

Elle pense à quel point le manque de loisirs dans les réserves était grave pour ces jeunes qui n'ont presque pas d'autre choix que de s'habituer à prendre des boissons alcoolisées. Elle verrait vu des animateurs sociaux travailler avec eux à bâtir des programmes de loisirs capables de les occuper sérieusement à des choses intéressantes et surtout enrichissantes pour cette société. Pourquoi n'existe-t-il pas de mouvement semblable au scoutisme chez les Autochtones qui auraient certes attiré les plus jeunes?

Immédiatement, elle change de direction pour ne pas rencontrer ce groupe de jeunes hommes «en boisson». Elle espère alors qu'il s'agit de cas d'exception et que cette calamité ne s'est pas développée d'une façon alarmante au cours de ses années d'absence.

Elle ne peut s'empêcher de repenser à l'expérience merveilleuse qu'elle a vécue comme journaliste en assistant à une conférence sur l'alcoolisme dans un petit village aborigène de la Colombie-Britannique, nommé Alkali Lake, à 580 kilomètres au nord de Vancouver, qui a réussi à sortir de cet enfer.

Ils ont gagné le pari de la tempérance

Dans cette réserve surnommée «Alcool Lake», les drames résultant de ce fléau sont monnaie courante. Le village sont défiguré autant par les bassesses animales qui découlent des beuveries que par les épaves de voitures rouillées et les autres rebuts.

C'en était même rendu à l'état épidémique lorsque le jeune chef de cette réserve, Andy Chelsea et son épouse Phyllis, auparavant atteints par ce mal, après avoir cessé de boire, décidèrent de prendre la situation en main et de désintoxiquer tous les citoyens de cette communauté gravement malade.

Une analyse bien simple de la situation leur fit constater que la souffrance de leur peuple faisait mal à voir et que l'origine de tous les maux crevait les yeux. Il fallait donc qu'ils prennent les grands moyens pour que les gens retrouvent confiance en eux et que la fierté remplace le désespoir.

Ils commencèrent alors par s'attaquer à la racine du mal en dénonçant auprès de la Gendarmerie royale du Canada tous ceux qui vendaient illégalement de l'alcool sur la réserve.

Pour parvenir à bâtir des preuves contre les vendeurs de boisson illégaux, le jeune chef et sa femme utilisèrent un moyen bien simple en inscrivant les initiales de leur nom dans le coin de plusieurs billets de banque qu'ils confièrent à un membre du Conseil de bande avec la mission d'acheter, dans les limites de la réserve, toutes les bouteilles de boisson alcoolisée qu'il pouvait trouver. Ce dernier revint bientôt chargé à pleine capacité du produit de ses achats. Le chef écrivit sur l'étiquette du flacon acheté le nom de chaque vendeur. L'une des fioles venait de sa propre mère. Il n'eut aucune hésitation; il devait se montrer aussi dur avec sa famille qu'avec les autres.

Les membres de la bande étaient furieux contre leur chef qui les avait dénoncés. Ils saisissaient cependant que ce dernier ne plaisantait pas. Il s'attira ainsi un certain respect d'une partie des gens de la communauté.

Plus tard, constatant qu'un service de messagerie introduisait, dans la réserve deux fois par semaines pour quelque 3 000 dollars d'alcool, le chef fut pris d'une sainte colère et décida de remédier immédiatement à une telle situation.

Après des pressions auprès du ministère des Affaires indiennes, il réussit à faire accepter la nomination par le Conseil de bande de sa femme Phyllis comme responsable du budget d'assistance sociale.

Andy s'occupa alors de trouver, à William Lake, une ville blanche de 4 000 habitants, située à 50 kilomètres de la réserve, un supermarché et un magasin de vêtements qui accepteraient d'honorer les bons délivrés par le Conseil de bande.

Comme ces bons ne pouvaient pas servir à l'achat d'alcool, la mesure fut très mal reçue de la part des Indiens shushuap. La colère atteignit son paroxisme lorsqu'ils apprirent qu'il fallait demander les bons au chef, qui en profitait alors pour les sermonner.

La tension continua à monter, mais le chef énergique ne céda pas d'un pouce.

Pendant six mois, la bande dut se soumettre au système des bons. Puis, les chèques d'assistance sociale furent remis en vigueur. Ceux qui dilapidaient leur argent dans les bars de William Lake virent à nouveau leurs chèques remplacés par les bons du Conseil de bande.

Malgré tous ces efforts, en deux ans, les résultats étaient plutôt médiocres puisque peu de gens avaient véritablement abandonné la bouteille.

Torturé par le fait que ses luttes obtenaient si peu de succès palpables et découragé par le manque de confiance en eux des membres de son peuple, le chef chercha le pourquoi de son échec.

Obsédé par cette question, il trouva la réponse en rencontrant les responsables d'un programme de lutte contre l'alcoolisme et la toxicomanie chez les Autochtones. Le ministère de la Santé et du Bien-Être social du Canada accepta de financer les cures de désintoxication des membres de sa communauté.

Il lui restait maintenant à convaincre les principaux intéressés. Ce qui ne fut pas une mince tâche.

À l'aise dans son style bagarreur, le chef, après s'être assuré de l'appui des membres du conseil, choisit la ligne dure.

Aux membres de la bande qui venaient lui demander du secours financier, ou à ceux qui abandonnaient ou maltraitaient leurs enfants, il répondait sèchement: «Va te faire soigner sans cela tu n'auras rien... Faites-vous désintoxiquer sinon nous devrons vous enlever vos enfants.»

Aux jeunes qui cambriolaient les maisons ou battaient les membres de leur famille, le chef mentionnait de suivre une cure de désintoxication sinon ils seraient poursuivis en justice.

Un an après, 28 personnes étaient en traitement. On mit alors sur pied un programme d'aide qui permit de nettoyer, de réparer et de rénover leurs maisons pour qu'ils se retrouvent ensuite dans un tout nouveau décor.

Ce long processus de guérison multipliait le nombre de personnes capables de remettre Alkali Lake sur pied et leur chef les poussait toujours de plus en plus à prendre leurs responsabilités.

Aujourd'hui, près de 95 % des habitants de cette réserve sont sobres. Ils sont pleins d'énergie et ont repris confiance en eux. En mai 1985, la communauté a accueilli une conférence internationale sur l'alcoolisme qui a réuni plus de 1 200 participants.

À l'ouverture de cette conférence, un des membres du Conseil de bande a souligné que sa communauté n'avait pas seulement gagné le pari de la tempérance, mais était en train de devenir un exemple et une source d'aide pour les autres communautés.

«On peut conclure, pense alors Francine avant d'entrer dans la maison paternelle, au retour de son périple dans la réserve, que le chef d'Alkali Lake et sa femme ont rendu un fier service aux leurs parce qu'ils les ont poussés à se prendre en main et à s'aider eux-mêmes.»

Selon la jeune Montagnaise, cet exemple d'Autochtones qui ont réussi à se sortir du fond de l'abime devrait être raconté à tous les Autochtones car il démontre clairement que les fléaux peuvent être enrayés si les gens en ont la ferme volonté.

Ses poules ont des ailes,
elles sont des perdrix.
Ses moutons s'appellent castors
Ses épis sont des épinettes.
Ses légumes sont semés par le vent.
Dans ses champs, poussent les bouleaux.
L'enfant de 7 000 ans
dansera et chantera
comme tous les enfants du monde
puisqu'il reviendra dans son pays
vraiment chez lui.

VI

L'enfant-chef

La journée qui avait débuté depuis quelques heures allait être paradisiaque: une des quatre ou cinq qui composent l'été entier sur la Basse Côte-Nord ainsi qu'on le souligne souvent avec humour dans ce coin de terre rocailleux peu favorisé par une période de temps normale pour une saison estivale reviviscente.

Les teintes du paysage naturel, grises, pâles ou foncées, couleurs de pierre ou de poussière, vertes des épinettes, des herbes longues, des aulnes et des plants fruitiers à pois rouges, et bleues d'azur, pénétrant par l'immensité d'un ciel sans nuage, accentuées par l'éclairage du soleil, cette lumière éclatante de l'astre féerique qui fait paraître terne celle artificielle d'Hydro-Québec pour les décors de carton des émissions de télévision, éblouissaient l'œil artistique.

Ce tableau complété par des taches voyantes dues aux costumes traditionnels des grands-mères, aux robes et aux chemisiers aux couleurs plus actuelles des jeunes mères, des adolescentes et des enfants qui bougeaient continuellement comme pour mieux exprimer la vie, différence avec une nature morte, aurait rempli d'aise tous les peintres paysagistes classiques des belles et riches années des siècles passés.

Ces marques aux couleurs attirantes étaient regroupées par deux, trois ou quatre points, sur des grandes surfaces vertes.

Plus loin, à quelques mètres de ces veines bougeantes sur le gris pâle, la flamme d'un immense feu de camp, pour remplacer tant bien que mal le vent dans son rôle de faire fuir les moustiques, colorait harmonieusement par ses tons flamboyants de rouges, plus foncés ou plus pâles selon son ardeur, cette scène naturelle.

Ce gigantesque feu dont la braise servirait plus tard à la préparation du copieux repas des ouvrières de la première heure de la cueillette des graines rouges, fruits exclusifs à cette région nordique, ressemblant étrangement à la canneberge importée de la Scandinavie, complétait le coloris.

On aurait dit qu'une main experte avait agencé professionnellement toutes ces teintes pour en tirer le maximum dans son rôle de réjouir l'œil sensible à la magnificence.

Ce tableau presque irréel aurait pu être le test d'efficacité, si cher à la publicité des marques de savon, entre l'œil de l'artiste peintre, plus sensible à toutes ces beautés qui peuvent faire vibrer tout son être, et celui de l'appareil de photos moderne et la caméra du cinéaste, automate, sans aucune émotion, qui copie intégralement et fixe sur la pellicule selon la qualité de cette dernière et la sensibilité de l'objectif.

Ces nouveaux instruments pour les artistes modernes, plus complets et plus riches en possibilités de toutes sortes, éclipsent les pinceaux et les palettes de couleurs.

Ainsi que pour certains Montagnais qui sont tiraillés entre leur attachement à la tradition, le passé, et le modernisme sous toutes ses formes qu'ils achètent difficilement, le futur, ce tableau qui exprimait les extrémités, donc la difficulté de choisir, aurait été un sujet merveilleux autant pour les artistes peintres des temps anciens, plus traditionnels et, il faut l'admettre, beaucoup moins efficaces, qu'il aurait fait les délices des artisans contemporains de l'image sur pellicule, distribuée à des millions d'exemplaires sur des écrans de cinéma, de diapositives, ou des appareils de télévision, photographes et cinéastes. Ce paysage pouvait cependant permettre aux uns comme aux autres une possibilité de se faire valoir dans les champs d'activités où ils se sentaient plus à l'aise et ainsi satisfaire à tous les goûts et à tous les rythmes.

Pourquoi alors trancher entre ces deux éléments majeurs de civilisations différentes qui pouvaient sûrement se compléter et non pas se combattre?

Telles des abeilles qui butinent de fleur en fleur pour y cueillir le nectar, le tranformer dans leur jabot en miel délicieux et ensuite le dégorger dans des alvéoles de cire pour la nourriture de leur communauté, les cueilleuses de fruits montagnaises pratiquaient cette activité traditionnelle de collecte dans le but de nourrir les leurs par des sucreries exquises qui font l'orgueil des meilleures cuisinières autochtones.

Au loin, en sourdine comme c'est le cas pour les travailleuses ailées, on entendait un bourdonnement continuel qui se dégageait du lieu de travail.

Les cueilleuses courbées ou écrasées sur leurs jambes dans une position inconfortable parlaient continuellement entre elles sans arrêter de ramasser les fruits qui serviront pour cuisiner leur confiture.

Même si les tâches qu'elles effectuaient sont fatigantes et monotones, une atmosphère active de joyeuse camaraderie transsudait des lieux de leur travail.

Elles répétaient automatiquement les gestes qui consistaient à cueillir cette manne et à la déposer dans des récipients plus petits qu'elles transvideront plus tard dans des grandes chaudières.

Elles distribueront ensuite les fruits de leur labeur en parts égales, souvent avec d'autres femmes de la communauté qui n'ont pas comme elles la santé pour venir cueillir ces griînes délicieuses, expression évidente d'un des principes fondamentaux de la culture autochtone: le partage.

À la manière de la reine de l'essaim d'abeilles, la mère de Francine dirigeait la cueillette en se déplaçant continuellement sur le terrain à la recherche d'endroits plus riches en fruits mûrs à cueillir.

Elle était immédiatement suivie par les autres cueilleuses.

Francine, la femme d'Antoine et la plus jeune sœur de l'héroïne retrouvée, Norma, accompagnaient leur mère. Elles constituaient, toutes les quatre, le groupe de tête.

Une liberté normale en forêt

«Maman, dit Francine, comment as-tu réussi à nous élever en forêt et à nous donner toute l'éducation sévère qui nous sert si bien, comparativement à ce que nous voyons aujourd'hui chez d'autres Montagnais et Montagnaises de notre âge?

— Il faut honnêtement dire, lui répondit-elle, que c'était beaucoup plus facile d'élever des enfants dans le bois que ça peut l'être aujourd'hui dans la réserve.»

D'abord, nous étions par groupes familiaux peu nombreux et souvent très isolés. On ne rencontrait les autres familles des communautés montagnaises de la Basse Côte-Nord que par périodes très courtes et espacées. L'influence négative des autres sur les enfants était alors moins évidente et surtout moins continue. Les effets extérieurs moins intéressants de la civilisation des Blancs, comme la boisson, la télévision et la pornographie sur des films vidéo, étaient alors peu ou pas connus et n'avaient pas d'emprise sur nos vies pendant les trois quarts du temps. Nous vivions donc intensément sur le territoire ancestral ensemble et nous pouvions nous entraider continuellement.

Très jeunes, les enfants passaient la grande partie de leurs moments d'activités à suivre les parents ou les grands-parents. Il était donc facile pour ces derniers de leur enseigner les vraies valeurs, en plus des connaissances nécessaires pour survivre, et de les suivre des yeux sans que cela paraisse ou puisse causer des problèmes aux jeunes enfants.

Bien au contraire, puisque les garçons étaient heureux de pouvoir suivre les aînés dans leurs excursions de chasse et de pêche et les jeunes filles satisfaites de vaquer aux travaux ménagers ou d'artisanat, à la préparation des repas avec leur mère et à la petite chasse à proximité du campement central.

Lorsqu'on les laissait à leur propre initiative, ils étaient obligés de prendre leurs responsabilités. Puisque la vie en forêt était passablement difficile et que seuls ceux qui pouvaient se défendre y survivaient, les jeunes gens sérieux n'avaient pas de temps à perdre à des futilités.

La grande liberté presque sans contrainte était alors plus acceptable et même nécessaire parce que l'environnement l'exigeait.

Les jeunes devaient pouvoir se débrouiller le plus rapidement possible et être un élément de plus pour aider leur famille à se nourrir et à survivre.

Cette liberté était d'autant plus facile à laisser aux jeunes qu'elle se circonscrivait elle-même par ses limites. Par exemple, tu pouvais laisser le garçonnet ou la fillette aller dormir à l'heure qu'il voulait puisqu'au coucher du soleil il ne pouvait pas se rendre bien loin en forêt à cause de la noirceur et des animaux dangereux qui rôdaient.

Il était donc obligé de demeurer autour du feu de camp, ou dans la tente près de ses parents qui ne tardaient pas, eux, après une dure journée de labeur, à s'endormir.

L'enfant faisait de même.

Ce n'était donc pas tellement inopportun de le laisser se coucher à l'heure qu'il voulait.

Cette liberté obligatoire pour son épanouissement dans ce milieu naturel a fait que les Autochtones ont toujours considéré les enfants comme des petits princes libres comme l'air qu'ils respiraient.

Parce que les Montagnais ont toujours été très près de la vie des animaux et que souvent ils s'en servaient comme exemple à suivre dans leurs légendes, ils ont depuis toujours constaté que ceux-ci laissaient grandir leurs petits dans la liberté la plus totale possible et qu'ils intervenaient très peu dans le but de leur permettre plutôt de faire leurs propres expériences.

Il était donc normal qu'en forêt les Autochtones agissent de la même façon.

Au plan de la culture aborigène, l'enfant est le sujet premier de l'affection manifestée par les efforts de le rendre autonome par la retransmission des valeurs et des techniques (les récits de Tsakapesh). Ce qui garantit sa survie.

En famille, l'enfant est roi, est chef. Il est au cœur du clan. Il fait ce qu'il veut et conditionne souvent tout ce qui se passe autour de lui.

Il a toujours été placé sur un piédestal, presque à la hauteur d'un dieu parce qu'il exprime, tant dans l'imaginaire que dans le réel, la raison d'être, la continuité, la poursuite de la vie, la non-extinction de la race et le futur.

Dans la vie amérindienne et nomade, éducation et culture consistent à donner aux enfants les moyens d'exister.

On le laissait faire ce qu'il voulait pour qu'il puisse évoluer normalement sans aucune pression extérieure, se développer et acquérir l'autonomie et le courage. Il était important que cela fut ainsi pour que l'enfant réussisse à découvrir la science qui se dégage de la nature. Cette science, il ne faut pas l'oublier, s'expérimente beaucoup mieux qu'elle ne s'enseigne.

C'est en chassant et en pêchant que l'on devient bon chasseur et excellent pêcheur.

Regarder vivre le gibier apprend à l'enfant comment il se comporte et de quelle façon il pourra l'attraper. Cela lui enseigne aussi la finesse, l'astuce et le courage, des qualités primordiales qui feront que l'Autochtone dominera l'animal par son intelligence et pourra le faire vaincre contre tous les projets que les bêtes sauvages et dangereuses pourraient ourdir contre lui.

La carence de contrôles sur les enfants s'expliquait donc par l'absence d'obligation. Les vérifications n'étaient aucunement nécessaires et elles auraient même été superflues.

— Maman, coupe délicatement Francine, tu te souviens quand j'étais plus jeune à quel point j'aimais écrire. J'ai continué à le faire dans mes temps libres. Il y a quelques mois, en pensant à cette éducation que tu nous a donnée dans la forêt et à notre avenir et à celui de nos enfants, j'ai écrit ce poème que j'aimerais te réciter. Veux-tu?

— Bien sûr, lui répond-elle avec le sourire de satisfaction d'une mère fière de sa fille.

Francine cesse de cueillir des fruits, monte sur une grosse roche, fait

un salut majestueux à ses spectatrices et commence de sa voix trem-
blotante par l'émotion:

—Ce poème, qui s'intitule «L'enfant de 7 000 ans», je l'ai écrit pour
mes enfants et tous les petits Montagnais. Je l'ai composé en pensant à
la négociation territoriale.

Et maintenant, voici ce poème:

L'enfant de 7 000 ans
avait jadis un pays,
sans frontière, sans paperasse,
où il était chez lui.

Son pays, plus grand que le regard,
on l'a réduit à Canada, à Québec.
Ce sont des mots qu'il connaît
seulement depuis la nuit
des temps américains.

Devant le futur,
lui aussi a peur.
Il souhaite qu'un jour,
il retrouvera ce qu'il a perdu.

L'enfant de 7 000 ans,
lorsqu'il regarde en avant,
ne voit que du blanc.

Quand il regarde en arrière,
il cherche ses rivières.

L'enfant de 7 000 ans
est encore capable de grandir,
de sentir
qu'il a besoin des siens,
mais aussi des autres.

L'enfant de 7 000 ans
ne demande rien de plus
que ce qui lui est dû.
Ses sentiers pour retrouver,
dans le passé, le respect.

Ses poules ont des ailes,
elles sont des perdrix.
Ses moutons s'appellent castors.
Ses épis sont des épinettes.
Ses légumes sont semés par le vent.
Dans ses champs, poussent les bouleaux.

Hier, j'ai vu l'enfant de 7 000 ans.
Il était perdu.
Ses rivières lui avaient été volées.
Ses caribous, on les avait chassés.

L'enfant de 7 000 ans
vivait dans une cour sans muraille,
entouré de ses animaux,
les ours et les renards;
les perdrix, les castors et les caribous.

Mais un jour, des inconnus sont venus.
Ils ont fait tomber les arbres.
Les animaux familiers
de l'enfant de 7 000 ans
sont partis,
poussés eux aussi par la peur,
comme si la forêt brûlait sur leurs talons.

Ce matin, j'ai revu l'enfant de 7 000 ans,
il parlait fort.
Son visage criait sa rage.
Ce sentiment inhabituel
déformait ses jolis traits.
Il a dit au chef des Blancs,
à moitié dans sa langue:
«Assez, c'est assez...»

Puis l'enfant de 7 000 ans
a retrouvé le calme
qui le caractérise
depuis qu'on le méprise.

L'enfant de 7 000 ans,
retranché dans les coins
de terre qu'on lui laisse fréquenter,
rêve maintenant de retrouver
ses richesses perdues,
sa fierté,
sa personnalité.

Tel le lièvre,
l'enfant de 7 000 ans
gambade dans les bois.
Il se sent libre
comme l'air qui fait voler
ses longs cheveux de jais.

L'enfant de 7 000 ans
retrouvera son sourire
quand on lui aura redonné
son habitat,
celui préparé par ses ancêtres.

Cet habitat n'est pas de ciment,
au bout d'un chemin d'asphalte,
mais de mousse.
Ses mocassins ne s'useront plus.
Le plancher de sa tente
n'a pas de tapis.
Il est de repousses de têtes de sapins.

L'enfant de 7 000 ans
dansera et chantera
comme tous les enfants du monde
puisqu'il reviendra dans son pays,
vraiment chez lui.

L'enfant de 7 000 ans
pourra alors croire aux bienfaits
des contacts
avec d'autres civilisations.

L'enfant de 7 000 ans
saura maintenant
que l'amitié est construite
sur le respect mutuel.
Ces mots d'une autre langue
auront maintenant un sens
plus doux à ses oreilles.

L'enfant de 7 000 ans
en parlera avec plaisir
aux animaux qui recomposent
son environnement
avec la même joie que lui.
Eux aussi ont retrouvé la paix,
la sérénité.

L'enfant de 7 000
déballera alors
la véritable richesse
de ses 7 000 ans.

L'enfant de 7 000 ans
a pris sa décision.

Jamais plus,
il ne reviendra en arrière.

Le rêve de l'enfant de 7 000 ans
deviendra réalité.
Il en a fait la promesse
à son ami le lièvre
qui a cru, à son tour,
mais pas en vain,
au petit Indien.

Les quelques instants de silence après que Francine eut terminé de réciter son poème permirent aux spectatrices de goûter aux plaisirs des beaux mots qui réjouissent le cœur, fouettent les sentiments et donnent des ailes.

Elles avaient de la difficulté à se décider à couper le charme envoûtant qui avait entouré cette récitation d'un écrit poétique et enchanteur d'une des leurs. Elles avaient découvert les nouveaux talents d'une poétesse montagnaise qui maniait les mots comme les auteurs des livres qu'on leur prêtait pour apprendre la langue des autres.

Dans la joie, elles ne purent s'empêcher d'applaudir avec vigueur et admiration, de la même manière qu'on le fait après un spectacle que l'on a savouré, celle qui avait su par ses paroles éveiller, sinon réveiller, des sentiments merveilleux.

Elles le firent si fort que le bruit d'allégresse a dû franchir les limites de la réserve à un peu plus d'un kilomètre de ces lieux, tel un roulement de tambour soulignant la bonne nouvelle annoncée par le crieur public.

— Encore, encore! crièrent-elles en chœur.

Reprend ton poème, Francine, nous voulons l'écouter une autre fois pour comprendre tout ce que tu as écrit. Jamais une demande de rappel ne fut si vraie. Elle n'était pas machinale, mais bien du fond du cœur sans du tout penser à l'étiquette.

Francine, voyant la sincérité de ses amies, vraiment émue, remonta sur sa grosse roche et reprit depuis le début son poème:

L'enfant de 7 000 ans...

Après cet intermède, les cueilleuses reprirent le travail, revigorées par ce court spectacle, les messages qu'il contenait et un changement de posture.

La difficulté de choisir

«Maman, mentionne Francine pour relancer la discussion sur l'éducation des enfants, nous n'avons quand même pas tous été élevés dans le bois. Une bonne partie de mon adolescence, par exemple, s'est passée dans la réserve. Il en fut de même pour la grande majorité de mes sœurs et de mes frères.

—Il faut que tu comprennes bien, Francine, que ton père et moi avions longuement réfléchi et discuté de l'éducation des enfants dans un milieu nouveau et différent comme celui de la réserve.»

Parce que nous avions à cœur de vous donner le meilleur, nous en sommes vite arrivés par la force des choses à la conclusion qu'il fallait changer presque totalement notre façon de voir votre éducation.

Nous avons rapidement compris que nous ne pouvions plus laisser les enfants aussi libres qu'ils l'étaient en forêt parce que les résultats de cette liberté ne tarderaient pas à être extrêmement négatifs. C'était malheureusement le cas pour des jeunes dans bien des familles autour de nous.

Par exemple, lorsque vous avez commencé à fréquenter l'école de la réserve et que les heures d'ouverture de la classe étaient tôt le matin, il était évident que vous deviez vous coucher moins tard le soir pour être en meilleure condition pour recevoir la science que les enseignants avaient pour mission de vous livrer.

Après que vous ayez étudié sérieusement, il nous fallait donc vous obliger à regagner votre chambre le plus tôt possible en soirée pour que vous puissiez dormir et profiter d'une nuit reposante. Le lendemain, vous étiez frais et dispos pour vous lancer dans une autre journée d'efforts pour apprendre des choses difficiles dans une langue qui n'était pas la vôtre. Vous deviez donc être dans des situations idéales si vous vouliez réussir à passer à travers.

C'était à nous, vos parents, de faire en sorte que les conditions soient les meilleures possibles.

Ton père, qui était une personne sage par son gros bon sens et qui voyait beaucoup plus loin que le bout de son nez, a rapidement pris comme décision qu'il fallait que tous ses enfants reçoivent une instruction à la hauteur s'il voulait qu'ils réussissent et aident les autres Montagnais dans une civilisation différente en pleine évolution.

Même s'il ne comprenait pas tout, d'instinct, il a choisi de vous obliger le plus possible à recevoir les nouvelles sciences qui feraient de vous des gens mieux préparés à l'avenir, ce futur d'apparence tellement différent.

Il a tenu cet engagement jusqu'au bout, au prix de tant d'efforts.

Il a dû faire face à toutes sortes d'oppositions dans la communauté, du genre de: «Tu assimiles tes enfants à la culture blanche en les laissant aller à l'école.» ou: «Tu ferais beaucoup mieux de leur montrer à chasser et à pêcher plutôt que de les envoyer dans les écoles dirigées par les Blancs.» ou encore: «Dans ces écoles, ils vont apprendre à renier leurs traditions et ils oublieront rapidement leur langue.»

Pourtant, il n'y avait pas beaucoup de personnes dans la réserve qui étaient plus attachées à la tradition que ton père, et tous les vieux de la communauté le savaient.

Par contre, tout en voulant conserver la pratique des activités traditionnelles de chasse et de pêche, il avait compris qu'il ne pouvait pas s'y cantonner exclusivement, construire une muraille infranchissable autour de la communauté et fermer toutes les entrées pour que le futur ne puisse pas y pénétrer.

Il avait saisi que son peuple, donc ses enfants, ne gagnerait rien à refuser une vision modifiée de l'avenir où il y aurait une place pour la culture, la langue et les traditions, et une autre pour des méthodes nouvelles de développement et d'éducation avec des orientations différentes; comme l'ont fait des pays comme le Japon, qui se sont lancés dans l'avenir avec ouverture d'esprit, en n'oubliant pas leurs traditions.

Il souhaitait donc regarder en avant vers le futur, la tête bien droite, en jetant un coup d'œil de temps à autre vers le passé, un passé bien passé, où, il ne faut jamais l'oublier, toute cette évolution normale a pris ses racines.

Il ne voulait rien mettre de côté et il ne tenait surtout pas, ainsi que lui indiquait sa sagesse, à arrêter cette évolution pour se camper dans une position de repli sur soi-même indéfendable qui aurait été un boulet aux pieds de ses enfants pour la vie en ne leur donnant pas toute la chance nécessaire pour pouvoir se développer et jouer un rôle primordial dans l'évolution de la société montagnaise.

Il concevait très bien que l'évolution puisse aller dans ce sens, même si lui personnellement ne s'y sentait pas tellement à l'aise. Il était certes tiraillé, à l'instar de tous les autres Montagnais de sa génération, par cet attachement aux activités traditionnelles de chasse et de pêche pratiquée par lui et ses ancêtres, un peu comme on l'est pour des mocassins usés ou de vieilles bottes que l'on ne veut pas mettre de côté parce qu'on est tellement bien dedans.

Par contre, il était moralement convaincu que la façon de pratiquer ces activités traditionnelles et la considération qu'il avait pour elles devaient s'adapter aux préoccupations présentes et futures.

Puisque c'était l'avenir de ses enfants et de ses petits-enfants qu'il avait pour mission de préparer, de construire, et non pas le sien qui était déjà passablement avancé, il lui fallait être assez sage pour projeter, essayer de voir ce qui serait bon pour eux dans le futur et ensuite les préparer en conséquence.

D'ailleurs, ceux qui n'ont pas fait cette démarche à ce moment-là ont aujourd'hui des problèmes avec leurs enfants parce que ces derniers n'ont pas su s'adapter à l'évolution. Il s'ensuit qu'ils n'ont pas la préparation nécessaire pour faire face à cet avenir différent, pas plus qu'ils ne sont prêts à vivre de la même façon que le faisaient leurs ancêtres.

Ces jeunes ont une instruction plus avancée que leurs aînés; ce qui les place sur un échelon plus élevé, croient-ils, même s'ils ne sont pas assez instruits pour occuper des postes importants dans la communauté ou ailleurs.

Ils le sont trop selon eux pour vivre des activités traditionnelles.

Curieusement, pour en parler ou pour les pratiquer en moment de loisirs, ils sont souvent les plus fervents.

Ce sont eux qui prêchent, avec le plus d'acharnement et de conviction, les théories qui veulent que le développement social et économique des Montagnais doit passer exclusivement par les activités traditionnelles de chasse et de pêche.

On se demande habituellement pourquoi, puisqu'ils ne sont pas personnellement intéressés à vivre sur le territoire ancestral des fruits de la chasse et de la pêche.

Ils sont sans cesse des assistés sociaux frustrés parce qu'ils pensent que les connaissances acquises sont suffisantes pour évoluer dans la société actuelle et que le fait qu'ils ne le peuvent pas est dû à leur condition d'Autochtone.

Ils deviennent ainsi plus aigris contre l'ensemble de la société, autant autochtone qu'allochtone, et sont des éléments négatifs qui ne recherchent que le mauvais côté des choses et qui ne cessent pas de mettre des bâtons dans les roues de ceux qui veulent que leur communauté se développe normalement.

Ils sont souvent plus racistes que les Blancs parce qu'ils croient que ces derniers prennent leurs emplois alors que la réalité est tout autre.

Objectivement, ils n'avaient et n'ont toujours pas, à cause de leur manque d'effort, la capacité d'occuper ces emplois et surtout de donner un rendement satisfaisant pour l'avancement de l'ensemble des dossiers majeurs des Montagnais à cette période-ci. À maintes reprises, ils ont eu la chance de se faire valoir et ils n'ont pas pu la prendre sérieusement par manque de préparation adéquate ou de cœur au ventre.

Généralement habitués à tout avoir cuit déjà dans le bec, ils ne sont pas capables de faire le surcroît de travail nécessaire pour compenser leur manque de préparation. Face à des efforts supplémentaires, ils ont tôt fait de tout lâcher en cherchant toutes sortes d'excuses extérieures sans se regarder véritablement dans un miroir.

Ils ont en plus développé le réflexe désagréable que tout leur est dû. Leurs parents, comme les gouvernements des Blancs, les ont habitués à recevoir et non pas à donner. Ils s'attendent toujours à être traités avec compassion, sans exigence et sans aucun reproche.

Parce qu'ils avaient une meilleure instruction, les membres des communautés leur ont confié des fonctions administratives ou politiques qu'ils n'ont pas toujours su mener à des résultats probants avec compétence. Ils ont malheureusement placé ces communautés dans des situations administratives ou politiques difficiles, faisant ainsi malheureusement la preuve, à tort, que les Autochtones n'étaient pas capables de se gouverner eux-mêmes et avaient encore et toujours besoin des Blancs.

Ces échecs inacceptables ont nui énormément et ont retardé la prise en charge de notre destinée au grand plaisir des fonctionnaires des gouvernements des Blancs.

Quant à moi, Francine, ce sont les parents qui n'ont pas su inculquer la force d'esprit nécessaire à leurs enfants par une discipline différente, adaptée aux besoins actuels de la vie dans les réserves, pour qu'ils puissent être mieux armés pour faire face au futur, à ses inconvénients et à ses avantages, et qui doivent en porter la responsabilité.

Au lieu d'évaluer ces nouvelles situations beaucoup plus complexes comme nous l'avons fait ton père et moi en consultant bien sûr d'autres personnes tels le missionnaire et les enseignantes religieuses et d'ajuster les principes d'éducation de leurs enfants en conséquence, ils ont préféré abdiquer devant l'inconnu ou devant l'effort nécessaire.

Quelques-uns ont agi sans réfléchir sérieusement sur les conséquences d'un tel laisser-aller, de la même manière que le font présentement certains Blancs devant l'évolution rapide de leur société, en permettant à leurs enfants une trop grande liberté. Avec comme résultat que les taux de criminalité, d'usage d'alcool et de drogues et de suicides ne cessent d'augmenter. Comme ce fut malheureusement le cas chez nous, ces tares risquent de causer des torts irréparables aux générations actuelles et futures.

Plusieurs parents montagnais ont continué à élever leurs enfants avec les mêmes méthodes qu'ils employaient lorsqu'ils vivaient sur le territoire ancestral. Par ignorance et par crainte de l'effort ou de l'inconnu, ils n'ont pas voulu changer leur approche avec comme résultat qu'en leur laissant toute la liberté voulue, comme cela était nécessaire en forêt, ils leur ont donné tous les moyens pour se détruire.

Au lieu de les diriger, de la même façon que les phares le font pour guider les bateaux qui naviguent sur la côte pleine d'embûches pour des capitaines inexpérimentés, certains parents montagnais ont laissé leurs enfants agir à leur guise sans gouvernail. Pourtant, ils savaient qu'ils n'avaient pas les outils nécessaires pour se construire un avenir sérieux.

Certains ont donc rapidement été attirés par la facilité des éléments négatifs de la civilisation des Allochtones: la boisson, les drogues, la pornographie, la paresse, la vie facile et dégradante sur l'assistance sociale, etc.

Ils étaient des sujets prédestinés à ce genre de fléaux à cause de leur état d'esprit torturé par le fait qu'ils soient continuellement assis entre deux chaises et tiraillés par les traditionnels à tout prix, autant Autochtones qu'Allochtones, qui prêchaient souvent l'arrêt presque complet de l'évolution, et par les tenants d'un processus plus moderne accompagné d'une préparation plus académique. Ce qui risquait en apparence de les assimiler plus rapidement.

Il est évident qu'il nous faut revenir en arrière rapidement pour corriger certaines mauvaises directions que nous avons prises dans le domaine de l'éducation de nos enfants et collectivement donner un coup de rame pour apporter les correctifs nécessaires. C'est le prix que nous devons payer pour retrouver le droit chemin qui saura conduire les générations futures vers les cimes des montagnes.

Ces corrections de société doivent être arrêtées en commun par tous les Montagnais et les décisions, même les plus difficiles à prendre, doivent l'être par tous pour le plus grand bien de vos enfants, Francine.

Vous ne devez pas commettre les mêmes erreurs que celles commises par plusieurs Montagnais de mon époque.

Avoir gaspillé une génération de jeunes devrait suffire.

Par contre, il ne faut surtout pas que vous blâmiez vos parents qui habituellement ont fait pour le mieux. Il était très difficile pour eux de sortir de la tradition qui les avaient habitués à une vie rudimentaire dans le bois pour ensuite être transplantés dans des réserves quasi urbaines qu'ils n'ont pas demandées et en saisir toutes les subtilités au premier coup d'œil.

Ce choc du futur, ce futur pour eux si imprévisible, fut tellement brutal pour certains qu'il était tout à fait normal que ces gens, même s'ils étaient bourrés de bonnes intentions, aient de la difficulté à trouver les bonnes voies au premier essai. C'était d'autant plus difficile, dans le domaine délicat de l'éducation des enfants, qu'il fallait que les méthodes changent totalement en quelques années.

Il faut ajouter également, soutient la mère de Francine, que vos parents ont été projetés dans cette civilisation des Blancs sans aucun avertissement. Avec beaucoup moins de préparation que vous, eux aussi ont dû faire face aux fléaux importés par les Allochtones.

C'est pour toutes ces raisons qu'il est impérieux que tous travaillent ensemble non pas à pratiquer une autopsie qui ne règlerait rien et qui risquerait de creuser des fossés encore plus larges et plus profonds, mais à corriger les mauvaises trajectoires. Il faut revoir les principes fondamentaux d'éducation de nos enfants avec une approche qui projette dans l'avenir en ajustant continuellement notre tir qui fera mouche le plus souvent possible.

Il ne faudra donc pas avoir peur d'utiliser des méthodes d'éducation importées qui répondent mieux à la civilisation dans laquelle nous évoluons présentement. Différentes façons existent dans d'autres pays. Nous devons découvrir celles qui nous vont le mieux et les adapter à nos propres choix de société.

Pourquoi devrions-nous logiquement toujours essayer de réinventer la roue?

Ensuite, croit la mère de Francine, nous serons forts parce que nous aurons maîtrisé ce qui peut le plus nous nuire pour notre avenir en détruisant notre richesse qui n'a pas encore définitivement sombré dans son altération, nos enfants.

Bien préparés pour le futur, ces derniers porteront plus nombreux les flambeaux qui éclaireront le chemin de cette longue marche que nous devrons effectuer pour retrouver cette liberté difficile à reconquérir.

Là, nous redécouvrirons la véritable tradition face à nos enfants qui consistait à bien les préparer pour leur avenir et à en faire les dieux de notre vie qui conditionnent réellement ce qui se passe autour d'eux; mais des dieux qui exprimeront la raison d'être et qui auront tous les moyens et les pouvoirs de façonner la continuité, la poursuite de la vie, la non-extinction de notre origine et le futur.

Il est noble de se battre pour inclure dans nos conventions ou nos traités avec les Blancs la non-extinction de nos droits, mais il ne faut surtout pas que nous éteignons à tout jamais ce qui est la raison d'être de ces demandes: l'homme, la descendance autochtone.

Nous aurons beau avoir gagné la bataille de nos droits, dit tristement la mère de Francine, mais nous aurons perdu la plus importante, celle du sang. Pendant que nos leaders politiques se battaient pour sauver ces droits, nous détruisions leur fondement et leur assise, de sorte qu'ils n'auront plus de signification pour la société qui les auront obtenus.

Nous serons des dégénérés avec des droits que nous ne pourrons pas développer parce que nous ne saurons plus quoi faire avec.

Nous aurons perdu ou détruit, pendant les longues années de grande noirceur, les bougies d'allumage nécessaires à redémarrer un projet de société séduisant pour les générations actuelles et futures, le printemps qui redonnerait vie à des ours en période d'hibernation ou les remèdes qui guériraient les malades «congelés» depuis des générations en attente du baume, de la plante médicinale, des films de science-fiction.

Donc, collectivement, nous aurons fait fausse route; nous aurons visé la mauvaise cible; nous n'aurons pas atteint le bon objectif de société.

Que d'efforts vains!

Pourquoi?

Parce que des Montagnais plus avertis ou plus réfléchis n'auront pas su, souvent par manque d'épine dorsale, alerter la collectivité lancée sur une pente dangereuse. Ils auront ainsi regardé passivement leurs conci-toyens marcher alertement vers le suicide collectif et n'auront rien fait pour les empêcher.

Pourtant, pendant la course de la «recouvrance» des droits ances-traux, ils auront crié bien fort aux Blancs qu'ils les menaçaient de géno-cide. Ils auront malheureusement oublié qu'eux aussi, par leur négligence ou par leur faiblesse de caractère, auront participé à cette élimination d'une généalogie en laissant éteindre ce qui est le plus important.

Il est tellement plus facile de laisser faire; tellement moins engageant de ne pas se prononcer, de ne pas s'opposer à la volonté de la facilité dont les adeptes, eux, à leur manière et par les mauvais exemples, prêchent avec beaucoup plus d'efficacité que les prédicateurs actuels qui sont totalement dépassés.

Laissons-les vendre de la boisson aux jeunes, distribuer impunément des drogues, fournir des films vidéo pornographiques à des bambins de dix ans, enrégimenter les plus faibles, nos enfants, dans la loi du moindre effort, une terre fertile pour tous les vices, et ainsi nous remplacer d'une manière négative et surtout destructrice dans la tâche la plus noble que nous ayons, objet de notre tradition profonde, qui est l'éducation de nos enfants.

Fermons-nous les yeux de peur de regarder ce que nous ne voulons pas voir. Oublions rapidement toutes ces calamités en les mettant surtout sur le dos des autres. Pleurons en chœur sur notre sort de société en oubliant volontairement de prendre les décisions difficiles qui pourraient nous exorciser. Ne blâmons pas les nôtres, ils ont la peau trop tendre et ont tellement souffert qu'on pourrait les blesser, ces «pôvres».

Et si jamais, Francine, un vieux «radoteux» comme ton père et une vieille chipie comme moi voulaient avertir les leurs de ces dangers qu'ils croient réels, déterrons la hache de guerre, sortons immédiatement les tomahawks et frappons au plus vite sur eux, ces prophètes de malheur.

Une telle attitude, selon moi, démontrerait clairement que nous ne sommes pas encore assez mûrs pour prendre en main notre destinée; ce que je doute sincèrement.

Tout me porte à croire que nous sommes prêts à bien des sacrifices pour retrouver cette fierté perdue. Pourquoi pas celui de se corriger collectivement de certains défauts qui nous nuisent assurément? Un peu comme le fumeur qui, en constatant les dangers de cancer de la cigarette, cesse immédiatement de fumer. La période difficile du combat contre l'habitude de la nicotine est largement compensée par la sensation du succès et l'amélioration de sa condition physique.

Les enfants hors mariage

Après cette analyse sincère de la mère de Francine sur certains défauts de la société actuelle montagnaise, les cueilleuses en chœur demandent à la reine de l'essaim l'arrêt de l'activité de la cueillette des graines rouges pour préparer le repas du midi et surtout manger, car elles ont une faim de loup.

Elles placent, à l'abri des petits animaux des bois qui aurait pu savourer sans l'effort de ramasser et surtout du soleil ardent pour que ces fruits délicieux restent bien frais, les résultats de leurs nombreuses heures d'efforts et sortent du sous-bois la nourriture appétissante qu'elles feront cuire ou rôtir sur les braises de l'immense feu de camp.

Cette nourriture de viande de bois constituera par la suite leur dîner.

Pendant ce temps, les plus jeunes cueilleuses vont au bord du golfe Saint-Laurent courir sur les grosses roches et barboter dans l'eau glacée sous prétexte de se rincer les mains et le visage. Elles s'amusent candidement à se lancer de l'eau froide en plein visage et en quelques minutes la majorité d'entre elles sont trempées jusqu'aux os comme des lavettes.

Leur linge mouillé moule leur corps olympien d'adolescentes comme si elles sortaient d'un bain pris complètement habillées. Les rayons du soleil sont tellement puissants que la condensation entoure ces jeunes d'une brume légère qui les enrobe d'une sorte d'auréole tandis que leurs mouvements brusques de la tête, comme des chiots qui se secouent à leur sortie de l'eau, créent une bruine autour d'eux qui tombe sur les autres pour agacer, faisant ainsi chialer leurs aînées qui préparent le repas. Elles tremblotent exagérément pour faire rire pendant quelques instants alors que le soleil, presque aussi rapidement qu'un séchoir rotatif à air chaud, sèche leurs vêtements.

Elles sont les premières à crier leur faim en enfants gâtées et à s'asseoir par terre pour que leur mère leur donne le repas attendu qu'elles dévorent avec l'appétit gargantuesque de leur âge.

Plus tard, les autres cueilleuses, gavées par le délicieux repas pris à la manière d'un simple pique-nique autour du feu de camp réchauffant une journée déjà trop chaude et fatiguées d'un avant-midi rempli d'un travail physique, à la longue fastidieux, en plus d'avoir servi le repas aux membres de leur famille, relaxent étendues sur des grosses roches ou jacassent par petits groupes de tout et de rien.

Francine, avec trois autres jeunes femmes célibataires, dont une est enceinte, parle de la naissance de ses trois enfants dans des hôpitaux d'une grande ville du Québec. Elle leur raconte avec quelle facilité elle a eu ses trois enfants et quel bonheur cela a été pour elle et Michel. Ces rejetons étaient tellement désirés et pas encombrants du tout, puisqu'ils arrivaient au bon moment, qu'ils les aiment doublement.

La conversation a tôt fait de glisser sur la naissance du bébé de la future mère célibataire pour ensuite englober le phénomène toujours aussi présent des adolescentes qui ont des enfants avant le mariage.

Selon Francine, cette question fondamentale doit faire l'objet d'une attention particulière de toute la communauté et susciter la mise en place d'un programme d'information le plus efficace possible sur les effets négatifs d'une telle situation et surtout sur les moyens modernes de la contraception.

Évidemment, soutient Francine, il est extrêmement louable que ces filles-mères ne se fassent pas avorter et gardent leur poupon. L'absence d'avortement chez les jeunes Autochtones explique fort probablement le pourcentage plus élevé du nombre des filles-mères comparativement à celui des jeunes filles blanches. Si tous les enfants allochtones, perdus par les avortements, revenaient sur terre, les comparaisons ne seraient plus les mêmes.

En plus, croit-elle, dans la mentalité amérindienne, il ne s'agit pas d'une situation honteuse.

Les parents acceptent dont plus facilement le fait que leur fille puisse avoir des enfants avant le mariage. Sans évidemment l'encourager ouvertement, ils le favorisent souvent en les gardant chez eux et en les élevant.

— Il s'ensuit que les jeunes mères se dégagent de leurs responsabilités face à leurs nouveau-nés et les laissent entre les mains de leurs parents. Ce n'est donc plus elles qui ont la difficile tâche de les élever, mais leurs parents plus âgés.

Il n'est plus acceptable aujourd'hui que nos parents aient cette tâche difficile et ingrate d'élever une deuxième famille parce que leurs filles ont eu des bébés avant le mariage alors qu'elles étaient, elles aussi, des gamines trop jeunes pour être responsables d'une mission aussi importante que la préparation de la relève de demain.

D'ailleurs, nos parents n'en ont plus la capacité physique. Il leur manque cette poigne nécessaire qui fera que les petits obéiront à leurs éducateurs pour leur plus grand bien et apprendront les bienfaits d'une saine discipline.

Il faut aussi ajouter qu'il est bien difficile pour eux, les parents, en cette période sociale en pleine évolution, de suivre tous les mouvements sociaux et surtout de donner à ces gamins une éducation adéquate à la fine pointe des méthodes nouvelles et plus avancées.

C'est donc leur demander beaucoup plus qu'ils peuvent en donner aujourd'hui.

C'est aussi fuir nos responsabilités d'éducatrices et laisser à d'autres le soin de faire le travail le plus important de notre vie qui est de préparer l'avenir des enfants que nous avons mis au monde.

C'est donc, à n'en pas douter, bien mal partir dans notre vie d'adultes...

Par contre, les Montagnaises doivent continuer à favoriser la natalité dans des conditions fort probablement différentes, il faut l'admettre, qui cons   tituera une sorte de revanche des berceaux pour toutes les lois qui ont, sous toutes les formes, tenté d'éteindre la descendance autochtone.

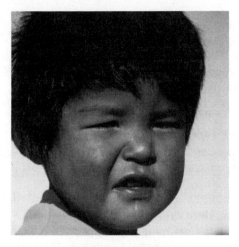

L'enfant de 7 000 ans
déballera alors
la véritable richesse
de ses 7 000 ans.

VII

Les clés du futur

Ils étaient une vingtaine de jeunes adultes, Montagnais et Montagnaises, assis pêle-mêle sur le plancher de la cuisine du presbytère du père Alexis Jouveneau dans la réserve montagnaise éloignée de La Romaine sur la Basse Côte-Nord.

Depuis les belles années du cathéchisme, le père Jouveneau n'avait pas eu une telle obédience de la part de la jeunesse de La Romaine. Cela n'était malheureusement pas dû à l'évangile, mais à l'appareil de télévision placé sur le comptoir de la cuisine près de la cafetière en bouillement.

Les jeunes piaffaient d'impatience, les yeux fixés sur l'écran enneigé.

Ils parlaient entre eux dans la langue de leurs ancêtres, mais leurs propos étaient décousus et sans grande importance, voulant nerveusement occuper le temps qui les séparait d'un événement significatif pour eux.

Il était huit heures moins cinq, ce dimanche soir.

Au même moment, à quelque 4 000 kilomètres de distance, dans la salle du Conseil de bande de la réserve atikamekw de Weymontachie, une quarantaine d'Amérindiens, dont la très grande majorité se compose de jeunes adultes, écoutent distraitement leur chef Marcel Boivin, les yeux rivés sur un écran de télévision.

— Avez-vous des questions à poser? souligne ce dernier à la fin de son intervention.

— Quelle heure est-il? lance avec précipitation un jeune Atikamekw.

— Il est huit heures moins trois minutes, répond avec un large sourire le chef Boivin en constatant l'effet bœuf des propos politiques qu'il avait tenus préalablement...

Trois jeunes adultes dans la basse vingtaine détalent du village fantôme des Blancs, derniers vestiges de la fermeture de la mine de fer, comme s'ils avaient fait un mauvais coup, courent comme des forcenés dans les artères de la réserve montagnaise de Malimekosh (Schefferville) dans le nord du Québec à la limite du Labrador, s'engouffrent dans la porte du soubassement de l'école primaire après avoir bousculé au passage des bambins qui s'amusaient candidement par là, déboulent l'escalier en trois enjambées et atterrissent dans une grande salle où une trentaine de jeunes sont assis en silence dans un coin sombre, face à un appareil de télévision suspendu au plafond par quatre longs fils.

— Est-ce commencé? crient-ils en chœur en prenant leur souffle.

— Non, leur répond-on. Il est sept heures, cinquante-neuf minutes, trente secondes.

À huit heures exactement, sans doute pour contredire la réputation des Autochtones d'être toujours en retard à leurs rendez- vous, ce que les Blancs appellent familièrement l'«Indian Time», les écrans des appareils de télévision commencent à s'animer avec l'apparition du sigle du Conseil Attikamek-Montagnais, puis l'image du président de cette association qui s'adresse aux téléspectateurs impatients:

— Nous sommes heureux de vous présenter la première émission de télévision produite par les jeunes communicateurs atikamekw et montagnais. Nous entrons donc de plein pied dans l'ère moderne des communications par satellites. Nos communautés, comme celles des Blancs, pourront maintenant utiliser ce média efficace dans nos langues et selon nos cultures.

Pour bien souligner cet événement et surtout pour démontrer que l'avenir appartient aux jeunes, nous vous présentons ce soir ce documentaire qui leur donne la parole en leur permettant une profonde réflexion sur l'avenir, dans un format d'émission qui fera rougir d'envie les professionnels québécois de la télévision et démontrera que les concepteurs autochtones n'ont rien à leur envier.

Le style de cette émission est très osé. Il démontre clairement que les jeunes Atikamekw et Montagnais n'ont pas peur d'utiliser leur imagination pour produire une émission qui sort des sentiers battus. Il exprime aussi ce désir évident de la jeunesse amérindienne de vouloir se dépasser. Enfin, il prouvera aux téléspectateurs que chez nous comme ailleurs la jeunesse n'a pas de limite dans sa façon de voir les choses.

Pour ce qui est du contenu de cette émission, il est des plus dégagés. Les jeunes se sont exprimés sans détour sur des questions qui leur semblent fondamentales. Ils l'ont fait sans avoir en tête qu'ils devaient protéger leurs arrières. Avec comme résultat que les propos profonds tenus par ces leaders de demain devraient nous aider à voir plus clair dans l'avenir et à bâtir un projet de société qui saura répondre à leurs attentes.

Après une légère coupure, l'émission historique débute.

Les jeunes téléspectateurs autochtones attentifs, impatients et curieux voient exploser une étoile du fond de la constellation. Son jet de lumière se matérialise en une coque d'où jaillissent successivement quatre couleurs dans un ordre précis comme s'il s'agissait d'un code: trois rayons rouges, un vert, quatre bleus, deux jaunes, etc.

Cette coque mouvante arrive dans notre système solaire, zigzague entre les lunes de Jupiter, glisse sur l'anneau de Saturne, évite de justesse une fusée qui file vers notre astre et fonce sur la planète Terre.

Elle pénètre l'atmosphère terrestre et se retrouve dans les dédales d'un long corridor labyrinthique. Les téléspectateurs suivent ses mouvements brusques comme s'ils étaient à l'intérieur. Elle effectue des virages à angles droits, des ralentissements et des départs brusques et rapides.

Au même instant, sur les murs des corridors, par des effets visuels spéciaux, défilent des images de diverses époques de l'humanité: homme des cavernes, pyramides d'Égypte, Grèce de l'Âge d'or, civilisations autochtones millénaires, etc.

Par une courbe à gauche, la coque fonce dans les couloirs du labyrinthe où les murs nous font découvrir d'autres époques de l'histoire du monde: inventions de Léonard de Vinci, cour du Roi-Soleil, chevaliers des croisades, sculptures indiennes du Mexique, etc.

Soudain, les téléspectateurs sont lancés sur une pente abrupte suivie de virages de plus en plus serrés.

Elle se moque des difficultés et, sur les murs, les images montrent un monde de plus en plus près de nous: Amérindiens du début de la colonie, colons français et soldats anglais.

Les couloirs du réseau inextricable de sentiers se rétrécissent et les changements de direction se succèdent à une vitesse de plus en plus vertigineuse: Deuxième Guerre mondiale, le champignon atomique, astronaute marchant sur la lune et cellules qui se divisent.

Au bout d'un long corridor, devant une immense porte métallique, la coque s'arrête. Elle émet un signal sonore, synchronisé avec un jet lumineux frappant cet obstacle qui l'a arrêtée dans sa course effrénée.

À cet instant précis, le titre de l'émission formé par les rayons du jet lumineux apparaît à l'écran:

LES CLÉS DU FUTUR

La musique d'ouverture se transforme, devient plus vaporeuse, plus mystérieuse, presque immatérielle.

Les paroles d'une chanson en langue indienne avec sous-titres français s'y ajoutent.

Elles décrivent la naissance d'un être nouveau en cette ère du Verseau, une créature engendrée par la réconciliation des oppositions traditionnelles: passé contre futur, hommes contre femmes authentiques et inauthentiques Autochtones...

Toute la scène qui suit se déroule dans une forêt de bouleaux très paisible avec comme seuls sons ambiants le murmure de la brise légère et rafraîchissante sur les feuilles des arbres et le gazouillement des oiseaux qui s'éveillent lentement, sur le bord d'un lac impassible et magnifique au levée du jour. La lumière du soleil levant réfléchit sur l'étendue d'eau et produit une brume odoriférante.

Au contact des quatre rayons lumineux qui semblent agir comme stimulateurs, des formes humaines prennent lentement vie.

À tour de rôle, elles s'animent, virevoltent, puis se réunissent dans une courte chorégraphie. Une jeune et belle Amérindienne, caressée par le rayon jaune, fait quelques pas de ballet, suggérant ainsi la beauté, la fragilité et la grâce. Le jeune Autochtone, stimulé par un rayon rouge, se déploie avec l'agilité et la fermeté d'un guerrier qui se prépare au combat. Il exprime la force et la puissance. Le fou du roi, foudroyé par le rayon bleu, s'anime à son tour et sautille en exécutant des pas exagérés de menuet. Costume et gestes le rendent espiègle. L'androïde, alimenté par le rayon vert, répète, avec l'exactitude immuable d'un ordinateur, quelques gestes primaires.

Pendant cette courte chorégraphie, les quatre personnages sont constamment suivis par leur rayon lumineux respectif.

Au moment où les danseurs se croisent et que les quatre rayons s'entrechoquent, une explosion de lumière se produit. Cet éclatement amène la disparition des quatre baladins pour faire place à un être recroquevillé dans un cocon de papier de soie translucide éclairé d'une manière éblouissante.

Cette forme quasi irréelle s'agite gauchement, se déplie, puis sort de sa membrane. On distingue alors une créature aux caractéristiques de ses quatre géniteurs: une sorte d'androgyne, genre sorcier, fou du roi, androïde. La caméra s'approche de son visage et s'arrête sur ce gros plan.

Ses paupières s'ouvrent lentement et laissent jaillir de l'iris de ses yeux des gerbes d'étoiles étincelantes.

Quelques instants plus tard, deux jeunes adultes du type qui caractérise les Autochtones, peau cuivrée et yeux en amande, sortent d'un wagon de métro. Ils aperçoivent une gerbe d'étoiles éblouissantes — les mêmes qui sont sorties de l'iris du personnage créé à la scène précédente — sur le mur du quai. Attirés par une force incontrôlable, ils se dirigent vers le signe et disparaissent.

Immédiatement après, nous marchons avec deux jeunes chasseurs autochtones dans le sentier d'une forêt d'épinettes pour visiter les collets qu'ils ont tendus. Soudain, ils entrent dans la partie plus touffue du bois, se penchent vers un piège entouré d'étoiles scintillantes et s'y dissipent.

Puis, dans un parc public d'une grande ville au matin, une jeune Amérindienne au physique athlétique s'entraîne au «jogging». Elle bifurque soudainement vers un gros arbre d'où fusent de son tronc une multitude d'étoiles. Elle court vers cet arbre comme si un aimant l'attirait, et s'y fond.

Deux jeunes Autochtones, une jeune fille et un jeune homme, descendent rapidement un escalier. Sur la dernière marche, ils distinguent un étalement d'étoiles. Ils y posent le pied et tombent brusquement dans le vide.

Enfin, un groupe d'une trentaine d'adolescents amérindiens dansent joyeusement le «makusham» (danse indienne) dans une salle communautaire d'une réserve, décorée et illuminée à la manière d'une discothèque, au son de la musique d'un jeune chanteur autochtone qui s'accompagne sur un tambour traditionnel. Sur un mur sombre, apparaît un faisceau d'étoiles. Subjugués, les jeunes cessent de danser et se dirigent vers le mur séduisant. Ils s'y engloutissent un à un pendant que la musique continue de se faire entendre.

Des arbres, des pierres, du sol et du bord du lac, sortent comme des apparitions soudaines une quarantaine de jeunes adultes amérindiens au visage radieux sur un fond musical dans le style d'une marche militaire.

Resplendissants de bonheur, ils nouent ou renouent connaissance; ils se saluent, ils s'embrassent. Les jeunes trépignent comme s'ils allaient participer à une grande fête, partager un événement marquant.

Nous entendons alors une voix hors champ grave et lointaine:

— Cela commença un matin, comme aujourd'hui. Avant mon réveil, je fis un rêve merveilleux. J'entendais un battement, un bruit sourd de tambour; j'imaginais une marche unissant les premiers guerriers et les sages de nos peuples avec les visionnaires autochtones d'aujourd'hui. Il semblait que rien ne pouvait les arrêter.

Du haut d'un arbre, le personnage créé à la première scène, le témoin, les regarde.

Les jeunes appelés se réunissent par petits groupes, discutent amicalement et se placent avec discipline, tantôt sur une pierre, tantôt sur un tronc d'arbre, comme s'ils étaient dans un décor de télévision formé de ce cadre naturel où traînent ici et là des fils et des caméras.

Les groupes finissent de se dénouer et les jeunes retardataires regagnent leur espace respectif. Ils sont entourés de projecteurs et côtoientt les techniciens qui s'affairent à terminer de mettre en place le matériel nécessaire pour l'enregistrement d'une émission de télévision.

Le témoin ajoute:

— Je m'efforce de faire un signe à mes frères autochtones. Je voudrais leur dire comment j'imagine cette marche; vers quoi je pressens que nous marchons. Créons une chaîne solide où tous les maillons seront indivisibles.

Le témoin se retourne alors vers le forum qui s'est amorcé pendant son intervention.

Laissez-nous faire nos choix

Sans lien, de style «Bonsoir mesdames, bonsoir messieurs, nous vous présentons...», nous nous retrouvons au cœur de la discussion.

Un jeune Autochtone articulé a la parole:

— Nous devons prendre nos responsabilités si nous voulons que les aînés nous respectent. Il nous faut clairement exprimer que l'avenir nous appartient et leur expliquer que ce futur doit être construit à notre image et à notre resssemblance et non pas sur la nostalgie d'un temps passé. Suggérons-leur de cesser de choisir pour nous.

Lancée sur ce sujet brûlant, mais délicat, une jeune Amérindienne ajoute timidement:

— Toutes les civilisations ont eu leurs générations de sacrifiés. Nous le savons et nous ne souhaitons pas continuer à brailler là-dessus. Cependant, affirmons que dans notre cas ce sacrifice a assez duré. Précisons et définissons le terrain sur lequel nous croyons devoir évoluer, l'espace de nos opérations et la façon de s'y prendre.

Un autre ajoute:

— Nous ne rejetons pas du tout les activités traditionnelles de chasse et de pêche telles que pratiquées par nos ancêtres. Cependant, certains d'entre nous s'y sentant malheureusement mal à l'aise, nous voulons avoir la possibilité de vivre autre chose sans être bannis par la société autochtone actuelle.

Les anciens étaient heureux dans ce qu'ils ont vécu; il faut donc que ce soit la même chose pour nous si nous désirons que l'égalité des chances ne signifie pas de vains mots.

Nous croyons simplement devoir les pratiquer dans la forme passée si cela nous intéresse, selon notre propre choix. Il ne faut pas qu'on nous l'impose parce que nous continuerons à être vraiment malheureux et surtout inutiles pour les nôtres, comme un boulet au pied d'un prisonnier condamné aux travaux forcés.

Nous n'acceptons plus cette obligation stérile parce que nous ne sommes pas du tout convaincus que notre développement doit exclusivement passer par cette voie.

Expliquez-nous pourquoi, ajoute un jeune de Malioténam, certains d'entre nous sont rejetés parce que leurs intérêts, ou leur talent, pour la chasse et la pêche ne sont pas évidents.

— Comment peut-on continuer à défendre que seuls les chasseurs et les pêcheurs sont de véritables Autochtones? Les autres, aux yeux de certains, ne sont que des déserteurs.

Avons-nous évalué où peut nous conduire une telle approche qui rejette toute forme de pluralité et qui voit tout le monde formé par un même moule, par un même modèle?

— Pourquoi accepterions-nous encore longtemps et sans dire un seul mot que notre évolution se soit arrêtée il y a quelques siècles? Nous ne voulons plus être qualifiés d'inadaptés sans vision d'avenir.

Au contraire, nous souhaitons repenser une société amérindienne moderne qui doit revoir une partie de son fondement et l'adapter aux changements qu'impose la vie actuelle tout en conservant cependant ses principes fondamentaux, sa langue et sa culture millénaire.

Alors seulement nous recouvrerons ce désir de bâtir une société à notre image où tous et chacun pourront évoluer selon leurs intérêts et leurs talents en donnant le maximum, car nous saurons à quel point notre apport est considéré à sa juste valeur.

Nous ne nous sentirons plus rejetés.

Au contraire, on appréciera ce que nous faisons et nous pourrons ainsi aller au bout de notre développement intellectuel et moral en étant convaincus que nous rendons de fiers services à nos concitoyens, une motivation qui donnera des ailes. Enfin, nous croyons sincèrement que nos exigences sont bien naturelles.

Un bonjour simple, mais vrai

Les scènes suivantes sont constituées à partir d'un «vox populi» où les jeunes Atikamekw et Montagnais dans leur milieu de vie, à la réserve ou à la ville, définissent ce qu'est pour eux le bonheur individuel. Ils parlent d'abondance du cœur d'une satisfaction qu'ils veulent souvent très simple. Les images tournées de façon identique nous font voir les jeunes qui répondent par leur définition personnelle ou leurs exemples du bonheur. La caméra plus élevée tourne en plongée les personnes interviewées. On a alors l'impression à l'écran qu'ils répondent à une voix mystérieuse venant de l'au-delà qu'ils entendent, mais sans voir leur interlocuteur.

Paul est debout dans la forêt fréquentée par les Atikamekw d'Obedjiwan, appuyé sur son fusil à deux canons. Il regarde vers le haut d'un arbre magnifique et en santé pendant quelques instants, puis répond:

— Pour moi, le bonheur est aussi simple que d'être emballé par la naissance d'un animal bien portant.

Il montre de la main de jeunes castors qui font gauchement leurs premiers pas sur le barrage avant de plonger dans l'eau.

Chantal est assise dans un auditorium d'une université parmi ses confrères étudiants. Ses yeux sont fixés au dôme de la salle de cours et elle semble écouter avec attention.

— Je suis heureuse aujourd'hui car je viens de recevoir une réponse d'un employeur à la suite d'une demande d'emploi. Je commence à travailler comme journaliste à la Société de communication Attikamek-Montagnaise à la fin de mes études en mai prochain.

Luc lave distraitement la vaisselle dans une cuisine exiguë d'un petit restaurant qu'il a ouvert sur la réserve des Escoumins. Il a les yeux cloués au plafond et semble écouter aussi religieusement que s'il avait les écouteurs de son baladeur à ses oreilles:

— Justement, j'emménage ce soir avec mon amie dans le sous-sol de la maison de mon frère que nous avons converti en appartement. Denise est bien heureuse et moi aussi. Enfin, on va pouvoir écouter nos disques sans déranger personne.

Jean est assis dans le coin d'une arène de boxe et se repose entre deux rounds. Il sue à grosses gouttes et fixe les lumières de l'amphithéâtre sans entendre les applaudissements de la foule en délire pendant que son entraîneur l'asperge d'eau froide avec une éponge:

— Je livre mon meilleur combat et si je continue à avoir une telle performance je vais remporter le championnat canadien. Je n'ai pas besoin de te dire que je suis au septième ciel.

Dominique est couché sur un banc roulant de mécanicien dans un garage situé dans la cour de la maison de ses parents à Betsiamite et s'apprête à entrer sous une vieille Oldsmobile pour effectuer une réparation. Son visage taché d'huile est attentif, comme s'il écoutait un conseil judicieux:

— Tu vois cette automobile, je l'ai rafistolée moi-même et je suis convaincu d'en tirer un bon prix. J'en suis fier car c'est ma première vraie «job» de mécanicien depuis que je suis sorti du cégep.

Nathalie, une jeune Montagnaise de Malioténam, près de Sept-Îles, est debout au centre de sa classe et regarde vaguement par la fenêtre pendant que des marmots l'interpellent en tirant sur sa jupe. Ils ne réussissent pas à attirer son attention:

— Mon plus grand bonheur, c'est de voir cette marmaille grouillante s'épanouir sainement.

Tout en essayant de conserver le plus intacte possible leur culture, ces jeunes Amérindiens apprennent à vivre une civilisation autre que la leur.

Une partie prenante de l'avenir

Nous nous retrouvons ensuite en pleine discussion entre une dizaine de jeunes adultes autochtones qui sont assis près d'une chute enchanteresse sur le bord d'une rivière pleine de vie. Le bruit de la cascade naturelle force les débattants à parler un peu plus fort.

Les échanges sont donc rapides, plus dynamiques, et les intervenants tentent de se convaincre mutuellement.

Cette discussion entre amis tend à démontrer que les jeunes Amérindiens peuvent améliorer leur condition de vie s'ils participent de plein pied à tous les développements de leur communauté en faisant comprendre aux aînés que l'avenir leur appartient, qu'ils veulent en être partie prenante et qu'ils peuvent apporter leurs connaissances pour la façonner.

Pour ces jeunes adultes, il est impérieux que chacun se transforme soi-même pour trouver de nouvelles avenues. Il faut sortir des sentiers battus, prétendent-ils, qui conduisent aux sempiternelles oppositions stériles.

Une jeune institutrice prend la parole:

— Se renouveler, c'est être attentif à soi-même; c'est faire ce qui nous plaît; c'est ce qui nous assaille. Chercher un sens à notre expérience de vie devient une fin en soi. Notre vie peut se métamorphoser d'accidents en aventures si nous le voulons, si nous le souhaitons. Nous pouvons réconcilier le cœur et la raison en créant l'harmonie, d'abord en nous-mêmes pour ensuite la propager aux autres.

Quant à un autre:

— Pour atteindre ces objectifs, je crois que l'action collective organisée aurait beaucoup plus de chance de réussir que l'action individuelle dispersée. Il conclut que les jeunes devraient se regrouper pour travailler ensemble à convaincre les plus vieux de les impliquer dans les projets d'avenir.

La société actuelle crée malheureusement des écarts de plus en plus grands entre les couches sociales. Croire qu'un individu puisse s'en sortir seul est une utopie souvent alimentée par ceux qui ne souhaitent pas que ça change.

On constate par les discussions animées des autres participants au forum que les jeunes Amérindiens ne s'entendent pas sur les moyens ou même les possibilités de faire changer les politiques traditionnelles pour en créer de nouvelles. On a l'impression, pour un instant, que tout est la faute des autres, que les leviers décisionnels ne leur appartiennent pas et que les éternelles oppositions triomphent.

—Le meilleur moyen pour découvrir de nouvelles perspectives, ajoute une jeune Autochtone fonctionnaire au ministère des Affaires indiennes et du Nord du Canada, est encore d'en connaître plusieurs pour pouvoir mieux choisir ce qui nous convient.

On peut ainsi dégager l'essentiel de chacune et ensuite en bâtir de nouvelles.

Le jeune Amérindien peut devenir un architecte dessinant son propre environnement intérieur ou un visionnaire qui imagine son devenir. Le bouddhisme, le christianisme, la philosophie, la démarche scientifique et artistique, dans leur essence même, ne s'opposent pas. Ils émanent tous d'une pensée humaine qui construit un sens à son expérience.

On en arrive rapidement à une analyse globale des sociétés, autant autochtone qu'allochtone.

Diverses éventualités, allant du salaire garanti pour les chasseurs et pour l'ensemble de la population à la fin du gaspillage militaire par les vols à basse altitude, sont évoquées et préoccupent les participants de ce forum.

Certains intervenants soutiennent qu'ils ne peuvent pas améliorer leur condition de vie dans un tel climat social par leur seule action.

L'un d'entre eux prétend qu'il faut qu'ils soient plus compétents, plus compétitifs, mieux préparés et plus fonceurs que les aînés si les jeunes veulent réussir à s'insérer dans la société actuelle.

— Ensuite, souligne un adepte de la philosophie des phénomènes de conscience, nous devons nous impliquer, nous infiltrer dans tous les comités «décisionnels» ou consultatifs et former entre nous et avec d'autres des réseaux d'information qui ouvriront des horizons nouveaux et procureront les appuis nécessaires pour que les jeunes s'impliquent graduellement dans la prise de décisions.

Influencer les institutions décisionnelles

L'autre bloc de l'émission de télévision s'ouvre sur une scène exotique saisie dans l'État américain de la Californie.

Partie en plongeant du haut d'un rocher, cette prise de vue tournée alors que le soleil est à son plus fort approche graduellement de minuscules points noirs très éloignés puis grouillants comme des insectes pour enfin dévoiler aux téléspectateurs qu'il s'agit d'un groupe de personnes placées sur une estrade de galets au fond du Grand Canyon. Nous avançons toujours plus près et de plus en plus lentement comme si nous ne voulions pas déranger ou briser l'intimité de cette scène touchante.

Une dame d'un certain âge est assise avec dignité sur un sillon supérieur avec, à côté d'elle, attentif, le dernier intervenant du forum de la scène précédente. Elle domine un groupe de sept jeunes adultes Autochtones, garçons et filles. Elle leur parle lentement pour permettre à son jeune adepte amérindien assis près d'elle de traduire ses propos.

Les jeunes Autochtones, comme des disciples avec le maître, s'abreuvent de cette source de sagesse. Ils veulent tout savoir. Ils l'interrogent et demandent des explications. Ils sont avides de connaissances, mais aussi critiques. Ils ne gobent pas tout facilement et exigent quelques fois des démonstrations à ses propos.

Cette grande dame de renommée internationale est Marylin Fergusson, auteure américaine. Journaliste, elle est également éditrice d'un bulletin consacré à l'étude des phénomènes de conscience. Ses travaux ayant comme base les plus récentes découvertes scientifiques et sociales tendent à démontrer l'apparition d'un nouveau paradigme qui valorise la recherche d'un équilibre d'abord individuel, puis collectif, susceptible de créer une voie vers un avenir souhaitable.

Dans la scène décrite préalablement, elle expose l'essentiel de sa vision. Selon elle, à travers un processus de transformation individuelle, nous pouvons tendre vers un équilibre qui, une fois partagé par des réseaux, des groupes, des organisations, sera en mesure d'influencer les institutions décisionnelles. Ce modèle d'évolution qui part de l'individu pour aller vers la société passe par la prise de conscience de ses propres processus de la pensée et cherche à résoudre les dichotomies héritées d'un autre âge en s'appuyant sur les dernières découvertes scientifiques.

Un dernier plan d'ensemble nous montre les jeunes Amérindiens de dos, liés solidement par le regard à ce leader de la pensée, alors que madame Fergusson continue de leur insuffler ses connaissances.

En fond de scène, une merveilleuse montagne de couleur de brique rouge vif, sans arbre, carrée comme un bloc de glace, qui tranche dans un ciel bleu foncé, précurseur de la nuit.

Nous quittons doucement le groupe, comme si nous partions sur la pointe des pieds pour ne pas briser cette communication entre la sagesse et l'avenir, pour remonter progressivement vers le sommet de la montagne, notre point de départ.

À mi-chemin de l'ascension, nous commençons à distinguer une silhouette qui bouge sur la montagne. Plus nous avançons, mieux nous reconnaissons cet être à l'allure baroque qui arpente une partie du sommet. Les bras croisés en arrière du dos par les mains une dans l'autre, droit comme un pieu, la tête haute et le regard fixé vers l'infini, il marche lentement.

Le témoin médite sur le sens profond des paroles de Marylin Fergusson...

Une saine expérience du pouvoir

Une autre scène, dans un décor tout à fait différent, nous fait voir une automobile de marque japonaise qui roule lentement comme le fait un chauffeur de taxi qui cherche une adresse précise sur une route secondaire de la Côte-Nord, plus précisément sur le chemin conduisant à la réserve de Betsiamites. Elle s'arrête, puis repart pour faire un autre bout de chemin.

À l'intérieur de la voiture, trois jeunes personnes parlent entre elles. On ne les voit pas. On aperçoit quelques fois leur silhouette lorsque l'automobile passe près de la caméra. Cette dernière suit le véhicule pendant que l'on entend les conversations entre les occupants.

— Nous ne devrions pas être loin si je me fie à la description des lieux qu'on m'a faite, mentionne une jeune Atikamekw à ses compagnons.

— S'agirait-il d'un vieil entrepôt avec une structure métallique ondulée? réplique une voix masculine.

— Oui, répond-elle.

— Regarde là-bas, reprend le conducteur.

— Je crois bien que c'est cette bâtisse.

L'automobile roule plus rapidement pendant quelques secondes et pénètre dans une entrée à moitié dissimulée par de longs plants de framboises. Elle avance prudemment tout en évitant le mieux possible les plus gros cahots. Elle s'engage sur un vaste terrain tacheté d'herbes hautes qui démontrent que le foin laissé libre commence à prendre le dessus sur le gravier.

La voiture japonaise rouge vif s'arrête près de la bâtisse.

Les jeunes Atikamekw en descendent, s'étirent pour assouplir leurs muscles fatigués par l'inaction d'un long trajet en automobile et se dirigent vers la porte. Ils entrent allègrement sans frapper, convaincus qu'ils sont au bon endroit.

Le perron franchi, ils se retrouvent dans une vaste pièce un peu glaciale au premier coup d'œil à cause de sa toiture métallique, de son immensité et de son absence de décoration. Ici et là, des groupes de jeunes, tantôt assis, tantôt debout, discutent avec animation entre eux. D'autres, par terre près d'un système de son, écoutent de la musique bruyante.

Les yeux des trois visiteurs s'arrêtent sur un groupe de jeunes au bas d'un escabeau avec des outils dans les mains ou des matériaux de construction. Ils semblent reconnaître le jeune homme de dos qui travaille en haut du marchepied.

Ils s'avancent lentement vers eux et la jeune fille l'interpelle:

— Simon?

L'équilibriste d'occasion se retourne prudemment pour ne pas tomber.

— Salut!

Que faites-vous dans le fin fond de la Côte-Nord?

— Nous sommes venus te voir, répondent-ils en chœur.

Simon descend rapidement les échelons de la courte échelle et saute dans les bras de la jeune fille. Ils s'embrassent, font les présentations d'usage et s'éloignent lentement de l'endroit agité des travaux.

Fier comme un paon et heureux comme un poisson dans l'eau, Simon leur fait faire le tour de la propriété.

Nous les suivons avec la caméra dans tous les coins et recoins de cette bâtisse.

En voix hors champ, nous écoutons le monologue de Simon qui nous explique ce qu'est pour lui une maison des jeunes:

— Ca sert à combler le besoin soulevé par l'état de «marginalisation» sociale vécu par certains jeunes Autochtones. Ceux qui fréquentent cette maison ont un nouveau statut: celui de posséder un endroit, un lieu physique où ils exercent le pouvoir.

L'aréna, le centre communautaire, le snack-bar et la polyvalente ne leur appartiennent pas. Dans ces lieux, le pouvoir réel est à d'autres. Ils peuvent y transformer peu de choses.

Par contre, ils font ici l'expérience du pouvoir et de la démocratie. Une maison de jeunes va exister qu'à la condition qu'ils la désirent; elle ne peut donc pas être imposée. Ils découvrent ainsi leurs propres forces et les développent à leur guise.

Ensuite, après avoir vécu une telle expérience, ils souhaiteront sûrement en faire profiter à la communauté tout entière.

Cette rapide visite permet aux téléspectateurs de voir vivre les jeunes dans leur propre maison. On cherche moins à montrer les activités originales ou extraordinaires, comme on visite un zoo, qu'à exprimer leur possession du lieu et leur aise dans ce repère qu'ils contrôlent.

À la fin de ce tour, on se retrouve au point de départ, dans l'immense salle commune.

Les visiteurs s'arrêtent près d'un groupe de jeunes qui parlent entre eux. Cet arrêt nous permet de recueillir les commentaires de ces jeunes:

—Ici, on est accepté comme on est.

—À la Maison des jeunes, quand ça nous tente de faire quelque chose, ça marche toujours parce que c'est nous qui en avons l'idée et la responsabilité d'exécution.

—Ca m'a permis de me faire une place, de me dégêner et de me faire un chum.

—Avant de venir ici, j'étais dans une «gang» qui faisait peur aux habitants de la réserve. Maintenant, on fait du travail pour eux. Ca nous donne de l'argent pour nos activités.

—En arrivant à la Maison des jeunes, j'ai découvert que je n'étais pas le seul à avoir des problèmes. Quand tu parles avec d'autres, tu t'aperçois que tes difficultés sont souvent des «niaiseries» qui te rendent mal pour rien.

Être conscients de la force des femmes

Sans coupure réelle ou perceptible, les téléspectateurs se retrouvent dans un tout autre décor.

—Garçon, une bière, s'il vous plaît.

Ce jeune Montagnais que l'on a pu voir dans une scène précédente du forum près de la rivière est confortablement assis à une table d'un café-terrasse sur le boulevard des Champs-Élysées à Paris.

En attendant que le serveur lui apporte la bière commandée, il regarde nerveusement passer les gens sur le large trottoir en face de lui. Sa tête va de gauche à droite comme s'il suivait un match de tennis. Il semble chercher quelqu'un parmi les passants à qui il a donné rendez-vous. D'un air inquiet, il consulte sa montre. Au bout de quelques instants, il regarde une autre fois l'heure.

D'un bond, il se lève et crie:

— Maryse! Maryse!

De loin, Maryse, qui vient de l'entendre, lui répond d'un signe de la main. Elle accélère le pas et se faufile habilement entre les tables du café. Elle aboutit joyeusement dans les bras du jeune Autochtone et c'est la bise sur les deux joues. Elle s'assoit et entreprend une conversation banale sur son arrivée à Paris il y a quelques heures.

Trois jeunes adultes, un Français et un couple de Montagnais, marchent côte à côte dans le centre d'une ruelle parisienne. Ils ne font aucunement attention à une automobile de marque Citroën qui les suit. Le conducteur de la voiture klaxonne d'abord poliment pour leur demander le passage. Ils ne bougent pas et continuent leur marche, comme si la ruelle leur appartenait. Les coups se font de plus en plus répétitifs et de plus en plus stridents. Nos comparses semblent sourds comme des pots. La Citroën s'approche de plus en plus près d'eux. Elle est sur leurs talons. L'avertisseur hurle de plus belle. Rien ne les fait bouger. Le conducteur, un quinquagénaire richement vêtu, sort la tête par la fenêtre de l'automobile et commence à les engueuler vertement:

— Bande de jeunes cons, vous prenez-vous pour les propriétaires de cette ruelle? Tassez-vous où je vous passe dessus.

Arrivant sur le coin du boulevard des Champs-Elysées, les trois jeunes arrêtent subitement et obligent le conducteur de la Citroën à freiner d'un coup sec. Ils se retournent lentement, regardent le conducteur rouge de colère et sans dire un seul mot, font chacun une grimace comme s'ils étaient des gamins.

Secoués par des éclats de rire qui font retourner les passants, en se donnant des grandes claques dans le dos, ils s'engouffrent dans la marée des promeneurs. Au bout d'une centaine de pas, ils reconnaissent Maryse et le jeune Montagnais assis à la table du café.

Ils entrent sur la terrasse sans que Maryse ne les voit, l'index sur la bouche pour avertir le jeune Montagnais de ne pas souligner qu'il les a aperçus, et abordent la jeune Française en lui mettant la main sur l'épaule.

Cette dernière sursaute, surprise par ce geste familier, puis se retourne. Elle reconnaît alors ses amis, les salue et les invite à s'asseoir avec eux. Ils prennent une table ronde près d'eux et l'approchent de celle de Maryse et du Montagnais en présentant le jeune Parisien.

Quelques instants après, la conductrice d'une voiture Renault 5 freine dangereusement sur le boulevard achalandé des Champs-Élysées non loin des jeunes assis à la terrasse. Elle oblige ainsi les autres automobilistes qui la suivent à en faire autant.

Une des deux jeunes filles qui occupent cette auto fait signe de la main aux chauffeurs de la rangée de droite qu'elles veulent tourner de ce côté. Peine perdue, les automobilistes ne ralentissent même pas. Les autres conducteurs qui les suivent commencent à perdre patience et le font sentir en klaxonnant furtivement.

Pendant un instant de répit, la merveilleuse jeune Amérindienne ouvre la portière et sort précipitamment de l'automobile. Effrontée et insouciante, à la manière d'une automate, elle s'engage lentement sur la voie, forçant ainsi les automobilistes à s'arrêter brusquement pour éviter un accident.

Rendue au centre de l'allée, sous les regards ébahis des badauds et les cris d'insulte des automobilistes, la jeune Autochtone s'arrête, tourne le dos aux conducteurs des voitures immobilisées et, par un geste grandiloquent, fait signe à sa compagne de diriger son tacot dans une place de stationnement libre, à moitié sur le trottoir, à moitié dans la rue.

La conductrice entreprend la manœuvre délicate avec la dextérité d'une experte. Malheureusement, l'espace n'était pas aussi large que prévu. Elle doit donc reculer pour mieux s'installer à l'entrée de la place réservée. Elle réussit tant bien que mal à introduire le nez de sa voiture entre une Citroën et une Mercedes. Elle avance pouce par pouce pour ne pas écorcher l'une ou l'autre de ces automobiles de grand luxe.

Après quelques minutes qui ont paru une éternité pour les spectateurs, elle accoste à bon port. Elle veut descendre par l'une ou par l'autre des deux portières, mais c'est malheureusement impossible à cause du manque d'espace. Sans hésitation, elle décide de sortir par le toit de la voiture, marche sur le capot et saute ensuite sur le trottoir.

Au même moment, une salve d'applaudissements éclate de la terrasse du café d'en face. Naturellement, comme une artiste amérindienne dans sa magnifique robe en daim après un spectacle apprécié, elle salue avec grâce et par une courbette exagérée ses fans d'un jour. Elle reconnaît alors Maryse, les jeunes Montagnais et leur compagnon français. Ceux-ci avaient suivi avec curiosité, mais sans s'étonner, connaissant les talents de la jeune comédienne, les aventures burlesques de leurs deux amies.

Elles arrivent sur la terrasse en coup de vent, traînent deux chaises entre les tables en dérangeant plusieurs clients et s'assoient avec leurs amis pour prendre un demi.

Les jeunes Français expliquent aux Montagnais au cours d'une conversation animée les problèmes qu'ils rencontrent pour dénicher un emploi et surtout pour pouvoir atteindre un poste de responsabilité.

Les discussions tournent autour de deux questions: Les jeunes sont-ils conscients de leur force et sont-ils confiants en cette force?

Les jeunes Français prétendent que la manque de confiance en soi est probablement le plus grand problème de la jeunesse française.

— C'est difficile de croire en soi quand on entend continuellement dire dans les écoles, dans les universités, dans les médias et un peu partout que l'avenir n'est pas rose pour les jeunes. On ne cesse pas de vouloir nous entrer dans la tête que nous constituons une génération sacrifiée.

Ils croient que c'est beaucoup plus facile à l'heure actuelle d'avoir confiance en soi-même comme individu qu'en la jeunesse comme groupe. Pour eux, c'est de là que partent tous les problèmes de la jeunesse actuelle.

On continue à s'interroger mutuellement: une société, qu'elle soit autochtone ou française, peut-elle indéfiniment ignorer la force consciente d'une génération? Ils se demandent sérieusement si les jeunes sont vraiment capables et s'ils en ont les instruments de modeler aujourd'hui la société de l'an 2000 qu'ils désirent.

Ouverture sur un autre monde

La caméra nous amène ensuite dans un tout autre décor où une jeune Atikamekw de Weymontachie, décontractée comme si elle avait vécu toute sa vie dans ce pays qu'elle visitait, arpente les allées d'un parc public féerique, caractéristique de la ville de Londres, en Angleterre.

Pendant qu'elle se rassasie de plaisirs oculaires, elle s'interroge sur ce que peuvent penser les jeunes des pays du Tiers-Monde sur les problèmes de la jeunesse amérindienne du Canada. Elle voudrait bien savoir si leurs préoccupations vont dans le même sens que les siennes.

Par voix hors champ, elle nous fait part de ses interrogations. Elle nous livre verbalement le fond de ses pensées alors que nous la suivons silencieuse dans ce parc public, s'émerveillant comme amante de la nature passionnée devant toutes ces beautés mirobolantes.

Soudain, son regard est attiré par un groupe de personnes rassemblées dans une allée voisine. Elle s'approche, curieuse de savoir les raisons de cet attroupement. Les participants de cette assemblée publique qui regroupe des jeunes de plusieurs nationalités entourent une petite estrade sur laquelle un Africain, dans son costume national aux couleurs flamboyantes, les harangue.

Elle s'approche timidement, se sentant comme une intruse, et se mêle au groupe. Elle constate alors qu'elle est la seule qui n'est pas Africaine ou Asiatique. Elle n'ose plus bouger de peur de trop attirer l'attention.

Le jeune Africain termine sa tirade en demandant aux gens du Tiers-Monde présents de ne pas laisser la place aux autres:

— Nous ne sommes pas des sous-produits, nous sommes l'avenir. Ne l'oublions jamais.

Après quelques applaudissements, le jeune Africain descend du tréteau. À cet instant, ses yeux croisent ceux de la jeune Atikamekw et il sourit. Il prend place à côté d'elle et lui dit bonjour. Elle lui répond timidement, émerveillée de ne pas être considérée comme une importune dans cette assemblée.

Une jeune Asiatique grimpe à son tour sur l'estrade et entretient l'assistance des problèmes d'acceptation et d'égalité des chances que doivent surmonter les femmes de son pays.

D'autres applaudissements se font entendre de la part des personnes présentes alors que la jeune Asiatique quitte la scène.

La caméra s'éloigne lentement au moment où la jeune Autochtone monte sur les planches. D'une vue éloignée, nous apercevons la timide Atikamekw qui discourt à son tour. Nous pouvons la voir gesticuler, sans saisir ses paroles.

En attente de l'assaut final

La dernière tranche de cette émission, la scène finale, débute sur une image extérieure d'usine désaffectée à la tombée de la nuit. Saisie par une prise de vue éloignée, la manufacture abandonnée, éclairée d'une manière indirecte par le soleil couchant, a l'apparence d'un château du Moyen Âge.

À ses pieds, on peut distinguer une vingtaine de tentes indiennes, minuscules à côté de cette masse noire, mais bien vivantes. Elle sont toutes vivement éclairées de l'intérieur. Plantées sur le terrain de l'usine, ces tentes donnent l'impression d'un campement temporaire de soldats qui attendent pour prendre d'assaut une forteresse.

Un peu plus loin, un feu gigantesque répand sa lumière dans un bosquet dont les abords grouillent d'êtres affairés. Ici et là sur le cantonnement scintillent des feux de bivouac autour desquels s'agitent des formes humaines.

Doucement, comme pour espionner, la caméra s'avance, attirée par les flammes. Plus près, nous percevons un bourdonnement sourd puis des murmures pour enfin saisir un air de guitare accompagné d'une douce mélodie interprétée par une voix féminine et chaude.

Une extraordinaire jeune fille, celle que nous avions connue à Paris à bord de sa Renault 5, à la beauté racée, typique chez les jeunes amérindiennes, à quelques pieds de l'immense feu, s'accompagne sur sa guitare en chantant divinement des complaintes de ses ancêtres mêlées à des chansons françaises populaires. Elle est prodigieuse sous cet éclairage naturel qui met en évidence les traits d'un visage parfait. La flamme reflète sur ses longs cheveux de jais qui tombent sur ses épaules abritées par un châle sûrement hérité de sa grand-mère montagnaise.

Une vingtaine de jeunes Atikamekw et Montagnais écoutent religieusement cette déesse du feu, les yeux tantôt attirés par les flammes, tantôt par la beauté de l'adolescente. Plusieurs sont emmitouflés dans des couvertures de laine, très souvent par couples. Encouragés par cette musique envoûtante, les amoureux se volent furtivement de tendres baisers.

Pendant que l'interprétation de cette chanson se termine comme fond musical, la caméra fureteuse se promène sur place. Elle capte alors deux couples autour d'un feu de braise près d'une tente qui font griller des tranches de pain à l'aide d'une longue fourche faite avec une branche d'arbre. Du beurre, du fromage, une bouteille de vin et des ustensiles traînent sur une petite nappe à carreaux rouge et blanc.

D'autre jeunes sont assis près d'un feu de bois et jouent aux cartes. Les éclats de rire des jeunes filles démontrent que cette partie est beaucoup plus amusante que sérieuse.

Tous ces attroupements de participants au forum, sans décorum, permettent de poursuivre les discussions, mais cette fois beaucoup plus sur le ton de la complicité. Ils ébauchent des projets souvent farfelus qu'ils n'auraient jamais voulu dévoiler devant une caméra. Ils sont beaucoup plus à l'aise car ils ont la sensation que l'œil public n'est pas aussi présent. On les sent vraiment dans leur élément.

L'émission se termine sur la nuit qui tombe et les ombres chinoises dans les tentes nous montrent que les jeunes s'engouffrent dans leur sac de couchage pour un sommeil bien mérité.

L'enfant de 7 000 ans
ne demande rien de plus
que ce qui lui est dû.
Ses sentiers, pour retrouver
dans le passé le respect.
Hier, j'ai revu l'enfant de 7 000 ans.
Il était perdu.
Ses rivières lui avaient été volées.
Ses caribous, on les avait chassés.

VIII

Sous le joug militaire

Le petit village montagnais de la Basse Côte-Nord où habitaient les parents de Francine était dans un état d'effervescence inhabituel depuis quelques jours.

Les femmes avaient commencé à préparer le «makusham», repas des grandes occasions, pour souligner le passage de visiteurs importants en faisant rôtir et cuire le gibier rapporté par les chasseurs de leur territoire de chasse, tels les castors, les porcs-épics et certains oiseaux migrateurs.

Les marmites des meilleures cuisinières de la réserve étaient donc remplies de bien bonnes choses et leur maison de cet arôme envoûtant de la nourriture de bois.

Exceptionnellement en cette période de l'année, les fumoirs extérieurs boucanaient les saumons et les feux de camp faisaient rôtir lentement le caribou, l'orignal et les quelques moyacs, ou autres oiseaux migrateurs encore disponibles dans les congélateurs des gens plus prévoyants.

Elles avaient pu travailler en paix puisque les hommes de la réserve, surtout les plus vieux et les plus sages, passaient la plus grande partie de leur temps, depuis maintenant près d'une semaine, d'une réunion préparatoire à une autre, à dégager un consensus et à structurer une stratégie d'interventions aux audiences publiques du ministère fédéral de l'Environnement sur les vols à basse altitude qui allaient se tenir dans cette communauté.

D'autres, plus jeunes, aménageaient la grande salle de l'école, la seule qui pouvait recevoir en même temps tous les habitants de la réserve. On essayait aussi tant bien que mal de «patenter» un système de son avec le peu de matériel d'équipement que possédait le Conseil de bande. On sentait malheureusement le manque d'expérience de ces Montagnais pour cette technique moderne.

Ils auraient certes été beaucoup plus à l'aise à installer des pièges.

L'effort commençait cependant à donner des résultats et la volonté de réussir compensait pour le manque de connaissances de cette technique moderne. Ces personnes bénévoles de la radio communautaire avaient dû se débrouiller à maintes reprises pour organiser à brûle-pourpoint une ligne ouverte d'information avec un invité ou tout faire pour que le bingo, ce loisir préféré de la grande majorité des Montagnaises, ait lieu à la radio.

On voudrait bien démontrer aux visiteurs blancs par des gestes concrets, aussi anodins soient-ils, que les habitants de cette réserve éloignée sont capables de se prendre en main complètement. L'orgueil et la fierté les poussaient à vouloir tout faire eux-mêmes sans l'aide des spécialistes qui accompagnaient les commissaires.

La très grande majorité des hommes de la communauté, sauf les privilégiés qui avaient reçu le mandat d'aller chasser et pêcher pour rapporter de la nourriture de bois aux cuisinières, n'avait donc pas pu vaquer à leurs occupations habituelles. Ils avaient eu à discourir sur le contenu qu'ils voulaient livrer à la commission d'étude des hommes blancs qui venaient chez eux les entendre pour bien leur faire comprendre les raisons fondamentales de leur opposition aux vols à basse altitude et à la militarisation de leur territoire ancestral.

Des employés de leur association politique, le Conseil Attikamek-Montagnais, personnes plus instruites et mieux préparées à ce genre de travail, s'affairaient avec eux à regrouper les faits les plus percutants, à trouver les meilleurs arguments pour convaincre les commissaires, à définir la méthode de les livrer et à choisir les meilleurs orateurs dans les divers sujets soulevés. Comme ils étaient presque tous des Montagnais, la confiance entre eux était illimitée et on voulait tirer le maximum de cette préparation.

Antoine, le frère aîné de Francine, un des leaders charismatiques les plus écoutés, travaillait d'arrache-pied à connaître la portée de cette commission et voulait surtout, par fierté bien légitime, faire bonne figure, impressionner par son intervention et qui sait peut-être influencer les commissaires. Ces derniers pourraient ensuite donner raison aux Montagnais de la Basse Côte-Nord et recommander un arrêt immédiat de ces vols à basse altitude.

Ce soir-là, Francine se sentait vraiment de trop dans cette réserve sur le pied de guerre. Elle constatait l'importance de cette bataille à livrer, mais elle n'était pas comme les siens, prise aussi profondément aux tripes.

Sa mère n'avait pas le temps de s'occuper d'elle, trop affairée à préparer la nourriture, et ses sœur et belles-sœurs en faisaient autant. Elle était continuellement «dans les jambes» de l'une comme des autres et elle ne cessait pas de tourner en rond dans la cuisine ou le salon.

Même la radio communautaire était «plate» parce que personne ne s'en occupait vraiment. Toujours le même vieux «78 tours usé» des succès westerns «quétaines» de Gerry et Johanne qui recommençait automatiquement. Ils étaient quelques fois entrecoupés d'un message téléphonique d'une voix féminine demandant à Jean, Mathias ou Pierre de se rendre à l'école, au presbytère, à la salle communautaire et même chez eux.

Antoine et ses autres frères étaient partis depuis 19 heures, quelques instants après avoir pris un repas léger, à la réunion à la salle communautaire, antre des hommes où les femmes n'osent pas trop mettre les pieds. Cet endroit ne leur est évidemment pas interdit, mais par habitude elles ne franchissent pas souvent le perron.

Francine aurait pourtant bien aimé écouter Antoine et les autres discuter cette question importante pour le devenir des habitants de cette communauté et être ainsi mieux renseignée sur ce dossier primordial pour l'avenir de son peuple.

Elle avait évidemment entendu parler de cette question comme tous les visiteurs l'apprennent en mettant le pied dans cette réserve. La psychose des vols à basse altitude est tellement bien ancrée dans leur esprit qu'ils voient cette sorte d'«oiseaux migrateurs de malheur» partout, même dans leur soupe comme le disent en riant leurs collaborateurs de l'extérieur qui travaillent avec eux sur ce dossier.

Ils en parlent constamment, oubliant souvent les autres sujets importants.

Tout à coup, Francine prit un coupe-vent sur un crochet près de la porte d'entrée, celui d'une de ses belles-sœurs, et sans dire un seul mot,

comme si elle avait peur qu'on la blâma de sa décision et qu'on l'empê-
cha de la réaliser, sortit de la maison.

D'un pas alerte et convaincu, elle se dirigea rapidement vers la salle
communautaire non loin de chez elle.

Elle avait décidé d'aller écouter les discussions des plus âgés comme elle le faisait lorsqu'elle était petite fille, accroupie, silencieuse et
attentive, près d'une fenêtre ouverte de la salle communautaire.

En arrivant à cette fenêtre où la fumée des cigarettes sortait aussi
drue que le fait la pollution du tuyau d'échappement du vieux camion
d'Antoine, elle entendit un murmure qui se développa en une cacophonie
incompréhensible parce que tout le monde parlait en même temps.

Quel brillant avenir...

Le meneur d'assemblée, profitant d'une accalmie, lança en français pour
ensuite être traduit en montagnais:

— Maintenant, si vous le voulez bien, je vais vous résumer le plan de
nos interventions auprès des commissaires demain et après demain. Je
demande donc à ceux qui ont à intervenir de bien mémoriser les différentes étapes.

Nous avons rencontré, il y a quelques heures, les organisateurs de
ces audiences pour parler de l'ordre du jour de ces deux journées très
chargées. Nous leur avons fait comprendre que les gens de cette communauté comme ceux des autres bandes montagnaises de la Basse Côte-
Nord ont des choses à dire, qu'ils vont le faire avec franchise et avec
cœur au cours de ces audiences et qu'il n'y a pas de place pour les vendeurs en costume de l'Armée canadienne.

Les chasseurs et leurs femmes vont raconter dans leurs mots et avec
abondance, en personnes qui parlent avec leurs tripes, les péripéties des
expériences vécues à cause de ces vols à basse altitude.

Nous leur avons clairement souligné que, pour une fois, nous avons
l'impression qu'on nous consulte et qu'on nous laisse exprimer librement
nos sentiments les plus profonds sur une question qui nous préoccupe à
un plus haut point pour la conduite de notre vie actuelle et pour celle de
nos enfants.

Il nous faudra donc bien faire percevoir aux commissaires cette psychose des vols à basse altitude dans la communauté et surtout les raisons profondes de cette peur maladive et l'angoisse que causent ces vols
parmi les chasseurs qui fréquentent leur territoire de chasse et de pêche.

Ils seront sans aucun doute pris d'émotion comme nous l'avons été
nous-mêmes par les propos d'Antoine.

Ils entendront le chef de la communauté décrire les instruments utilisés par nos ancêtres, fixés au mur derrière les commissaires dans la
grande salle de l'école. Magnifique tableau historique.

Un de nos plus vieux chasseurs apportera et présentera les plantes médicinales et leurs bienfaits, remèdes naturels qui pourraient disparaître entièrement à cause des vols à basse altitude.

Guy, un des jeunes de la réserve, tel un historien qui a consulté les grands livres de l'histoire et de la sagesse, parlera de la vie des Montagnais contemporains et celle des ancêtres sur le territoire.

De toutes ces interventions, un seul mot devra toujours ressortir: *le territoire, le territoire ancestral, le territoire revendiqué.*

Pendant qu'un jeune Montagnais traduisait l'intervention française, Francine, qui avait déjà tout saisi, se redressa et fit quelque pas pour se dégourdir.

Elle n'était plus seule dans sa loge improvisée. Trois adolescentes et un adolescent, bruyants, l'avaient retrouvée et voulaient eux aussi connaître le contenu des propos des participants.

Elle en profita pour leur souligner de cesser de murmurer ou de ricaner parce qu'elle perdait des bouts de la discussion. Elle leur mentionna que s'ils voulaient s'amuser ils pouvaient très bien le faire plus loin sans la déranger.

Après qu'elle eût obtenu la promesse des jeunes qu'ils resteraient tranquilles, elle regagna sa place pour suivre les débats dans la salle communautaire.

Le traducteur montagnais avait terminé et laissait la parole au président d'assemblée qui continua ainsi son intervention:

— Il faudra donc insister sur ce territoire que nous voulons faire reconnaître par la négociation tripartite avec les gouvernements d'Ottawa et de Québec. Ce territoire ancestral où nos pères ont pêché et chassé depuis des temps immémoriaux.

Au cas où les commissaires ne le sauraient pas, nous leur expliquerons les grandes lignes de notre revendication territoriale.

Nous leur soulignerons qu'en permettant ces négociations, les gouvernements ont implicitement reconnu que les Montagnais ont des droits fonciers de premiers habitants sur ce territoire que les avions de guerre des gouvernements étrangers, comme d'ailleurs ceux du Canada, survolent à basse altitude.

Nous leur mentionnerons que nous avons déposé, au mois de juin 1986, une partie importante de nos revendications territoriales, fondées sur une vaste étude de chercheurs universitaires. Nous ajouterons que ces recherches démontrent, hors de tout doute, selon nous, que les Montagnais ont utilisé et occupé les territoires revendiqués que nous voulons retrouver les plus intacts possible puisque nous n'avons jamais cédé nos droits ancestraux et que l'armée canadienne n'a jamais conquis ces territoires.

Nous leur démontrerons que le non-sens dans tout cela c'est que nous sommes chez nous, propriétaires, et que nous devons négocier le territoire qui nous appartient de droit avec ceux qui nous l'ont usurpé. Qui plus est, nous devons nous battre pour que l'on ne prenne pas de décision à notre place et pour que l'on n'hypothèque pas à tout jamais ce territoire.

Nous tenterons de leur faire percevoir que nous allons négocier fermement avec les gouvernements d'Ottawa et de Québec puisque nous sommes convaincus de la justesse de nos revendications.

Nous ajouterons que nous abordons cette négociation avec ouverture d'esprit dans un contexte de peuple souverain à peuple souverain, d'égal à égal.

Il faudra qu'ils sachent bien clairement que nous n'accepterons jamais l'extinction de nos droits ancestraux et que ce territoire qu'ils bafouent ne sera jamais à vendre et encore moins vendu.

Ils devront apprendre que nous aurons, après cette négociation historique, notre propre gouvernement responsable, le plus autonome possible, et que cette autorité exclusive sur le territoire récupéré nous permettra de prendre toutes nos décisions sans avoir besoin de personne d'autre pour nous dicter ce qu'il faut faire.

Nous ne voulons plus avoir besoin d'aller quémander des permissions à des gens qui ont seulement en tête leurs propres intérêts. Nous ne désirons plus revivre ce que nous vivons avec les vols à basse altitude où un gouvernement qui doit prendre notre défense, notre tuteur comme le disent les politiciens fédéraux quand ça fait leur affaire, permet qu'on nous détruise petit à petit.

À cette tutelle, nous disons non. Non, jamais plus...

Dorénavant, nous souhaitons prendre les décisions qui nous concernent comme des grands garçons. Nous n'avons plus besoin de ce genre de protection intéressée qui nous nuit sans cesse.

Nous exposerons aussi qu'il est facile de vérifier à quel point les manœuvres militaires aériennes, en restreignant de différentes manières nos activités de récoltes fauniques, ont un impact économique très négatif sur les familles montagnaises. Une baisse des activités de récoltes, par le fait que les Montagnais iront moins souvent chasser sur leur territoire et une hausse des paiements de transferts gouvernementaux, en sont donc les conséquences probables. Nous leur prouverons par contre qu'un arrêt de ces manœuvres militaires encouragera certainement la poursuite et même l'augmentation de toutes les activités montagnaises de récoltes fauniques sur les territoires de chasse traditionnels.

Les vols militaires à basse altitude auront un impact négatif sur le développement économique des Montagnais qui se fonde en très grande partie sur les activités traditionnelles de chasse et de pêche.

Nous leurs montrerons à quel point notre développement économique est déjà passablement amoché et fragile. Il ne pourrait jamais se relever si la nature était détruite.

Il faut que les commissaires sachent que les richesses des territoires montagnais ont déjà été exploitées et même surexploitées par les Blancs sans jamais penser aux conséquences néfastes pour l'environnement et pour les familles montagnaises qui dépendent de ces territoires pour leur existence.

Quand les lacs et les rivières sont vides de poissons, que les forêts sont décimées par les coupes de bois à blanc, que les territoires de chasse et de pêche sont inondés par les barrages et que les mines, comme ce fut le cas à Schefferville, sont abandonnées parce qu'elles ne sont plus rentables, ce sont toujours les Montagnais qui ont à continuer à vivre avec les restes et avec les conséquences désastreuses des activités des non-Indiens.

Il faudra bien qu'ils saisissent un jour que ce sont les activités traditionnelles de chasse et de pêche qui contribuent à longueur d'année et de façon substantielle aux revenus économiques des familles montagnaises. Ce sont donc des activités économiques légitimes, parties intégrantes d'un mode de vie et d'une culture ancestrale, sans compter sur leur importance dans une région où les emplois et le marché du travail sont plutôt rares et restreints.

Nous ressortirons les chiffres d'une étude faite pour le Conseil Attikamek-Montagnais par le chercheur Denis Brassard sur les revenus des quatre communautés de la Moyenne et de la Basse Côte-Nord, Mingan, Natashquan, La Romaine et Saint-Augustin, réalisée pour l'année 1983-84, qui a démontré hors de tout doute l'importance économique de la chasse, de la pêche, de la trappe et de la cueillette pour les familles montagnaises. Cette étude indique que les revenus de récoltes fauniques représentent le tiers des revenus de salaires des Montagnais de ces secteurs si on assigne une valeur monétaire aux récoltes de mammifères, d'oiseaux, d'œufs, de poissons et d'invertébrés.

On pourra certes conclure que, sans ces activités de récoltes actuellement menacées par les vols à basse altitude, l'économie des Montagnais risque de prendre un dur coup.

Les emplois créés à Goose Bay seront peut-être avantageux pour les résidents non autochtones du Labrador, mais ils se traduiront inévitablement par des pertes de revenus et de travail pour les Montagnais de la Moyenne, de la Basse Côte-Nord ainsi que de Schefferville.

Nous leur dévoilerons une étude d'un biologiste du Conseil Attikamek-Montagnais, Bruno-Pierre Harvey, qui démontre que ces craintes sont plus que justifiées. Cette étude exprime clairement que tout impact négatif sur le troupeau de caribous du fleuve George se traduira nécessairement par des effets non moins négatifs sur les populations humaines du nord québécois.

Ce document soulève de sérieuses questions sur le harcèlement des caribous qui peut, selon le spécialiste, aussi conduire à un comportement d'évitement et d'abandon des aires contenant un potentiel nutritif important.

Pour ce biologiste, il est certain que le survol des aires de distribution et de mise bas du troupeau de caribous du fleuve George aura des effets sur cette espèce.

Nous préciserons aux commissaires que dans les Territoires du Nord-Ouest les lois environnementales ont déjà statué sur les problèmes de harcèlement tel que le forage des puits de pétrole. Les compagnies exploitantes sont invitées à quitter les lieux de travail dès que les hardes de caribous sont signalées dans le secteur.

Enfin, nous forcerons les commissaires à s'interroger sur la façon dont les gouvernements vont indemniser les familles montagnaises pour des pertes encourues dans l'éventualité d'un accroissement des manœuvres aériennes sur les territoires. Il ne s'agit pas ici simplement de pertes économiques importantes, mais surtout de torts irréparables causés à des activités qui ont aussi une grande valeur sur les plans nutritifs, culturels et sociaux pour les communautés concernées.

Ils devront être capables de nous dire si les Montagnais vont bénéficier des retombées économiques ou autres, dites positives, des manœuvres aériennes.

Aurons-nous des emplois ou des avantages que nous n'avions pas auparavant?

Nous leur affirmerons clairement qu'au contraire nous sommes convaincus que les Montagnais n'en retireront rien, sinon des pertes économiques, des torts sociaux et des dommages à notre culture.

Nous leur soulignerons que traditionnellement et économiquement la très grande majorité des activités montagnaises de récoltes se déroulent à l'intérieur des terres sur les territoires occupés et utilisés par les ancêtres et les familles montagnaises actuelles. Les activités près de la côte, ou à proximité des réserves montagnaises, ne représentent qu'une partie du cycle annuel. En fait, ils devraient au moins savoir que les réserves ne sont que des lieux de contacts avec la société non autochtone qui sont rendus nécessaires en raison de nombreuses exigences de la vie moderne.

Nous essayerons de faire comprendre aux commissaires que les familles montagnaises n'ont pas d'autre territoire où exercer leurs activités traditionnelles de chasse et de pêche et qu'on ne peut pas les déloger ainsi sans craindre pour leur survie physique et mentale.

Il ne fait aucun doute que les restrictions causées par les vols militaires constituent une menace réelle à l'intégrité du territoire et à l'autonomie des populations montagnaises.

Nous ferons la preuve aux commissaires que notre intention est de tout faire au cours de cette première partie de l'étude environnementale, qui consiste à ébaucher les directives qui conduiront à l'acceptation des activité aériennes sur le territoire revendiqué des Montagnais de la Basse Côte-Nord et à l'énoncé des incidences environnementales de ces activités militaires qui partent du Labrador, pour les convaincre de faire cesser complètement ces vols.

Nous ajouterons que pour nous, les véritables directives du ministre canadien de la Défense nationale, monsieur Perrin Beaty, données aux membres de cette commission, sont contenues dans ses commentaires du 12 décembre 1985 livrés à la presse, et sont complètement inacceptables:

> *Il est évident, a déclaré monsieur Beaty, que les opposants aux projets ne le feront pas avorter si les 16 pays membres de l'OTAN choisissent Goose Bay à leur réunion du début de décembre à Bruxelles. Mais ils auront au moins eu l'occasion de faire connaître leurs préoccupations et il n'est pas dit qu'on n'en tiendra pas compte.*

Par une telle déclaration, le ministre de la Défense nationale exprime clairement l'intérêt qu'il porte aux travaux de la commission et surtout sur ce qui pourrait en ressortir. Étant en voyage en Allemagne de l'Ouest, un pays favorable aux vols à basse altitude au Canada — il faut souligner que chez eux la population ne veut pas de vols à basse altitude, donc, ils doivent aller ailleurs — monsieur Beatty se devait de rassurer ses alliés sur les effets négatifs pour la vente du projet du «grenouillage» des Montagnais du Québec et du Labrador qui s'y opposent farouchement.

Il ne faut surtout pas oublier que la campagne de mise en marché pour la vente du projet par l'armée canadienne en Europe et ailleurs s'appuie sur le fait que les colporteurs en costume prétendent qu'il n' y a personne sur ce vaste territoire.

Or, les Montagnais affirment le contraire et ajoutent même qu'en tant qu'Autochtones ils ont des droits fonciers de premiers occupants. Ce qui est d'ailleurs implicitement reconnu par le gouvernement canadien puisqu'il négocie présentement avec les Montagnais une entente territoriale pour faire reconnaître ce territoire ancestral revendiqué.

L'armée canadienne est donc en pleine usurpation de pouvoirs puisqu'elle offre de louer un territoire qui ne lui appartient pas. Dans le privé ou le monde des affaires, en fondant les accusations sur les lois canadiennes, on ferait comdamner et emprisonner par la suite cet agent d'immeubles qui oserait offrir de louer un terrain dont il n'est pas propriétaire ou qu'il n'a pas reçu de mandat...

Pourquoi le gouvernement canadien tolère-t-il un tel abus de pouvoirs lorsqu'il s'agit d'une de ses créatures?

Il nous faudra démontrer le plus clairement possible que l'OTAN doit sérieusement prendre en considération qu'un jour ses alliés seront chassés *manu militari* par les Montagnais qui auront retrouvé leur territoire ancestral parce que jamais ils n'accepteront la militarisation de cette terre retrouvée, et surtout sa destruction. L'OTAN, comme organisation internationale respectueuse des droits aborigènes, doit donc considérer la revendication territoriale des Montagnais avant de décider d'occuper ce territoire qui n'appartient pas à son allié, le Canada.

En langage d'affaires et même juridique, l'OTAN doit savoir que ce territoire n'a pas encore été libéré de tous les liens. Il constitue donc un danger pour tous ceux qui voudraient l'utiliser à des fins autres que celles qui intéressent les véritables propriétaires, les Montagnais, une telle action en ferait automatiquement des complices d'usurpation de droits et de pouvoirs.

Ce manque de respect de la consultation, exprimée dans la citation du ministre de la Défense nationale à la presse mondiale, montre bien l'esprit des promoteurs de ce projet ils croient que, parce qu'ils incarnent la force, tout doit plier sur leur passage. Pour eux, il est évident que les aspects social, écologique et même légal de ce dossier n'ont aucune importance.

Nous devons donc démontrer aux commissaires que l'on nous force à accepter un avenir incertain, destructeur pour la population montagnaise et même canadienne, en échange d'une paix millénaire des premiers habitants de cette région en harmonie avec la nature.

On nous conduit aussi avec le plus grand sérieux du monde à céder notre territoire ancestral aux militaires pour qu'ils puissent s'amuser à jouer à la guerre, comme le font les enfants blancs avec les jeux vidéos, mais à coups de milliards de dollars, et à pratiquer à s'entretuer.

On offre donc aux Montagnais de militariser un coin de terre depuis toujours pacifique pour en faire un endroit stratégique à abattre en premier lieu en cas de guerre mondiale. De base militaire de pratique en temps de paix, ce territoire deviendra une cible en temps de guerre.

Le gouvernement canadien et son armée nationale nous demandent simplement de céder notre territoire que l'on a protégé pendant plus de quelque 7 000 ans à des maniaques de la destruction souvent inconséquents qui vont sûrement nous conduire un jour prochain à l'apocalypse causée par une guerre nucléaire.

On voudrait que l'on ne dise pas un mot et que l'on accepte un tel sort.

Nous comprenons que notre passé récent ait pu faire croire aux généraux de l'armée canadienne que nous étions assez bonasses pour consentir à beaucoup de choses, mais comment ont-ils pu croire que nous soyons à ce point ridicules et inconséquents pour accepter un génocide sans mot dire?

Quand même.

Seulement sur cette partie de militarisation, il nous faudra utiliser les audiences publiques actuelles pour bien faire comprendre à nos voisins les Québécois que nous devons nous battre pour eux qui ne semblent pas saisir l'importance d'une telle décision. Eux aussi, un jour, subiront les effets négatifs de ce geste inconsidéré. C'est donc un devoir pour nous comme bons amis de prendre leur défense et de leur dire qu'ils sont en train de «se faire passer un sapin», pour ne pas dire «un Québec», par les généraux de l'armée canadienne sans que leur gouvernement provincial ne lève le petit doigt.

Et quand nous entendons dire avec tout le sérieux du monde par le ministre québécois Raymond Savoie que le Secrétariat aux affaires autochtones veut prendre la place du ministère des Affaires indiennes et du Nord du Canada dans la défense des Indiens du Québec, nous ne pouvons qu'en rire.

Où est-il donc caché notre don Quichotte national pendant que nous nous battons dans ce dossier majeur, comme David devant le géant Goliath...

Nous devrons faire la preuve en audiences publiques qu'en échange de ce marché de dupes, le gouvernement canadien ne nous offre même pas de miroirs. Il est encore moins généreux que les gouvernements des traités passés, signés par d'autres Indiens du Canada.

Cela doit certainement être dû aux coupures budgétaires...

Des dés pipés

Les dirigeants canadiens nous demandent encore une fois de nous tasser toujours plus loin pour faire de la place à leur projet de militarisation.

D'abord, ils devraient savoir qu'il n'y a plus de place au nord puisque les vols à basse altitude sont en train de tout détruire, que le gouvernement du Québec a acheté une très grande partie de ce territoire pour une bouchée de pain et qu'il l'a noyée, et que plus au sud les Blancs nous y ont chassés depuis belle lurette par leur occupation pacifique et ensuite leurs développements.

Où est-ce qu'on pourrait aller pratiquer nos activités traditionnelles de chasse et de pêche? Sur les plaines d'Abraham à Québec ou sur le mont Royal à Montréal... Qu'on nous dise une fois pour toutes qu'il n'y a plus de place pour les Autochtones au Canada! Qu'on cesse donc de raconter des histoires abracadabrantes de respect des peuples autochtones du Canada pour la tribune internationale!

On ne leurre plus personne ici avec ce genre de fable.

On agira alors en conséquence...

En indiquant d'une façon si éclatante que la décision est définitivement prise et que les intervenants n'y changeront rien, le ministre de la Défense nationale montre bien le respect qu'il porte aux travaux de la Commission environnementale et du ministère canadien de l'Environnement.

Le ministre de la Défense nationale exprime visiblement l'intérêt que le gouvernement du Canada démontre aux gens qui, honnêtement, auront cru qu'il était important pour tous de faire connaître leurs vues de spécialistes dans un dossier aussi crucial qui pourrait détruire à jamais la vie humaine et animale d'un territoire d'une telle importance.

Ce geste prouve aussi clairement que le ministre de la Défense nationale ne se préoccupe aucunement des négociations entreprises par son pays avec les Montagnais qui revendiquent par des voies pacifiques un territoire ancestral qui n'a jamais été conquis ou cédé. Pour lui, la loi du plus fort domine sur toute démonstration humanitaire pacifique. Ce qui est de mauvaise augure pour un pays civilisé supposément contre toute forme de violence.

Enfin, le très grand respect que le ministre de la Défense nationale porte à la population canadienne et québécoise en ne lui permettant pas d'accepter ou de refuser, par voie d'une consultation importante ou d'un référendum quelconque, la militarisation de son pays, geste excessivement lourd de conséquences qui pourrait avoir des suites énormes en cas de guerre mondiale.

À tous les Montagnais, Canadiens, Québécois, spécialistes de l'environnement ou du développement social et membres de cette commission, le gouvernement du Canada, par la voix de son tout-puissant ministre de Défense nationale, demande d'avoir la foi du charbonnier et de croire les généraux des armées alliées qui veulent leur jeu électronique pour permettre aux jeunes «rockers en F-18» de l'armée canadienne et des pays membres de l'OTAN de s'amuser en temps de paix chez nous alors que plusieurs ne peuvent même pas le faire chez eux à cause des pressions de leur population.

Le ministre hollandais de la Défense aurait même déclaré, en annonçant que son pays commencerait les pratiques le 15 juin 1987 à Goose Bay, qu'il était très heureux de venir au Canada «car il devenait de plus en plus difficile de faire ce genre de pratique aérienne en Europe à cause de la réaction négative des populations».

En chœur, nous devons leur dire: Non merci! Et comme le soulignait plu tôt Antoine avec éloquence et aplomb, les inviter à aller jouer ailleurs ou pratiquer leurs manœuvres destructrices sur la lune.

Depuis les débuts de ce dossier, rares ont été les groupes d'intervenants qui ont prôné ce développement et ceux qui l'ont fait, comme ce fut particulièrement le cas à Goose Bay, laissaient toujours un arrière-goût d'intérêts financiers que les promoteurs et le gouvernement fédéral avait fait miroiter à coups de millions de dollars investis dans la mise en marché du projet.

Nous devrons souligner clairement aux commissaires que ces chevaliers d'entreprises veulent simplement ramasser la manne en se souciant peu des autres préoccupations comme la militarisation du territoire ou sa destruction écologique.

On pourrait aussi ajouter que, comme ce fut le cas à Schefferville ou dans d'autres villes minières de la Côte-Nord, ils partiront lorsque cette manne sera complètement ramassée en laissant le territoire entièrement détruit aux véritables propriétaires, ceux qui l'habitent en permanence depuis des temps immémoriaux et qui veulent continuer à vivre dans cet endroit, les Montagnais.

Objectivement, nous ne devrions pas avoir de difficulté à démontrer que les positions défendues pas les vrais occupants du territoire, qui sont actuellement les cobayes de ces vols à basse altitude, les 10 000 Autochtones — et non pas 800 comme le publicisent malhonnêtement les communiqués de presse de l'armée canadienne — et les 40 000 non Autochtones qui résident à proximité des territoires touchés, expriment clairement qu'ils ne veulent rien savoir de la militarisation du territoire et de sa destruction écologique.

Nous devrons leur exprimer clairement qu'à partir de ce qu'ils entendront ici au cours des prochaines semaines, de ce qu'ils auront constaté depuis qu'ils sont dans ce dossier, des attentes qu'ils auront soulevées dans les populations autochtones, qui mettent beaucoup d'espoir dans cette commission parce qu'elle est leur seul moyen de défense contre le gouvernement canadien, l'armée canadienne et l'OTAN, qui refusent systématiquement de nous entendre, des dangers évidents soulignés par les spécialistes de l'environnement et enfin à la suite des nombreuses questions sans réponse, les commissaires doivent exiger un changement de mandat qui leur permettra de dire non à un tel projet si la vie des habitants de ces régions est en danger, si l'environnement est véritablement menacé et si les promesses faites, comme développement économique ou autres, ne font pas le poids à côté des inconvénients.

Nous devrons leur faire voir qu'ils peuvent se servir des règlements du gouvernement du Canada sur le travail d'évaluation d'un projet à incidences environnementales:

> *Le processus d'évaluation et d'examen en matière d'environnement est la procédure établie par le gouvernement du Canada pour voir à ce que les incidences environnementales et sociales des travaux, activités et programmes fédéraux projetés sont déterminés d'avance afin qu'on puisse tenir compte des facteurs environnementaux et sociaux au cours de la planification.*

Dans le cas présent, il ne fait aucun doute que les incidences environnementales n'ont pas été déterminées à l'avance comme le mentionne la procédure fédérale. Particulièrement dans le cas du Labrador et de la Basse Côte-Nord où les manœuvres aériennes se déroulent depuis 1979.

Nous croyons, et nous le ferons ressortir de nos interventions, que la commission peut donc s'interroger sérieusement sur la légitimité du mandat confié d'autant plus qu'il ne correspond pas aux directives gouvernementales habituelles dans de tels cas et demander au ministre de l'Environnement, au ministre de l'Expansion industrielle, au ministre des Affaires indiennes et du Nord du Canada, au ministre des Relations extérieures, au ministre des Transports, au ministre des Travaux publics, au ministre de la Santé nationale et au premier ministre du Canada — des personnes qui se cachent derrière le tout-puissant ministre de la Défense nationale, considéré comme un intouchable — comment il serait logiquement possible de tenir compte des facteurs environnementaux et sociaux au cours de la planification alors qu'on en est rendu au stade des réalisations du projet: ententes bilatérales avec plusieurs pays membres de l'OTAN pour des vols à basse altitude et zone de tir au sud du lac Minipi.

Donc, en toute logique, le gouvernement fédéral doit modifier ou redéfinir le mandat de cette commission pour qu'il soit en accord avec la réalité. C'est donc tout à fait normal que les commissaires demandent une nouvelle définition de ce mandat en profitant de cette circonstance pour y inclure les possibilités de jouer un rôle véritable pour la société canadienne et non pas simplement servir de gilet pare-balles pour l'armée canadienne.

Comme nous le soulignerons à plusieurs reprises dans nos interventions, si les commissaires veulent être pris au sérieux, ils devront immédiatement exiger que le gouvernement canadien décrète un moratoire sur les vols à basse altitude tant et aussi longtemps que les études d'impact n'auront pas été complétées et qu'ils ne seront pas moralement convaincus qu'il n'y a pas de danger pour la vie humaine et animale. Nous leur mentionnerons que, s'ils ne le font pas, l'histoire leur reprochera leur inconséquence. On dira simplement d'eux qu'ils ont été les marionnettes de l'armée canadienne.

Nous devrons insister sur le fait qu'il nous apparaît totalement inacceptable que le gouvernement canadien continue à encourager ces vols à basse altitude alors qu'il est assis à une table de négociations territoriales dont l'enjeu est la «recouvrance» de ce territoire ancestral.

Comment pourrions-nous le croire sincère alors qu'il permet un développement majeur et incontrôlé sur les territoires revendiqués qui pourrait détruire à tout jamais les activités traditionnelles de chasse, de pêche et de cueillette des Montagnais?

Avec nous, les commissaires devront se demander comment on peut permettre un tel développement destructeur et en même temps reconnaître tacitement que les Montagnais ont des droits fonciers de premiers occupants et en négocier la définition avec eux?

Comme nous, ils trouveront pour le moins curieux que le gouvernement canadien prenne un risque majeur en permettant ces vols à basse altitude alors qu'aucune étude sérieuse n'a encore démontré qu'il n'y avait pas de danger pour les êtres humains qui habitent ce territoire.

Le fait que les études d'impact sérieuses n'aient pas encore été complétées est une autre raison majeure selon nous pour que le gouvernement canadien décrète immédiatement un moratoire sur les vols à basse altitude.

On pourra même leur demander pourquoi ils n'avaient pas exigé ce moratoire avant de commencer leur travail puisqu'ils ne connaissent pas l'ampleur négative de tels vols sur les populations qui habitent ces territoires.

Il faudrait leur dire clairement que camoufler par leur cautionnement de tels dangers est un bien grand risque qu'ils prennent et qu'ils pourraient plus tard regretter. Il serait trop facile pour eux de se contenter d'être de simples «officiers rapporteurs» qui viennent nous rencontrer pour connaître notre opinion sur ce dossier majeur.

En fait, quand ils mentionnent qu'ils désirent savoir ce qu'on en pense, ils devraient plutôt dire qu'ils veulent se donner bonne conscience pour pouvoir mentionner, probablement aux dirigeants de l'OTAN, que les populations indigènes ont été consultées sur cette question.

Nous devrons leur faire part qu'en exigeant un moratoire, les commissaires iront alors dans le sens du Comité fédéral permanent de l'environnement et des forêts qui a demandé, au ministre de la Défense nationale, en juin 1986, dans un rapport appuyant l'idée d'un moratoire, d'arrêter immédiatement ces vols à basse altitude:

> *Le ministre de la Défense nationale devrait mettre fin immédiatement à tous les vols militaires en rase-mottes au-dessus de la Côte-Nord et du Labrador. Le ministre devrait faire évaluer les répercussions de tels vols sur l'environnement dans ces régions et ce dans les plus brefs délais.*

Ils appuieront aussi une lettre du président du Conseil Attikamek-Montagnais, monsieur Gaston McKenzie, envoyée au premier ministre du Canada et alors député du comté où se passent les vols à basse altitude, monsieur Brian Mulroney. Cette lettre souligne aussi que nous sommes en pleines négociations territoriales et qu'un tel développement hypothèque sérieusement notre territoire ancestral que nous voulons faire reconnaître comme terre montagnaise autonome.

Nous pourrons aussi vous ajouter que tous les groupements, membres d'une coalition, nous appuient dans notre lutte pour faire cesser ces vols à basse altitude: la Conférence des évêques, la Commission des droits et libertés, la Confédération des syndicats nationaux, la Fédération des travailleurs du Québec, la Centrale de l'enseignement du Québec. Une quarantaine de groupes environnementaux et pacifistes exigent aussi ce moratoire.

C'est donc vous dire à quel point plusieurs Canadiens seront derrière les commissaires pour les appuyer face à leur demande de changement de mandat et du moratoire des vols à basse altitude qui devrait l'accompagner.

Nous devrons aussi les avertir que nous allons tout faire pour que le ministère de l'Environnement du Québec fasse sa propre étude environnementale. Nous croyons que ce ministère québécois ne peut plus continuer à jouer à l'autruche et laisser l'armée canadienne détruire impunément une partie importante du territoire qu'ils ont temporairement en main et qu'ils devront remettre aux Montagnais le plus indemne possible, d'autant plus que la commission fédérale ne semble pas avoir le mandat d'y changer quoi que ce soit.

Les dés seraient peut-être moins pipés avec le gouvernement québécois?

En terminant, nous devrons remercier les représentants de cette commission de nous avoir permis de déposer ce que nous croyons être utile à l'éclaircissement de ce dossier déjà passablement ambigu. Nous l'aurons fait d'une façon honnête et sans fard pour que les commissaires comprennent bien notre sentiment. Il faudra espérer que les mots employés ne les auront pas blessés personnellement. Ils ne s'adresseront jamais à eux comme individus, mais simplement à ce qu'ils représentent comme membres d'une telle commission. Nous parlerons d'abondance parce que nous croyons sincèrement que cette commission pourrait avoir un rôle déterminant dans la poursuite de ce dossier si les commissaires en décidaient ainsi.

Puisque le gouvernement fédéral, par la voix de son ministre de la Défense nationale, qui nous dit que ce projet va se réaliser malgré les opposants, et par le silence éloquent du premier ministre Brian Mulroney, député du comté concerné à ce moment-là, qui n'ose même pas se prononcer, ne semble pas vouloir nous écouter, il nous reste cette commission et l'opinion publique.

C'est pour cette raison que nous demanderons aux commissaires de nous répondre franchement après une étude sérieuse sur notre demande de moratoire.

Cette question est cruciale pour nous dans la stratégie que nous devons rapidement élaborer. Nous ne pouvons plus, à ce stade-ci, nous permettre d'attendre bien longtemps puisque l'OTAN doit prendre une décision rapidement.

Pendant que nous palabrerons devant une commission probablement bidon — nous avons besoin d'être convaincus du contraire et la réponse à notre demande de moratoire sera un indice sérieux —, le ministre de la Défense nationale, et l'Armée canadienne font du lobbying auprès des alliés et l'OTAN avec certains résultats et surtout sans opposition pour vendre leur projet. On convainc pays par pays, membres de l'OTAN, à venir au Canada et ensuite on nous dira qu'il est trop tard pour changer quoi que ce soit à cause des engagements pris préalablement.

Nous leur soulignerons que nous savons à quel point le travail des commissaires est important, qu'ils ont un rôle majeur et délicat, qu'ils sont placés entre l'arbre et l'écorce et que le travail qu'on leur a demandé a ses limites.

Nous savons que les enjeux sont énormes et que nous nous attaquons à un très gros morceau. Nous savons que les décisions du gouvernement du Canada sont prises. Nous savons que les petits Montagnais ne pèsent pas lourd contre les généraux de l'armée canadienne. Nous savons que l'on nous considère comme des moins que rien. Nous savons que l'on nous décrit comme des «empêcheurs-de-tourner-en-rond».

Cependant, nous osons croire que l'honnêteté des commissaires va réussir à dominer sur les embûches. Nous espérons que ces derniers ne se laisseront pas bâillonner par qui que ce soit, que leur objectivité sera plus forte que les intérêts obscurs de l'armée canadienne et que leur sens des responsabilités ne permettra pas que l'on continue à bafouer toute logique. Nous leur ferons percevoir qu'ils ont intérêt à se porter à la défense des plus démunis dans ce dossier, qu'ils peuvent alerter l'opinion publique en dénonçant les manières cavalières de l'armée canadienne et qu'ils doivent dire au gouvernement fédéral qu'ils (les commissaires) ne sont pas des marionnettes que l'on manipule au gré et à la fantaisie de tout-puissants.

Nous leurs dirons franchement qu'ils perdront peut-être des contrats du gouvernement fédéral et que leur carrière de commissaire aura eu une courte durée, mais qu'ils gagneront l'estime des Canadiens car ils auront accompli leur devoir, sans influence indue de qui que ce soit.

Ça, c'est inestimable.

Un témoignage qui fait réfléchir

Avant de passer aux témoignages des gens de la communauté qui ont vécu certaines expériences désagréables de vols à basse altitude, le chef de Schefferville témoignera en faisant un historique du développement de cette communauté montagnaise. Il soulignera entre autres que le développement de la ville minière et l'augmentation des travailleurs non indiens ont accentué la dépendance des familles montagnaises et leur aliénation du territoire traditionnel.

Il précisera que les Montagnais ont dû se battre pour résister aux différentes tentatives de relocalisation parce que, d'un endroit à l'autre, ils finissaient toujours par nuire aux développements en cours. Sans compétence valable pour se défendre dans ce combat inégal, les Montagnais n'étaient désormais plus chez eux. Ils étaient devenus en quelque sorte inutiles et nuisibles. Le ministère des Affaires indiennes et du Nord du Canada exerça des pressions pour que les familles présentes se dispersent vers d'autres réserves indiennes. Environ 300 personnes ont cependant pris la décision de rester alors qu'ils étaient plus de 500 vers le milieu des années 50.

Le chef Alexandre McKenzie dira aux commissaires que, même si le mode de vie familiale est présentement déstabilisé, les activités de chasse, de pêche et de trappe sont encore pratiquées par la majorité des Montagnais.

La pratique de ces activités a changé au cours des années, mais les récoltes fauniques saisonnières, en particulier la chasse au caribou, assurent toujours l'alimentation de base des familles.

Selon le chef, ces récoltes fauniques constituent un apport économique important pour les Montagnais; d'autant plus que le marché du travail s'est à peu près fermé complètement depuis 1983. La croissance des troupeaux de caribous au cours des dernières années apparaît être l'un des principaux débouchés économiques restant pour la communauté montagnaise.

Sur le projet des vols à basse altitude, le chef soulignera que ce serait une traîtrise énorme envers les ancêtres que de permettre à ces avions de venir détruire la quiétude de la nature. Ce serait aussi faire preuve d'une grande irresponsabilité envers nos enfants et nos petits-enfants que d'abandonner nos territoires aux activités des militaires.

Voilà, en résumé, ce que devront contenir nos interventions.

Elles seront complétées par les témoignages vécus des chasseurs et des membres de leur famille qui ont été surpris par ces «oiseaux migrateurs de malheur» qui les survolent à cent pieds d'altitude lorsqu'ils font du canot sur un lac. Les femmes et les enfants raconteront aux commissaires leur frayeur au moment où ils vécurent l'apparition soudaine de la cime des arbres de ces monstres de fer qui font un bruit infernal et qui crachent le feu. Elles relateront les nuits blanches passées à consoler leurs enfants angoissés par une telle expérience. Cette jeune femme qui, en fuyant à la course les lieux de passage de plusieurs avions à basse altitude, est tombée en butant contre une pierre viendra raconter qu'elle a perdu cet enfant qu'elle aurait bien aimé avoir avec elle aujourd'hui.

Pour ceux qui pourraient avoir à l'esprit que les commentaires de ces Montagnais sont exagérés, nous citerons le témoignage d'un des membres du Comité permanent des affaires autochtones, monsieur Keith Penner, fait au cours d'une réunion d'un comité ministériel, le 12 juin 1986.

Monsieur Penner a raconté son expérience personnelle des vols militaires à basse altitude. Monsieur Penner n'est pas un Montagnais, ni le député de la Basse Côte-Nord. Le député de la Basse Côte-Nord, comme on le sait, est notre illustre premier ministre du Canada, monsieur Brian Mulroney, le p'tit gars de la Côte-Nord, qui, entre parenthèses, est terriblement silencieux sur ce dossier important pour ses électeurs.

Voici donc ce que monsieur Penner a raconté:

J'ai une anecdote pour vous, une blague, si vous le permettez, Mnsieur le Président.

Il y a un an environ, je faisais du pouce dans une des régions les plus isolées du monde, au nord du Pays de Galles, sur le mont Snowdon, et un jet est venu d'on ne sait où, m'a passé au-dessus de la tête en rase-mottes. Je dois vous dire que le caucus libéral a failli perdre un de ses membres. J'étais terrorisé et j'ai failli perdre la vie sur les flancs du mont Snowdon.

Je n'ai eu aucun avertissement. J'en ris maintenant parce que cela remonte à un an. Mais, à l'époque, je puis vous assurer que je ne riais pas. J'étais écrasé contre le sol, tremblant de tous mes membres. Je sympathise donc avec les Innu qui ont eu cette expérience alors qu'ils étaient à la chasse, la pêche ou en train de piéger. Ce n'est pas le genre d'expérience qu'on aimerait avoir deux fois dans son existence.

Un tel témoignage totalement impartial à lui seul devrait en faire réfléchir plus d'un.

Plusieurs autres témoignages aussi percutants de membres de la Chambre des communes ont invité le gouvernement fédéral à être prudent dans ce dossier de militarisation de ce coin de terre.

Puisque l'on a tendance à nous dire que les Terre-Neuviens sont aveuglément favorables à ce projet de l'armée canadienne à cause du développement économique que favoriserait une base militaire à Goose Bay, nous citerons aux commissaires des parties importantes de la déclaration du député provincial G. Long, de Terre-Neuve, lors des débats du Comité mixte spécial du Sénat et de la Chambre des communes sur les relations extérieures du Canada, le 23 janvier 1986.

J'en profite, déclarait-il, pour manifester notre irritation suscitée par notre impuissance, l'absence de dialogue ou de consultation, devant une présence militaire croissante (...)

La militarisation du Labrador va s'accentuer, bien au-delà des vols à basse altitude, si le contrat en question est accordé et réalisé (...)

Dans le fond, je pense qu'il s'agit d'une façon bien commode et bon marché que prennent les gouvernements, fédéral et provinciaux, pour tenter d'atténuer temporairement des problèmes socio-économiques qui frappent une région nordique éloignée (...)

Comme je l'ai précisé, on ne s'est pas inquiété des aspects sociaux, écologiques, économiques ou des autres effets possibles de ces aménagements (...)

Voilà donc le témoignage sincère d'un «empêcheur-de-tourner-en-rond» dans ce dossier bien vendu avec des moyens financiers énormes par l'armée canadienne et le gouvernement fédéral dans la province de Terre-Neuve.

Nous ouvrirons une parenthèse pour démontrer à quel point les gens favorables au dossier sont favorisés par le gouvernement fédéral sur tous les points et surtout sur celui important du financement des opérations de mise en marché de leur position.

Nous oublierons ici les centaines de milliers de dollars investis par l'armée canadienne pour vendre ce projet, ce qui est déjà honteux, pour uniquement souligner les inégalités directes et l'injustice flagrante causées par le gouvernement fédéral et ses porte-parole.

Lors des délibérations du Comité permanent des affaires autochtones et du développement du Nord en mai et en juin 1986, la question du financement de certains organismes concernés par les manœuvres aériennes militaires a été soulevée. Il fut alors confirmé par monsieur Neil Overend, sous-ministre adjoint intérimaire au ministère des Affaires indiennes et du Nord, que ce ministère ne finance pas les Autochtones dans leurs activités d'opposition aux manœuvres militaires. Ce qui fut d'ailleurs confirmé par un conseiller de la communauté de La Romaine, monsieur Guy Bellefleur.

En même temps, les membres du comité apprenaient que le ministre de la Justice d'alors, monsieur Crosbie, avait accordé:

> (...) des subsides de 150 000 $ à la ville de Happy Valley, Goose Bay, afin de leur permettre d'engager les services d'un attaché de projet et d'un assitant à la recherche pour les 18 prochains mois, dans ce but précis.

Plus tard, au mois d'octobre 1987, encore une fois sous le patronage de monsieur Crosbie, on versait à cette même ville un demi-million de dollars pour les mêmes objectifs de propagande.

Ce comité a aussi permis de savoir que le journal local Them Days a également reçu 10 000 $ pour réaliser un numéro spécial sur la base à partir de témoignages d'Américains qui ont vécu l'expérience des vols à basse altitude. Curieusement, on a oublié les témoignages de personnes ou de groupes qui auraient pu se prononcer contre ces vols à basse altitude. Ce document constitue indirectement un élément de promotion de la base.

Par contre, le Conseil Attikamek-Montagnais a dû utiliser des ressources et de l'argent qui devait être affecté à autre chose pour préparer ses dossiers.

Notons que les préoccupations des Montagnais ont été jusqu'à maintenant présentées, sans résultats d'ailleurs, au gouvernement fédéral, par la voie:

1. du Comité permanent des affaires autochtones et du développement du Nord de la Chambre des communes, le 23 mai et le 12 juin 1986;

2. du Comité mixte spécial du Sénat et de la Chambre des communes sur les relations extérieures du Canada, le 23 janvier 1986;
3. du Comité spécial du Sénat sur la défense nationale, le 24 octobre 1985;
4. du Comité permanent de la défense nationale de la Chambre des communes, les 15 avril, 24 avril, 5 mai et 2 juin 1986;
5. **du** Comité permanent de l'environnement et des forêts de la Chambre des communes, le 18 juin 1986 et le 23 octobre 1985.

Comme vous pouvez le constater, les efforts n'ont pas manqué et ce sans aucun appui financier direct du gouvernement fédéral pour ce projet précis. Ce que l'on peut y retirer comme leçon, c'est que le partage prôné par les Blancs dans ce dossier est celui que nous vivons depuis de nombreuses années: Un œuf de moyak contre un caribou. Je n'ai pas besoin de vous dire que l'œuf est pour nous...

Avant de conclure, il nous faudra attirer l'attention des commissaires sur les nombreuses contradictions des défenseurs des vols à basse altitude à tout prix à la suite des résultats des études écologiques qui ont permis au ministère de la Défense nationale du Canada de conclure qu'il n'y aurait pas de problèmes pour l'environnement.

Pour faire cette démonstration, nous citerons les propos du ministre de la Défense nationale d'alors, monsieur Harvie André, au cours des délibérations du Comité spécial du Sénat sur la défense nationale, le 24 octobre 1985, et du Comité permanent de la défense nationale de la Chambre des communes, le 2 juin 1986:

> *Une évaluation écologique déjà effectuée indique que les conséquences environnementales seraient minimes (...) Les inconvénients du bruit et autres peuvent être atténués appréciablement. Ils ne toucheraient qu'une poignée d'individus.*

D'autre part, le lieutenant-général Manson répondait de la façon suivante à une question sur les mêmes études écologiques:

> *Je sais qu'une étude des retombées environnementales des vols à basse altitude dans la région de Goose Bay a été effectuée il y a plusieurs années. Si mes souvenirs sont bons, les résultats de l'étude ont révélé que ces vols à basse altitude causaient des torts réels à l'environnement.*

Qui croire ?

Deux informations contradictoires sur le même sujet par des personnes qui connaissaient sûrement les vraies réponses. Puisqu'un des deux intervenants parle de torts réels alors que l'autre y voit tout juste des conséquences minimes, il faut se rendre à l'évidence que l'un des deux ment. Pourquoi?

Là où vit le gibier se trouve le Montagnais

Il était deux heures du matin lorsque les Montagnais terminèrent cette réunion.

Ils avaient passé à travers presque tout le dossier et étaient convaincus d'avoir fait un travail sérieux de préparation. Par contre, n'étant pas habitués à ce genre de labeur, ils avaient dû mettre des efforts considérables pour arriver à saisir la portée du dossier et surtout à bien se préparer à le défendre.

Transie par l'humidité, par la fraîcheur et par l'inaction pendant de longues heures, Francine alla rapidement rejoindre Antoine à la porte de la salle communautaire.

Surpris de la voir à une heure aussi tardive, Antoine lui demanda la raison de sa venue pour le rejoindre. Francine lui raconta qu'elle avait passé la grande soirée accroupie près d'une fenêtre à suivre la réunion.

Ils marchèrent alors côte à côte lentement en discutant de cette fameuse commission environnementale qui allait siéger demain et après-demain.

Comme Francine ne réussissait pas à se réchauffer et tremblotait de plus en plus, Antoine lui mit sa grosse chemise de chasse sur les épaules. Arrivés à la maison, ils prirent tous les deux une grande tasse de thé bien chaud avant d'aller se coucher.

Le surlendemain, à la fin de deux jours intenses de témoignages des uns comme des autres dans le même sens qu'on avait préparé ces interventions, Antoine, au cours d'un long discours de plus de trois heures dans le style des anciens orateurs autochtones, a raconté la vie des Montagnais de La Romaine aux commissaires.

— ... Au cours de la saison estivale, venait à chaque été à Musquaro un missionnaire pour évangéliser les Montagnais de Mingan, de Natashquan, de La Romaine et de Saint-Augustin. Cette période de prières et de pratiques religieuses durait d'une à deux semaines. L'homme de Dieu en profitait alors pour célébrer les mariages et baptiser les enfants nés sur le territoire au cours de l'année.

Les groupes retournaient ensuite à leur campement de plusieurs familles montagnaises pour travailler à la préparation du grand départ pour la chasse à l'automne.

Le Montagnais qui vit dans le temps présent songe souvent à la vie des ancêtres sur le territoire. Il s'interroge sur les effets nuisibles des vols à basse altitude sur ce territoire où jadis les Montagnais s'épanouissaient dans la paix et la tranquillité.

Les ancêtres revenaient de leur territoire de chasse pendant la saison estivale pour passer quelques mois près de la mer. Au cours de cette courte période, ils pêchaient pour se nourrir, eux et leur famille. Ils s'installaient alors avec les autres sur les bords de la rivière Olomen pour y pêcher le saumon qu'ils partageaient entre eux. C'est au moyen d'harpons-tridents, «fouènes», puis de filets, que les Montagnais ont toujours capturé leurs saumons.

En revenant de la pêche comme ça se fait encore aujourd'hui, les Montagnais partageaient le fruit de leur travail avec les membres de leur communauté. Lorsqu'ils en prenaient abondamment, les Montagnais festoyaient au cours d'un «makusham» comme nous l'avons fait avec vous hier soir dans cette salle.

La rivière Olomen, qui est une des voies de communication des plus fréquentées par les Montagnais de la Basse Côte-Nord, remonte très profondément sur les territoires de chasse.

Sur le territoire, on pêche la truite, le poisson blanc qu'on appelle corégone et plusieurs autres espèces. À la mer, c'est principalement le homard qui nous intéresse.

Un peu plus tard au printemps, encore sur la côte, nous chasserons l'outarde, la moyak — canard sauvage — et plusieurs autres espèces d'oiseaux migrateurs. Nous y ferons aussi la cueillette des œufs de goélands et de moyaks.

Quand ils étaient au bord de la côte, les ancêtres montagnais remplaçaient leurs vieux canots qu'ils avaient dû abandonner sur le territoire de chasse, leurs rames, leurs tentes, leurs vêtements, etc.

Les canots ont toujours été et sont encore aujourd'hui d'une très grande importance pour les Montagnais qui ont à se déplacer sur un vaste territoire. Ils constituent un outil indispensable pour la pratique de ces activités traditionnelles de chasse et de pêche pour subvenir aux besoins familiaux de nourriture. Les canots sont fabriqués de matériaux de bois coupés sur les territoires ancestraux.

Après la construction de ces canots et avant le grand départ pour la chasse, les Montagnais participent à une grandiose procession où le curé bénit différents objets qui leur serviront pendant l'excursion. Ce dernier rassemblement est surtout une cérémonie religieuse consacrée à la prière.

Les préparatifs du départ des chasseurs pour leur territoire ont toujours occupé une partie importante de la vie des Montagnais. Ils utilisent cette période de temps pour obtenir des crédits et des avances de fonds nécessaires à l'achat d'équipement. Cet argent est dépensé pour se procurer des pièges, des cartouches, des vêtements, des provisions de base, telles la farine, la poudre à pâte, le sel, la graisse, etc., à l'exception des aliments en boîtes de conserve. Les Montagnais n'ont pas besoin de ces aliments en boîtes puisque la nourriture est encore abondante et délicieuse sur le territoire.

Ce sont la Compagnie de la baie d'Hudson et quelques Blancs de la région qui accordent les avances contre remboursements ultérieurs en fourrures.

Ces préparatifs ont lieu vers le début du mois d'août.

Cette période estivale de repos pour les chasseurs et leur famille, dans la tranquillité, au bord de la mer, aura permis aux animaux de se reproduire en paix pour ensuite supporter une chasse plus abondante la saison venue.

Au moment du départ, à la mi-août, les Montagnais ont la «bougeotte». Ils sont impatients de se retrouver à nouveau dans leur paradis terrestre.

Aujourd'hui, pour aller plus rapidement, tout en profitant de certains avantages de la modernisation, les Montagnais se rendent souvent sur leur territoire de chasse en avion. Nous sommes cependant soucieux en imaginant les accidents que pourraient causer les vols à basse altitude. De tels accidents, par les pertes humaines encourues, chez les Montagnais qui sont déjà peu nombreux, seraient catastrophiques.

Lors de ces vols, du haut des airs, nous pouvons constater toute la merveilleuse splendeur de ce pays montagnais que la pollution n'a presque pas encore atteint. Nous pouvons vérifier à quel point ces lieux où nos ancêtres ont toujours vécu librement sans frontières sont immenses. Comment pourrions-nous, un instant, songer à abandonner cette merveilleuse et inestimable richesse?

Ce serait un crime que les anciens ne nous pardonneraient jamais.

Nous continuerons à vivre dans ces endroits et nous nous battrons pour sauvegarder ce territoire, notre seule richesse.

Par tous les nombreux campements de tentes indiennes, nous témoignons de notre présence sur le territoire depuis des temps immémoriaux. Que ce soit en automne, en hiver, au printemps ou en été, les Montagnais occupent les territoires ancestraux.

Cette terre nous donne de la nourriture, de l'eau pure pour boire et des remèdes pour nous soigner. Ce même territoire nous permet de nous chauffer et nous fournit du bois pour la fabrication de nos raquettes, de nos canots et de nos outils. Toutes ces richesses que nous procure le territoire ancestral, nous voulons les conserver intactes.

Tel que vous pouvez le constater, nous occupons dans toute son étendue ce territoire survolé par les avions des armées de l'OTAN.

C'est là aussi que les Montagnais chassent les caribous pour se nourrir et pratiquent leurs autres activités traditionnelles, transmises de génération en génération.

Ils ne veulent pas prendre le risque que ces vols militaires, par leurs déchets, détruisent ce garde-manger riche en nourriture de toutes sortes. On sait que les anciens ont toujours aimé se nourrir d'aliments frais.

Messieurs les commisaires, si vous me le permettez, pour vous démontrer à quel point cet entrepôt est menacé par les vols à basse altitude, je vais vous répéter l'histoire qu'un pilote de brousse de la Basse Côte-Nord m'a racontée.

D'ailleurs, s'il avait été dans le secteur, il serait sûrement venu le faire lui-même.

Un jour, alors qu'il volait sur le territoire dans un petit avion à quelques centaines de pieds d'altitude, il a été survolé par quatre jets qui passaient à une vitesse vertigineuse. Au même intant, il fut arrosé par une pluie d'huile qui l'a obligé à mettre en marche les essuie-glace de son avion pour pouvoir voir à travers les vitres.

C'est donc vous dire à quel point les quelque 7 000 vols de pratique par année arrosent nos territoires ancestraux de déchets polluants qui risquent de détruire à tout jamais la vie végétale et animale.

Maintenant, revenons, si vous le voulez bien, à la suite de mon intervention.

Une fois rendus aux endroits désirés, comme le faisaient nos ancêtres, nous commençons à faire la chasse au caribou. Ces anciens nous ont fait découvrir plusieurs endroits où nous pouvions chasser en abondance cette bête magnifique. Le caribou est essentiel pour fabriquer nos outils, nos raquettes, nos manteaux, nos mocassins, nos tambours. Nous utilisons aussi, en grande quantité, la graisse de caribou.

Tout le monde est très actif dans le bois et l'âge n'a pas d'importance.

Á tous les jours, les Montagnais doivent renouveler leurs provisions de nourriture pour avoir de la viande fraîche: caribou, perdrix, lièvre, castor, etc. Ils ne veulent pas que la viande qu'ils mangent soit avariée.

Les Montagnais croient fermement que s'ils ne protègent pas leur territoire, la pollution aura vite tout détruit comme cela se passe dans les grandes régions urbanisées des Blancs. Les animaux de la forêt ne seront plus une nourriture saine pour leur famille. Par exemple, ils ne peuvent plus maintenant manger la viande des ours qui ont vécu autour des villes des Blancs et qui se sont nourris de déchets dans leurs dépotoirs. Elle est empoisonnée.

Les Montagnais ont donc toujours à l'esprit de protéger la forêt qui est leur principale source de subsistance. C'est pour cette raison que la menace des vols à basse altitude est pour nous un désastre. Cela nous atteint au plus profond de nous-mêmes. Nous nous sentons brimés dans notre vie traditionnelle. Le gaz, la fumée et le bruit que font les avions militaires détruisent la vie animale, donc atteignent en plein cœur notre façon de vivre.

En arrivant sur leur territoire de chasse, les Montagnais établissent un campement temporaire qui les protégera des intempéries et leur permettra de découvrir plus sûrement l'endroit idéal pour y passer la période de chasse.

Après avoir découvert cet endroit, il dresseront définitivement leurs tentes. Ils couperont ensuite des branches de sapin qui seront placées à l'intérieur des tentes. L'arôme du sapin aide les poumons à bien respirer.

Si les avions détruisent ces sapins, ce sera une perte irréparable qui nuira considérablement à la santé des Montagnais.

Les campements de chasse sont constitués de trois ou quatre familles. Les grands-parents font aussi partie de ces campements familiaux. Ils sont d'une très grande utilité sur les territoires. Ce sont eux qui transmettent, par l'enseignement oral, les principes de vie aux plus jeunes. Ils leur racontent les légendes amérindiennes qui soulignent toujours le respect de la nature, des animaux et de l'être humain. C'est de cette façon que les Montagnais ont toujours développé leurs connaissances et ouvert leur intelligence. Les légendes disent aussi que celui qui ne respecte pas la nature a beaucoup de mal à trouver de la nourriture. Les vieux expliquent aux jeunes que tout ce qu'ils prennent, ils doivent le partager avec les autres familles qui les accompagnent. Les Montagnais d'aujourd'hui continuent toujours à éduquer leurs enfants comme leur ont enseigné leurs parents.

Les anciens soignent les enfants lorsqu'ils sont malades en trouvant dans la forêt toutes sortes de plantes qui servent de base pour les médicaments. C'est une autre des nombreuses raisons qui font que les Montagnais ont un attachement si ferme pour leur territoire. Ils utilisent ce qu'il contient pour guérir leurs malades.

Les sages, les aînés, ont toujours été là et le sont encore aujourd'hui pour aider leurs fils et les chefs de groupe à trouver les endroits intéressants où chasser pour les besoins de la famille.

Quand vient le moment de la trappe, les chasseurs montagnais doivent laisser les membres de leur famille au campement principal pour aller plus loin dans le bois visiter les pièges. Les chasseurs sont obligés de tendre leurs pièges au moment où la fourrure des animaux est la plus belle. Ils en récolteront un meilleur prix lors de la vente. Lorsque le Montagnais pose ses pièges, il se sert de tout ce qui est disponible dans la forêt, comme le bois pour les fabriquer et le sapin pour les camoufler.

Présentement inquiets, les chasseurs ne peuvent plus s'éloigner du campement principal. Ils craignent que les avions militaires viennent soudainement et fassent peur aux membres de leur famille. Le bruit des avions dérange la quiétude des enfants et des aînés. La femme aussi est toujours inquiète parce que les vols militaires changent ses habitudes de travail quotidien qui traditionnellement a toujours été de préparer la nourriture pour la famille. Á cause de la peur des vols à basse altitude, les femmes ne vont plus à la chasse au lièvre, à la perdrix et même au caribou. Tout cela nuit considérablement aux résultats de la chasse.

Les ancêtres enseignent aussi les techniques de séchage des fourrures. Comme artisanes, les Montagnaises se servent d'outils simples pour faire ce travail. Les moules de bois seront utilisés pour faire le séchage. Elles n'aiment pas les instruments mécaniques. Ce sont les femmes qui sont les spécialistes du traitement des fourrures.

Les Montagnais placent toutes les peaux de fourrure ensemble dans leur tente, conservant ainsi précieusement la richesse de leur labeur. Ils le font aussi par respect pour l'animal abattu.

Au moment où le temps froid arrive, les préparatifs de départ du camp principal d'automne s'organisent. Ils consistent principalement à la fabrication des vêtements chauds, des raquettes, des traîneaux et toutes les autres choses qui sont utiles en l'hiver. L'équipement et surtout les pièges qui appartiennent en grande partie au chef du groupe sont accrochés à un arbre ou déposés sur un échafaudage. Les Montagnais n'ont pas peur du vol.

Les canots sont laissés sur place ou rapportés selon l'état des cours d'eau au moment du départ.

La majorité des groupes se dirige alors vers la côte du golfe du Saint-Laurent, plus précisément à La Romaine, pour la vente de la fourrure des animaux abattus et l'achat de provisions de base. Ceux qui fréquentent les territoires plus au nord vont cependant s'approvisionner à Northwest River, ou Goose Bay pour les Terres-Neuviens.

Le retour vers la côte coïncide aussi avec le début des grands froids d'hiver. On revient surtout pour se réapprovisionner.

Avant que la réserve existe, les chasseurs des différents groupes aménageaient leur terrain de campement dans un rayon de quelque 25 milles de la côte au nord de La Romaine. Ils le faisaient pour être le plus près possible du poste de la Compagnie de la Baie d'Hudson pour vendre leurs fourrures et acheter leurs provisions. L'approvisionnement à La Romaine se faisait alors à deux ou trois reprises pendant l'hiver à partir du camp occupé par les familles. La localisation de ce camp temporaire pouvait aussi changer selon les besoin de la chasse d'hiver.

La chasse au caribou et le piégeage des animaux à fourrure constituaient les deux principaux types de chasse pratiquée par les hommes pendant l'hiver. Ces deux activités impliquaient des groupes de chasseurs différents et reposaient sur une organisation qui permettait de les alterner ou de les pratiquer concurremment. Les caribous abattus étaient alors distribués dans les familles des chasseurs du groupe selon leur nombre de personnes.

Au cours des déplacements du campement principal, la base de l'alimentation était surtout le petit gibier, tel la perdrix, le porc-épic, le lièvre et, à l'occasion, la perdrix blanche.

La pêche à la truite, au brochet, à la carpe et à la touladi, sous la glace, se pratiquait surtout au campement principal l'hiver. En plus des autres activités liées à l'organisation et au bon fonctionnement du camp principal, ce sont les femmes qui allaient souvent à la pêche sous la glace.

À l'arrivée du dégel qui marque le printemps, les déplacements et les activités de groupe devaient s'ajuster aux conditions changeantes de la glace et de la neige. La transition et les déplacements du camp principal à d'autres camps secondaires n'étaient pas uniformes sur le territoire à cause de certains cours d'eau.

Avec la débâcle des rivières et l'adoucissement du climat, les Montagnais établissaient les endroits de campements de plus en plus près de La Romaine. Cette progression s'étalait sur plusieurs semaines pour enfin arriver à la rivière Olomen, à La Romaine, avec la fin du printemps. Leur arrivée à l'embouchure de cette rivière coïncidait avec la montée du saumon.

Maintenant, messieurs les commissaires, si vous me le permettez, je vais vous faire l'historique du processus de sédentarisation des Montagnais de La Romaine.

Comme j'ai essayé de vous le décrire, les Montagnais de La Romaine ont toujours été des nomades. Chasseurs de caribou, les Montagnais suivaient les caribous. Les caribous changeaient de place, les Montagnais partaient eux aussi derrière eux.

Il en va de même pour les castors, les visons et les loup-cerviers.

Le territoire des Montagnais est donc aussi vaste que le territoire des caribous ou du gibier: un territoire sans limite et sans frontière.

Pour survivre chez les Montagnais, il fallait donc être nomade; être toujours à la recherche de la nourriture. Pour mieux vivre et surtout protéger les espèces, vient aussi la nécessité de se disperser sur un vaste territoire. Il ne faut pas être trop nombreux sur un lac ou sur le bord d'une rivière. Les Montagnais se rassemblaient seulement pendant l'été sur la côte près du magasin de la Compagnie de la Baie d'Hudson pour acheter les provisions d'hiver et obtenir les avances sur la vente des fourrures.

La Romaine est actuellement un petit village double de la côte, composé, d'une part, de maisons des Montagnais qui sont largement majoritaires et, d'autre part, de celles de pêcheurs blancs d'ascendance gaspésienne. Ces derniers ont donc toujours été plus intéressés par la mer, pour la pêche, que pour la chasse sur le territoire.

Les pêcheurs blancs ont ressenti l'intérêt de demander la création d'une réserve pour leurs voisins montagnais, non pas dans le but de protéger les Autochtones, mais bel et bien pour se protéger eux-mêmes.

Cette demande de création d'une réserve a été faite par un Blanc, un certain Guillemette, en 1944. Il désirait alors que les Montagnais soient confinés à une réserve parce que, selon lui, leurs chiens endommageaient les jardins et mangeaient les poissons en période de séchage. En plus, toujours selon ce dernier, les Montagnais attaquaient les Blancs. Il appréhendait aussi le fait que les vaches, que certains se proposaient d'amener à La Romaine, soient abattues par les Montagnais.

Un représentant du ministère des Affaires indiennes fit alors enquête et conclut que les affirmations de ce monsieur Guillemette étaient pour

le moins exagérées. Les chiens qui causaient des dommages appartenaient autant à des Blancs qu'à des Montagnais et les actes de violence
provenaient de part et d'autre. L'enquêteur terminait donc son rapport
en affirmant que si les Blancs laissaient les Montagnais tranquilles, les
plaintes disparaîtraient.

Cependant, sans raison évidente, le ministère des Affaires indiennes
a décidé d'acquiescer à la demande formulée et d'établir une réserve
pour mettre un terme aux différends entre les Montagnais et les Blancs
de La Romaine.

En 1949, le gouvernement a procédé à l'arpentage d'une réserve
montagnaise de 100 acres seulement pour une population de 180 personnes. Les gouvernements blancs étaient alors bien moins généreux pour
redonner une partie de leur territoire aux Autochtones qu'ils ne l'avaient
été quelques années auparavant avec les colons pendant la colonisation.
L'emplacement de la future réserve fut choisie par l'agent des Indiens, le
missionnaire et les Montagnais. Les terres furent achetées par la Couronne canadienne en 1955 et la réserve fut officiellement créée l'année
suivante. Présentement, les Montagnais sont au nombre de 675 et le
terrain est toujours de 100 acres.

C'est alors qu'a véritablement commencé la sédentarisation des
Autochtones de la Basse Côte-Nord.

Petit à petit, les Montagnais vont être forcés de rester sur place.
D'abord, en 1954, les quatre premières maisons ont été construites et on
a bâti le dispensaire. Ensuite, en 1955-1956, ce fut la construction de la
première école, l'école Saint-Alexis. Ce changement majeur va forcer les
femmes à rester à la réserve pour que les enfants puissent aller en classe
pendant que les hommes vont partir seuls sur le territoire de chasse.

Les habitudes de vie des Montagnais ont alors commencé à changer
du tout au tout.

Au cours de tout ce processus de sédentarisation, le gouvernement
fédéral a même essayé de réunir les deux groupes de Montagnais de
Saint-Augustin et de La Romaine. Sans aucune considération humaine
reliée au déracinement de ces familles, le gouvernement fédéral a simplement amené les gens de Saint-Augustin à La Romaine le 17 août 1961 pour
économiser de l'argent sur certains services.

Deux ans plus tard, le 13 avril 1963, n'en pouvant plus de vivre en
exil, le groupe de Montagnais déportés repartait à pied pour Saint-
Augustin. Il étaient alors 65.

Pour rendre la sédentarisation encore plus complète, on a même
essayé en 1961 d'introduire la pêche commerciale à la morue. Les fonctionnaires fédéraux avaient tout bonnement décidé, sans sortir de leur
bureau à Ottawa, que les Montagnais deviendraient des pêcheurs en
haute mer. Ils avaient fait en sorte de les équiper pour pratiquer ce
métier.

On voulait ainsi nous déraciner du territoire ancestral.

Ils avaient malheureusement oublié entre autres choses que les Montagnais ont peur de la haute mer...

En 1967, surviennent d'autres changements majeurs qui favorisent la sédentarisation: la construction de l'école mixte Olomen, de la station d'Hydro-Québec et de celle de Québec-Téléphone.

Le nombre de motoneiges augmente au village et, en 1970, arrive la télévision.

Malgré tout cela, les Montagnais continuent de fréquenter leur territoire de chasse.

L'arrivée de la radio communautaire des Montagnais va amener un événement majeur et heureux: l'avènement des postes émetteurs et récepteurs remis aux chasseurs. Ce moyen de communication moderne va avoir une influence considérable sur le nombre de chasseurs à reprendre encore plus activement la pratique de cette activité traditionnelle. Ces appareils de communication vont permettre à toutes les familles de vivre en sécurité dans la forêt. Avec l'aide financière du ministère des Affaires indiennes, ce sera un nouvel engouement vers les territoires de chasse.

Et, depuis ce temps, d'année en année, le nombre de chasseurs a augmenté continuellement jusqu'à l'arrivée «des oiseaux migrateurs de malheur» que sont les avions de guerre des Blancs.

Parce que les Montagnais sont plus nombreux, il y a donc beaucoup plus de chasseurs sur les territoires aujourd'hui qu'il y en avait il y a 30 ans.

Malheureusement, à cause des vols militaires, nous avons constaté qu'au cours des dernières années le nombre de chasseurs qui allaient régulièrement sur le territoire a recommencé à diminuer.

Les gens ont vraiment peur de ces oiseaux destructeurs qui crachent le feu et qui détruisent tout sur leur passage comme des mauvais esprits.

Avant de terminer, messieurs les commissaires, pour bien vous démontrer que le territoire de chasse est véritablement l'habitat des Montagnais de La Romaine, que les Autochtones d'ici n'ont pas d'adresse, qu'ils sont partout chez eux dans le bois et que, contrairement à ce qu'affirment les représentants de l'armée canadienne, les gens fréquentent toujours leur territoire, je vais vous donner l'exemple d'une Montagnaise contemporaine qui a eu dix enfants.

Cette femme s'appelle Lisette.

Alice, la première des dix enfants de Lisette, est née à la fonte des glaces à l'embouchure de la rivière Olomen. Ce n'est pas l'adresse de sa mère, mais simplement le passage de cette dernière à cet endroit.

Étienne, le deuxième enfant, est né en plein hiver à l'embouchure de la rivière Kukutchu. C'était une autre saison. La famille vivait donc ailleurs.

Lisa, la troisième enfant, est née un 25 septembre loin dans les terres à la tête de la rivière Mekatena.

Marie-Josée, la quatrième enfant, est née au portage de Kukutchu.

Jean-Baptiste, le cinquième enfant, qui est ici présentement et qui vous a adressé la parole, est né à l'île au Mulot.

Philomène, la sixième, est née pendant la mission à Musquaro.

Louis, le septième, est le seul qui est né ici près de la côte, mais pas sur la réserve.

Marie, la huitième, est née à la rivière Olomen.

Pauline, la neuvième, est née au grand lac de Kubuchi.

Thérèse, la dixième enfant, qui est ici aussi est née six jours avant Noël lors d'une excursion de chasse sur la rivière Etamamu.

Quel est le terrain, quelle est l'habitation, quelle est l'adresse de cette Montagnaise et des Montagnais?

C'est partout dans la forêt, là où ils suivent l'animal pour vivre et pour survivre.

Messieurs les commissaires, j'aurais d'ailleurs pu vous parler d'autres familles montagnaises que celle nommée, mais les résultats auraient été les mêmes.

Ensuite, l'armée canadienne vous dira qu'il n'y a pas d'humains qui fréquentent les lieux d'entraînement des vols militaires à basse altitude et que les Montagnais ne vivent pas sur leur territoire de chasse...

Merci, dit calmement Antoine.

*   *   *

Quelques mois plus tard, après avoir constaté que la première tranche des audiences publiques n'avait absolument rien donné, que le nombre de vols allait s'accroître avec l'arrivée des avions hollandais et que l'on avait aucunement fait cas des Montagnais, le Conseil Attikamek-Montagnais, au cours d'une conférence de presse, émettait le communiqué suivant:

> *Le Conseil Attikamek-Montagnais ne cautionnera plus le processus d'évaluation environnementale sur les vols à basse altitude en refusant de participer à l'étude d'impact commandée et dirigée par le ministère de la Défense nationale parce qu'il est moralement convaincu que cette opération est inutile, qu'elle servira de camouflage et que les dés sont pipés au départ.*

Au cours d'une conférence de presse, qui a eu lieu ce matin dans les locaux de cet organisme, à Québec, le porte-parole du CAM dans ce dossier et négociateur en chef, M. Bernard Cleary, a souligné que les Montagnais ne croyaient plus du tout au sérieux de cette démarche surtout depuis l'annonce de l'accroissement de 25 % des vols d'essais qui atteindront le nombre imposant de 6 800 vols pour la saison actuelle (été et automne 1987).

Si le CAM se retire aujourd'hui du processus d'évaluation, ce n'est pas pas qu'il n'a pas tenté de jouer le jeu jusqu'au bout. Au contraire, depuis un an, tout a été mis en œuvre par le Conseil Attikamek-Montagnais pour obtenir la considération de son opposition sérieuse à ce projet. L'approche employée pour défendre ce dossier était positive. Malheureusement, quand on se rend compte, après avoir fait tous les efforts nécessaires pour participer et surtout influencer dans le sens désiré, que les dés sont pipés, on se doit de le reconnaître et d'agir en conséquence.

La population de La Romaine, par la voix de son chef Jean-Baptiste Lalo, a fait part de sa décision de boycotter les audiences publiques et a demandé au gouvernement fédéral de ne plus faire semblant de les consulter alors que tout est déjà décidé et que l'armée canadienne ne veut rien savoir du sérieux de l'opposition des Montagnais dans ce dossier.

M. Cleary a par la suite rappelé quelques-uns des éléments qui ont été à la base de l'argumentation que le Conseil Attikamek-Montagnais lors des audiences publiques de la Commission environnementale sur les directives de l'étude d'impact:

1. On a d'abord fait état de l'impact réel en déposant un volumineux rapport d'un chercheur sur cette question et du sentiment de peur que provoquent les vols militaires à basse altitude sur les populations montagnaises;
2. On a ensuite fait état que le processus d'évaluation environnementale était faussé puisque l'on aurait dû procéder à une analyse des impacts d'un tel projet avant qu'il ne se réalise. D'où l'idée de la demande du CAM d'un moratoire sur les vols à basse altitude afin de rendre crédible l'étude d'impact;
3. Dans la foulée de notre argumentation, on a aussi demandé que la Commission précise son mandat de façon à faire savoir si elle pouvait aller jusqu'à proposer l'interdiction des vols si les inconvénients étaient tels que les populations en auraient subi des contrecoups d'une façon irrémédiable.

D'ailleurs, a soutenu M. Cleary, cette idée de moratoire n'était pas nouvelle. Elle avait été proposée, en juin 1986, par le Comité fédéral permanent de l'environnement et des forêts: «Le ministre de la Défense nationale devrait mettre fin immédiatement à tous les vols militaires en rase-mottes au-dessus de la Côte-Nord et du Labrador. Le ministre devrait évaluer les répercussions de tels vols sur l'environnement dans ces régions et dans les plus brefs délais.»

Selon M. Cleary, le Conseil Attikamek-Montagnais s'interroge sur le sérieux qu'on accorde à la Commission environnementale à suite de l'absence de réponses aux deux lettres qu'elle a fait parvenir au ministre fédéral de l'Environnement et à celui de la Défense nationale au mois de janvier dernier. *(Plus tard, la commission a reçu des réponses négatives à ces deux lettres.)*

Rappelons que la Commission demandait alors au ministre de l'Environnement de lui confirmer l'interprétation de son mandat à l'effet qu'elle pouvait aller jusqu'à recommander des restrictions rigoureuses de ces vols militaires, y compris leur cessation graduelle ou immédiate «s'il était démontré que ces activités causent (ou seraient susceptibles de causer) des incidences environnementales ou sociales impossibles à atténuer».

Une réponse plutôt vague a été fournie par le ministre à la Commission sur ce sujet qui ne fermait pas entièrement la porte.

Pour ce qui est de la lettre adressée au ministre de la Défense nationale, qui recommandait le statu quo quant au nombre de vols pendant la saison de pratique et des mesures de mitigation afin d'atténuer l'impact des vols sur les populations autochtones, en plus de ne pas y répondre, on en a fait aucun cas, comme s'il s'agissait d'une mauvaise farce d'un plaisantin.

Le seul élément de réponse que la commission a reçu alors de la Défense nationale fut celui de la conférence de presse du ministre Perrin Beatty qui a annoncé un accroissement de 25 % du nombre des vols qui atteindront la capacité actuelle de la base. Plus tard, le ministre a ajouté qu'il n'y aurait pas d'autres augmentations du nombre de vols tant que la Commission n'aura pas remis son rapport.

L'augmentation du 25 % est attribuable à la venue des forces de l'air de la Hollande qui a signé une entente bilatérale avec le Canada valable jusqu'en 1996, comme les autres pays participants.

Devant l'implication mitigée du gouvernement du Québec dans ce dossier majeur de la militarisation de la Basse Côte-Nord, le Conseil Attikamek-Montagnais est intervenu à plusieurs reprises pour y trouver une forme d'appui.

C'est ainsi que, dans le cadre des négociations territoriales, le gouvernement du Québec a accepté de participer à un groupe de travail de la table centrale sur la question des vols militaires à basse altitude sur le territoire montagnais revendiqué.

Le ministre délégué aux Affaires autochtones, M. Raymond Savoie, dans une lettre datée du 13 avril 1987, a repris les recommandations de ce groupe de travail pour les transmettre au ministre de la Défense nationale, M. Perrin Beatty. Entre autres, il proposait de réduire ou de maintenir au niveau actuel le nombre de vols tant que les recommandations de la Commission environnementale ne seront pas connues et appliquées. Il reprenait également la proposition de mesures de mitigation proposée par la Commission environnementale.

Lui non plus n'a pas encore reçu de réponse favorable à ses demandes.

Lors d'une conférence de presse tenue à Saint-Jean, Terre-Neuve, l'Association canadienne de la santé publique a dévoilé son rapport concernant les vols militaires sur la santé des populations.

Une de ses plus importantes recommandations mentionne que l'on devrait interdire tout nouveau développement militaire dans cette région tant que le processus environnemental ne sera pas complété et tant que les revendications territoriales des Autochtones ne seront pas définitivement réglées.

Ils reconnaissent également le fait que ces vols à basse altitude peuvent avoir un impact sur la santé mentale et émotionnelle des Indiens vivant dans le secteur des vols.

Les auteurs du rapport font aussi état de l'inconsistance de l'information diffusée sur le projet militaire de Goose Bay; ils proposent que les gouvernements, fédéral et provinciaux, rendent accessible au public une information complète sur ce type de projet.

Rappelons aussi la principale conclusion de la Fédération internationale des droits de l'homme, reconnue pour son impartialité, après avoir tenu une enquête sur le territoire:

> *Les activités d'entraînement militaire aérien (des forces du Canada et de l'OTAN) violent certains droits naturels et légaux, reconnus internationalement des Innu du Labrador et du Québec.*

> *Devant la mauvaise volonté évidente du ministre de la Défense nationale, qui fait la sourde oreille à toutes recommandations qui lui ont été faites afin d'atténuer l'impact des vols au moins pendant l'étude environnementale, le Conseil Attikamek-Montagnais n'a pas d'autre choix que de se retirer définitivement de cette démarche a laquelle il ne peut pas souscrire en aucun temps à cause du manque de sérieux évident des promoteurs.*

Puis l'enfant de 7 000 ans
a retrouvé le calme
qui le caractérise
depuis qu'on le méprise.

IX

Racisme et mépris

Ici et là, assis ou debout, dans une vaste de salle de cours du pavillon Casault de l'Université Laval, à Québec, discutent, par petits groupes, des étudiants en journalisme[1]. Ils ont presque tous, sous le bras ou dans les mains, un exemplaire du quotidien *Le Devoir*.

Attendant impatiemment que leur professeur arrive, ils traitent d'un article qui rend compte de la sentence du Conseil de presse du Québec blâmant sévèrement la revue *L'Actualité* et son journaliste, Guy Deshaies, pour un article publié dans l'édition de novembre 1986, sous le titre: «La bataille de Goose Bay».

À quelques occasions, pendant ses cours sur «la connaissance des médias», le professeur avait discuté de ce reportage ponctuel avec ses étudiants et leur avait promis que ce cas serait étudié à fond lorsque le Conseil de presse du Québec rendrait sa sentence.

Voilà pourquoi les étudiants attendaient son arrivée avec impatience, le journal du matin sous le bras.

Ils avaient hâte de connaître le cheminement d'un tel dossier et d'en découvrir toutes les facettes.

À quelques secondes de l'heure où doit commencer le cours, respectant toujours ce «deadline», comme on doit le faire dans les médias, le professeur arrive dans la salle d'un pas énergique, l'air triomphal, avec le sourire de celui qui vient de remporter une victoire définitive et importante.

—Salut tout le monde! crie-t-il avec jovialité en marchant vers son pupitre.

Comme à l'habitude, il met son porte-document, sur son bureau, sort quelques feuilles remplies de notes de cours, lettres et dossiers, le journal *Le Devoir*, et frappe avec sa plume sur le côté du pupitre, tel qu'il le ferait sur un tambour, pour attirer l'attention de ses étudiants et demander le silence.

—Je vois que vous avez lu les journaux ce matin.

Ainsi, comme je l'ai promis à plusieurs occasions, je vais vous parler aujourd'hui d'un article paru dans la revue *L'Actualité*, qui est, selon moi, un exemple parfait du journalisme de qualité douteuse, en plus d'être empreint de racisme.

Nous étudierons donc la sentence du Conseil de presse sur l'article de *L'Actualité*, le contenu de la plainte du Conseil Attikamek-Montagnais, son argumentation, et la réponse de messieurs Jean Paré, directeur de cette revue, et de son journaliste, Guy Deshaies. Nous regarderons aussi le document présenté au Conseil de presse par la Commission des droits de la personne, qui se veut une analyse objective de l'article. Nous ferons aussi écho de plusieurs lettres de lecteurs choqués par un tel document.

D'abord, en commençant, permettez-moi de vous lire textuellement la conclusion de la décision du Conseil de presse du Québec:

Les conclusions du Conseil. Le Conseil n'a pas à statuer sur le mérite respectif des positions défendues par les groupes impliqués dans le débat sur l'installation d'une base militaire à Goose Bay, son rôle se limitant dans cette affaire à déterminer si, effectivement, l'article à l'origine de cette plainte est conforme ou non aux normes de l'éthique. Partant, il ne saurait être question que le Conseil substitue son propre jugement à celui du journaliste en niant à celui-ci le droit, et même le devoir, de rapporter ce qu'il a vu ou entendu.

Ceci dit, le Conseil constate que la façon de présenter les parties au débat tient d'une vision manichéenne des choses, des événements et des gens. Ainsi, les Autochtones et leur action sont constamment présentés sous un éclairage négatif, qui sombre parfois dans le misérabilisme, alors qu'à l'exception significative des Blancs alliés aux groupes d'opposition autochtones, tous les autres Blancs impliqués dans ce débat sont présentés sous un jour éminemment favorable.

Sans prétendre que les faits et les propos rapportés aient été travestis, le Conseil est d'avis que le journaliste eut pu rendre compte des perceptions que lui ont inspiré ses recherches et démarches sans pour autant tracer un portrait aussi nettement stéréotypé des groupes et des individus en présence.

La liberté qu'a la presse de dénoncer les situations qui lui apparaissent devoir l'être ne doit pas se traduire en une pratique qui a pour effet de jeter ainsi le discrédit sur l'ensemble des membres d'un groupe ethnique particulier, en l'occurrence les Autochtones.

Le Conseil blâme donc le journaliste et L'Actualité, lesquels n'ont pas su éviter ces pièges et ont, de ce fait, contribué à entretenir les préjugés à l'égard des Autochtones.

Note. *Le Conseil tient par ailleurs à commenter la nature étroitement légaliste de l'argument selon lequel les médias pourraient publier ce que bon leur semble dans la mesure où ils demeurent en deçà de la légalité.*

Selon le Conseil, une telle vision des choses fait peu de cas de la responsabilité de la presse à l'égard du nécessaire respect des normes et balises déontologiques qui doivent guider la pratique journalistique. En effet, tout en étant évidemment soucieux d'exercer leur travail en toute légalité, les professionnels de l'information doivent également agir dans le plein respect du droit du public à une information équilibrée, complète et exacte. Ce champ éthique n'est couvert (et ne doit être couvert) par aucune disposition législative dans un régime de liberté de presse, et il revient donc aux professionnels de l'information d'en reconnaître l'existence et de s'autodiscipliner en assumant leurs responsabilités en la matière. C'est à ce prix, et à ce prix seulement, que la liberté de presse sera sauvegardée.

Si vous le permettez, maintenant, je pourrais vous résumer la plainte du Conseil Attikamek-Montagnais signée par un de ses vice-présidents, monsieur Edmond Malec.

Selon le vice-président du CAM, l'article était malhonnête, inexact, incomplet et constituait un manque flagrant à l'éthique professionnelle.

Monsieur Malec soutenait que l'article ne présentait jamais la position des Montagnais ou Innu, en prétextant qu'ils sont toujours saouls ou en train de cuver leur vin. L'article véhiculait également, sans discernement, selon monsieur Malec, tous les préjugés et stéréotypes anciens concernant les Amérindiens: alcooliques, assistés sociaux chroniques, manipulés par les groupuscules de gauche, désœuvrés et vivant dans des bidonvilles au milieu de dépotoirs, ne pratiquant plus les activités traditionnelles, ayant perdu leur culture, etc.

Le Conseil Attikamek-Montagnais reprochait donc au texte du journaliste Guy Deshaies de n'avoir présenté qu'un seul point de vue, soit celui des militaires et des personnes favorables au projet de militarisation, alors que tous les opposants à ce projet étaient classés, avec mépris, dans la catégorie des gauchistes d'obédience marxiste.

Pour le Conseil Attikamek-Montagnais, cet article serait également inexact parce qu'il ne présentait pas la réalité telle que les groupes autochtones la connaissent et parce que les données sur le projet de la base de l'OTAN ne correspondaient pas du tout à celles retrouvées dans les textes officiels du ministère de la Défense nationale, notamment quant au nombre de militaires en poste, au montant total des investissements et aux études écologiques qui auraient été faites à ce sujet.

Il serait aussi inexact, souligne la plainte du CAM, de prétendre que les Innu sont manipulés par des organismes extérieurs alors que ces organismes ne sont intervenus qu'à la suite de demandes d'appui de la part des Autochtones.

Par ailleurs, prétend le CAM, l'article de monsieur Deshaies serait incomplet parce qu'il ne fait aucune mention de la situation au Québec et des nombreuses interventions des Montagnais de la Basse Côte-Nord, en particulier de La Romaine, et du Conseil Attikamek-Montagnais dans ce dossier. Il semblait en effet incompréhensible au plaignant qu'un journaliste, soi-disant compétent, passe sous silence l'information au sujet des ententes bilatérales entre le gouvernement canadien et d'autres puissances occidentales permettant aux aviateurs de s'entraîner en vols à basse altitude, lesquels seraient de plus en plus fréquents depuis 1979, non seulement au-dessus du Labrador, mais aussi en grande partie sur le territoire québécois.

Le plaignant dénonçait un autre silence, cette fois au sujet du processus d'évaluation environnementale mis en place par le Bureau fédéral des évaluations environnementales du ministère de l'Environnement.

Enfin, l'article, selon le CAM, constituerait une publicité gratuite pour le ministère de la Défense nationale tellement ce texte ne présentait qu'une facette de la réalité. Dans ce contexte, *L'Actualité* aurait dû titrer ce texte: «Publi-reportage».

Le Conseil Attikamek-Montagnais disait croire que, dans ce dossier, l'information avait été manipulée et que le journaliste lui-même s'était laissé manipuler. Celui-ci aurait par ailleurs complètement manqué aux règles de l'objectivité journalistique car, en aucun temps, les opposants au projet de militarisation, pourtant nombreux, n'auraient véritablement eu la possibilité de faire connaître leurs points de vue.

Commentant cette plainte, le directeur de *L'Actualité*, monsieur Jean Paré, estimait que ces accusations n'étaient pas fondées et résultaient clairement d'une lecture superficielle ou d'une interprétation abusive de l'article.Selon monsieur Paré, l'article ne comportait ni racisme, ni mépris, mais témoignait d'une attention réelle aux difficultés et aux besoins des populations autochtones du Canada.

Monsieur Paré citait, à titre d'exemple de l'attention constante portée par sa revue aux problèmes que dénoncent les Amérindiens, une vingtaine de reportages publiés dans cette revue et traitant des questions telles que le racisme, le chômage, l'exploitation et le sous-développement économique.

Selon monsieur Paré, en fait, le plaignant semblait surtout irrité de ne pas trouver dans l'article de monsieur Deshaies un plaidoyer de plus contre la base de l'OTAN à Goose Bay, s'agissant là du principal grief du Conseil Attikamek-Montagnais après une allusion d'office aux stéréotypes, tout comme la presque totalité des 29 lettres étonnamment ressemblantes reçues par la revue à ce sujet.

Le directeur soutenait que le reportage ne décrivait pas des comportements collectifs, mais bien celui des individus tels un homme chez lui, un autre sur la route et un troisième, porte-parole officiel qui préfère ne pas parler au journaliste parce qu'il a bu. Il n'était nulle part dit, ni suggéré, que les Amérindiens sont des alcooliques, et monsieur Paré se demandait s'il serait désormais interdit, par une curieuse sorte de racisme à l'envers, d'écrire que même un Indien peut être ivre ou avoir des comportements répréhensibles? De souligner monsieur Paré, c'est le métier des journalistes de rapporter ce qu'ils ont vu. L'article de monsieur Deshaies n'était en ce sens ni un plaidoyer, ni une commission d'enquête, mais un simple reportage.

Quant au fait que certains groupes soient apparus au journaliste plus anti-militaristes que pro-Indiens et que celui-ci l'ait signalé dans l'article, cela ferait partie de la marge d'appréciation consentie à tout journaliste et ne constituerait pas un manque aux règles de l'éthique professionnelle ni une atteinte aux droits de quiconque. Certains de ces intervenants anti-militaristes auraient par exemple, selon monsieur Paré, joué un rôle actif dans la destruction de la ressource économique que représentaient la chasse aux phoques et l'exploitation de la fourrure par les Indiens et les Esquimaux, et il convenait de le signaler. Et ce serait dans le même esprit que l'on reprochait à *L'Actualité* de faire le jeu des militaires en rendant compte de la politique officielle du gouvernement du Canada et de ses engagements dans le cadre de l'OTAN.

Cela dit, monsieur Paré se demandait si l'article avait été mal lu ou s'il avait été lu avec mauvaise foi pour être utilisé à des fins de propagande dans le but de prendre date en vue de contestations territoriales ultérieures, ou simplement pour intimider les journalistes et les organismes d'arbitrage. Ce qui aurait déplu à certains, selon monsieur Paré, c'est que les informations rapportées par *L'Actualité* pour la première fois contredisaient plusieurs des affirmations des opposants à l'installation d'une base de l'OTAN.

Enfin, en réponse au grief du plaignant à l'effet que l'article aurait passé complètement sous silence le processus d'évaluation environnementale et les oppositions qui se sont manifestées à l'égard des projets de militarisation, monsieur Paré soulignait que cela ne voulait rien dire et ne pouvait convaincre que les naïfs, le Bureau fédéral des évaluations environnementales n'ayant jusqu'à présent pris aucune position.

Croyant avoir démontré que l'article n'était ni raciste ni méprisant et que L'Actualité n'était pas indifférente au sort de communautés amérindiennes, bien au contraire, monsieur Paré disait croire aussi que, si cet article était lu froidement et rationnellement, cette plainte serait rejetée et que le Conseil de presse saurait faire comprendre au plaignant que s'il s'estime véritablement diffamé ou victime d'un préjudice réel, il conviendrait de le démontrer devant un tribunal.

Pour sa part, le journaliste Guy Deshaies, dans une déclaration intégrée aux commentaires de monsieur Paré, disait d'abord ne pas connaître les Montagnais de Pointe-Bleue, au Québec, et ne pas avoir parlé à leur représentant et il affirmait qu'il n'était nullement question de ce groupe dans l'article. Cela dit, monsieur Deshaies soutenait avoir rapporté fidèlement ce qu'il avait vu, lu et entendu à Goose Bay, où il avait séjourné du 18 au 20 août 1986.

Ainsi, monsieur Deshaies expliquait avoir tenté sans succès de joindre, de Montréal, l'adjoint du président de l'Innu National Council, monsieur David Nuke, et avoir finalement rencontré celui-ci par hasard à son hôtel. C'est là que monsieur Nuke aurait déclaré avoir beaucoup bu et ne pas aimer accorder d'entrevues dans ces cas-là.

Monsieur Deshaies expliquait également avoir rencontré le sous-ministre adjoint du Développement rural, agricole et du Nord, monsieur John McGrath, qui partout serait accueilli avec respect et estime et dont les propos auraient été rapportés fidèlement.

Le journaliste aurait également rencontré le maire de Goose Bay, trois conseillers municipaux, le commandant de la base militaire ainsi que des résidents de Goose Bay et avoir lu le Northern Innu Health Council News dont il aurait traduit des passages relatifs à la base militaire.

Monsieur Deshaies maintenait que son article plaidait en faveur des Innu qui, de toute évidence, sont utilisés par des Blancs. Expliquant avoir appelé les Innu «Nègres rouges d'Amérique» par analogie aux «Nègres blancs d'Amérique» de Pierre Vallières, le journaliste ajoutait qu'il avait soulevé le problème d'une population dévalorisée et amoindrie dans sa culture et dans ses mœurs.

Il concluait en disant ne rien retirer de cet article, estimant que L'Actualité avait parfaitement le droit de publier ce que bon lui semble du moment que c'est légal. D'affirmer monsieur Deshaies, c'est la liberté de presse qui est ici en jeu...

Je guette seulement le moment où on s'avisera de porter atteinte publiquement à ma réputation, auquel cas je m'adresserai aux tribunaux civils, seuls habilités à redresser les torts de cette nature. Si ceux qui sont visés dans l'article croient avoir été lésés, ils s'adresseront aux tribunaux et je me ferai un plaisir de me défendre.

Comme le proposait le secrétaire général du Conseil de presse du Québec, monsieur André Beaudet, dans une lettre envoyée à monsieur Edmond Malec, le 8 janvier 1987, en voyant le champ où voulaient nous conduire messieurs Paré et Deshaies, le Conseil Attikamek-Montagnais a décidé d'utiliser son droit de réplique.

Le CAM a donc cru devoir répondre à la défense de monsieur Jean Paré qui, selon l'association autochtone vouée à la défense des Montagnais et des Attikamek, rajoutait de l'huile sur un feu déjà largement alimenté par l'article de monsieur Guy Deshaies.

D'abord, dans les trois premiers paragraphes de la réponse de monsieur Paré, il était souligné que le Conseil Attikamek-Montagnais a la peau tendre en pensant que cet article démontre du racisme, du mépris, et qu'il injurie les Autochtones en général et les Montagnais en particulier.

Le CAM a donc tenu à remercier publiquement monsieur Paré de souligner que les Autochtones n'avaient rien compris parce qu'ils avaient malheureusement saisi, avec des milliers de Québécois, dont plusieurs lui ont même écrit, que cet article de *L'Actualité* était un tissu d'inepties dans le domaine du racisme et du simple mépris de la personne humaine.

On pourrait aussi ajouter que c'est le cas de la Commission des droits de la personne du Québec, qui est considérée comme spécialiste indépendant dans ce domaine, dans une lettre de trois pages signées par son président, monsieur Jacques Lachapelle, le 7 novembre 1986, que monsieur Paré a reçue:

Depuis sa création, la Commission a été saisie de nombreux articles jugés discriminatoires et offensants à l'égard de certains groupes. Il nous semble cependant que c'est la première fois que nous retrouvons un article aussi manifestement méprisant à l'égard d'un groupe ethnique et cela nous surprend de la part d'une revue de l'envergure de L'Actualité.

... Cet article nous semble susceptible de causer un tort considérable, non seulement à l'ensemble de la communauté de Sheshashit, mais également à l'ensemble de la nation montagnaise et aux Autochtones en général.

Enfin, pour ne pas éterniser cette nomenclature, je pourrais vous citer les commentaires de monsieur Gérald McKensie, président de la Ligue des droits et libertés, tirés d'une lettre qu'il a envoyée à monsieur Paré le 5 décembre 1986:

*Ayant suivi de très près le dossier des vols à basse altitude et de l'instal-
lation d'une base de l'OTAN, nous tenons à exprimer notre surprise de
vous voir publier un article «La bataille de Goose Bay» (L'*Actualité,
novembre 1986) aussi biaisé et discriminatoire.

*Nous considérons en effet que l'article en question accumule tous les
stéréotypes négatifs à l'égard de la population innu du Labrador:
l'alcoolisme, la saleté, l'irresponsabilité, la dépendance à l'égard de la
population non indienne, le mode de vie décadent, la manipulation par
les non-Indiens. Ce reportage témoigne par cette vision unilatérale et
faussée une attitude profondément raciste.*

*Il serait peut-être bon de rappeler à monsieur Paré, puisqu'il a un rôle
majeur dans le monde de l'information et le devoir de le faire avec conscience professionnelle, que l'assemblée générale de l'Organisation des
Nations Unies a proclamé, il y a quelque quarante ans, la déclaration
universelle des droits de l'homme et qu'un de ses fondements est «la
reconnaissance de la dignité inhérente à tous les membres de la famille
humaine et leurs droits égaux et inaliénables».*

*Il serait bon aussi de lui souligner, s'il veut faire son travail avec toute
la conscience nécessaire attendue par ses nombreux lecteurs, pour le
droit du public à une information complète et respectueuse, que le
Canada a adopté sa propre Charte des droits et liberté et, le Québec, sa
Charte des droits et libertés de la personne. Cette dernière précise que
«tous les êtres humains sont égaux en valeur et en dignité... le respect
de la dignité de l'être humain et la reconnaissance des droits et libertés
dont il est titulaire constituent le fondement de la justice et de la paix».*

Contenu de l'article

Je pourrais maintenant ajouter que l'incompréhension du Conseil
Attikamek-Montagnais qui choque les délicates oreilles de monsieur Paré
partait des quelques exemples suivants parlant des Montagnais du Labrador que nous n'avons pas lus «dans un esprit objectif».
Voici d'abord le «lead» de cet article:

*Devant sa cabane jonchée de détritus, sans eau courante ni égout,
l'homme, sa bouteille à la main, titube. Ses genoux plient comme s'il se
déplaçait sur un lit d'eau. Adossés au mur, de l'autre côté de la maison,
trois jeunes enfants, l'air apeuré, guettent les déplacements de leur père
saoul dont les vociférations se confondent avec les aboiements des
chiens.*

Permettez-moi de vous faire remarquer, comme je vous l'ai souligné
à plusieurs reprises dans cette salle de cours, que tous les professeurs,

venant de la profession, ou les professionnels américains, dans les salles de nouvelles, enseignent à leurs étudiants, ou à leurs jeunes journalistes, que le premier paragraphe d'un texte journalistique doit contenir l'élément le plus important du dossier. Il doit saisir le lecteur pour le porter à lire le texte. Il exprime le contenu de l'article.

C'est d'ailleurs la façon d'écrire de tous les journalistes de carrière nord-américains.

Une lettre d'une lectrice de *L'Actualité*, madame Suzanne Mineau, répond bien au contenu de ce paragraphe destructeur:

> *Je ne connais pas un village ou une ville du Québec qui n'a pas son ivrogne vivant dans sa cabane jonchée de détritus, sans eau courante ni égout. Vouloir faire d'un tel personnage le portrait type des Amérindiens du Labrador, vouloir nous convaincre que seul l'État sait ce qui est bon pour ces derniers, relève à la fois du racisme et de la démagogie. À tout le moins, c'est de l'irresponsabilité journalistique à son meilleur.*

Revenons à nos exemples:

> *Plus loin dans le village, un homme d'une trentaine d'années, visiblement sous l'empire de l'alcool, nous demande de (...)*

> *(...) J'ai beaucoup bu, a-t-il expliqué, et dans ces cas-là je n'aime pas accorder d'entrevues (...)*

> *Je n'ai jamais chassé, je n'ai jamais fait de trappe, je ne sors pas d'ici et je vis de l'aide sociale.*

> *Nègres rouges d'Amérique, titubant entre deux mondes, vaincus par l'inutilité, dévalorisés de devoir travailler pour vivre, ils se laissent dériver, poussés par des courants venus d'ailleurs, comme toujours.*

> *(...) les sages du village ont refusé l'eau courante et les installations sanitaires qu'on leur offrait parce que, disaient-ils, ce sont des équipements de Blancs grâce auxquels ces derniers espèrent les assimiler (...)*

> *Sur la plage de Sheshashit, parmi les vieux pneus, le verre brisé et les déchets, des enfants s'amusent à lancer des galets dans l'eau.*

(Le bas de vignette de la principale photo du reportage nous fait voir, en gros plan, deux magnifiques F-18, et, en médaillon, une maison dont le terrain a l'apparence d'un dépotoir.)

«Deux F-18 canadiens qui seront basés à Goose Bay» — le beau côté de la médaille. «Le mode de vie de Sheshasit (le dépotoir en médaillon) est-il menacé?»

Pourquoi tant d'insistance pour tenter de démontrer que les Montagnais du Labrador, qui s'opposent à ce projet, sont des alcooliques inutiles, désœuvrés, qui ne font rien et sont dévalorisés de devoir travailler, qui ne pratiquent plus aucune activité traditionnelle et qui vivent sur l'assistance sociale.

Est-ce donc, comme le souligne la réponse de monsieur Paré, pour porter *«une attention réelle aux difficultés et aux besoins des populations autochtones du Canada».* Si vraiment *L'Actualité* faisait cela pour aider les Montagnais, il faut croire, objectivement, qu'il aurait mieux valu que ce genre d'article ne soit jamais publié. On aurait alors vraiment aidé les Autochtones...

C'est ce genre d'aide d'ailleurs qui fait qu'aujourd'hui les Amérindiens sont considérés, par certains Blancs, comme des moins que rien vivant au crochet de l'État, incapables de prendre en main leur propre destinée.

Pour faire la démonstration du genre d'aide salutaire pour les Autochtones, qui apporte *L'Actualité* avec ce dossier, le Conseil Attikamek-Montagnais s'est servi du contenu des propos du président de la Commission des droits de la personne, monsieur Jacques Lachapelle, dans une lettre envoyée à monsieur Paré:

> *Nous avons de la difficulté à voir comment le lecteur pourrait sortir de la lecture de cet article en pensant qu'il puisse exister des Amérindiens sensés qui ne sont pas en état d'ébriété.*

Et, comme si cela ne suffisait pas, l'échotier Guy Deshaies se sert de l'argumentation massue de l'Autochtone manipulé par des militants de gauche, incapable de penser par lui-même.

D'abord, le titre:

> *Mais des militants dressent les autochtones contre ce projet*

Puis:

> *La faction la plus radicale des Innu, l'Innu National Council, est un mouvement mis sur pied par un petit groupe inspiré par un certain Tony Jenkinson, un ressortissant britannique établi chez les Amérindiens depuis une dizaine d'années, et un jeune couple d'anthropologues, les Armitage, ouvertement anti-militaristes et d'obédience marxiste.*
>
> *(...) mouvements pacifiques internationaux (...) — (...) Project North, mouvement de protestations (...) — Le mouvement d'opposition est très clairement téléguidé de l'extérieur par des militants dont les objectifs sont tout autres que le bien-être de cette communauté amérindienne...*
>
> *(...) poussés par les courants venus d'ailleurs, comme toujours (...) — (...) incrustés par les Oblats (...) — (...) charriés par le Conseil œcuménique des Églises, promenés en Europe avant d'être renvoyés à leurs invivables steppes. — (...) Innu utilisés par toutes sortes de groupes (...) — (...) Jenkinson, colonisateur intellectuel (...)*

(...) montage truqué de CBC (...) — (...) voies de la désinformation (...)

À l'inverse, l'homme blanc favorable au projet de militarisation de l'armée canadienne est décrit dans les termes suivants:

(...) ce sous-ministre de plus de six pieds, barbu, coiffé d'une casquette à longue visière, résident de Goose Bay, instigateur de plusieurs projets d'aide pour les Innu et amateur de pêche, de chasse et d'expéditions en forêts (...) il n'a pas plus pacifiste et écologique que moi — (...) qui a mené les projets de construction de maisons neuves pour les Innus (...) Ne les blâmons pas et continuons à les aider au mieux, peut-être autrement qu'en leur donnant de l'argent.

(...) le maire d'Happy Valley Goose Bay (7 000 habitants), Henry Shouse, qui vit au Labrador depuis 40 ans, ne cache pas son inquiétude. Dans la belle salle du conseil au pin verni et au toit cathédrale, le maire (...)

(...) le lieutenant-colonel John David, la quarantaine, cheveux noirs, yeux bleus, voix douce, sourit derrière son bureau. Installé dans ce bout de monde depuis 10 ans, rompu aux critiques et protestations des pacifiques de tout crin, familier des Innu (...)

En 1985, nous n'avons reçu aucune plainte... Le pauvre homme à pied ou en canot, qui est surpris par derrière, en pleine forêt, par un avion filant juste au-dessus de sa tête à pareille vitesse, peut subir un choc inouï. Mais, justement, cela est peu probable.

Ils (Inuits) font pousser des légumes en serre et nous leur achetons, dit le lieutenant-colonel. Nous voulons contribuer le plus possible à l'économie locale.

N'est-ce pas qu'ils sont sympathiques ces bons «cow-boys» blancs, comparés aux «méchants Indiens»...

Faut-il relier la liberté de presse à ce qui est légal ou non?

Curieusement, et je vous invite à chercher vous-mêmes, un seul qualificatif positif au sujet des Autochtones dans cet article. Les Autochtones ne sont jamais cités longuement; ils sont toujours saouls ou en train de cuver leur vin.

Avec un sans-gêne gênant pour la Commission des droits de la personnes du Québec, la Ligue des droits et libertés et les gens bien pensants du Québec, monsieur Paré trouve le moyen, par la formule «cégépienne» de l'interrogation, d'accuser les Montagnais de racisme à l'envers:

Serait-il désormais interdit, par une curieuse sorte de racisme à l'envers, d'écrire que même un Indien peut être ivre ou avoir un comportement que les leaders indiens eux-mêmes dénoncent, et qui est largement connu?

Quand même...

Objectivement, sans cet entêtement de mauvais aloi du possesseur tranquille de la vérité qui s'enlise en voulant défendre une position indéfendable, monsieur Paré aurait pu faire montre d'une certaine humilité et admettre simplement une erreur de jugement et surtout permettre la réparation du tort incommensurable causé par la publication d'un tel article. Il se serait alors attiré le respect de ses lecteurs et des professionnels de l'information qui jugent inacceptable la publication de tels reportages.

Permettez-moi maintenant de scruter les propos du journaliste Guy Deshaies rapportés par monsieur Paré dans sa réponse:

> *Je ne connais pas les Montagnais de Pointe-Bleue au Québec, je n'ai pas parlé à Gaston McKenzie, le requérant auprès de la Commission, et il n'est nullement question de ce groupe dans l'article.*

Si seulement ce grand journaliste était sortie de la dictée du lieutenant-colonel de l'armée canadienne, John David, «yeux bleus, voix douce», ou celle du sous-ministre adjoint du développement rural, monsieur John McGrath, «instigateur — ce terme est normalement péjoratif et signifie agitateur, fauteur; monsieur Deshaies voulait sans doute écrire promoteur — de plusieurs projets d'aide pour les Innu et amateur de pêche, de chasse et d'expéditions en forêts», et avait simplement lu les coupures de presse sur ce sujet, comme tout journaliste consciencieux à ses débuts dans le métier, il aurait appris que la majorité des vols se passent au Québec et que le Conseil Attikamek-Montagnais s'oppose catégoriquement à ce projet puisque les Montagnais sont en négociations territoriales et qu'un développement de cette importance, dans le domaine de la militarisation de leur territoire, est une hypothèque inacceptable pour eux.

Non, il préférait plutôt souligner les côtés insignifiants dans le style potins, ou notes de voyage, tels que monsieur McGrath est plus Indien que les Indiens eux-mêmes...

Même là, il semblerait que les faits rapportés ne soient pas exacts selon une lettre de madame Marie Wadden, qui a travaillé pendant neuf ans comme journaliste à Terre-Neuve au réseau CBC et qui a eu l'occasion de préparer plusieurs reportages à Sheshashit:

> *Je tiens à souligner que l'article de M. Deshaies est à la fois raciste et mal recherché. M. Deshaies a sûrement passé une agréable soirée chez M. John McGrath... «ce singulier sous-ministre», et il peut bien le dire puisque M. John McGrath est certainement singulier dans son mépris pour les Innu.*

Il s'agit donc d'un légère contradiction. Et madame Wadden ajoute dans sa lettre:

> *C'est dommage que M. Deshaies n'ait passé plus de temps parmi les Innu. Il aurait trouvé des gens très intelligents qui n'ont pas besoin d'aide des Blancs pour comprendre le désastre qu'un centre OTAN aurait sur leur mode de vie. Il trouverait également des gens chaleureux qui ne sont pas tous des alcooliques.*

Les lecteurs de la revue *L'Actualité* qui ont lu seulement cet article n'apprendront jamais qu'il s'est tenu des audiences publiques de la Commission fédérale des évaluations environnementales sur cette question majeure. Ils ne sauront pas que la très grande majorité des personnes, ou groupes, qui ont déposé devant les commissaires, se sont opposés à ce projet pour toutes sortes de raisons extrêmement sérieuses dont surtout les dangers pour la vie humaine et animale, la menace d'éteindre à tout jamais la vie traditionnelle des Montagnais de La Romaine, de Saint-Augustin, de Natashquan, de Mingan et de Schefferville, qui vivent sur les territoires survolés à 100 pieds de terre par les pilotes d'avions de l'armée canadienne et celle de plusieurs pays membres de l'OTAN, le fait que les pourvoyeurs y voient une menace pour les activités de chasse au caribou et la crainte des dangers écologiques insoupçonnés.

Expliquez-moi pourquoi le journaliste de *L'Actualité* a complètement ignoré la position du Conseil Attikamek-Montagnais. Pourtant, depuis plusieurs années et plus intensément au cours des derniers mois, le CAM a fait connaître cette position un peu partout au Québec, position qui a été diffusée, en partie, dans les médias; pourquoi aussi, *L'Actualité* laisse-t-elle croire que l'enjeu est à Goose Bay alors que les vols à basse altitude se passent véritablement sur le territoire revendiqué du Québec?

La position sensée et soutenue par une démonstration sérieuse des Montagnais du Québec porte ombrage aux velléités, malingres et socialement indéfendables, de l'armée canadienne et de ses chevaliers servants du développement économique à tout prix, de Goose Bay, dont les prises de positions en grande partie financées par les promoteurs du projet sentent l'intérêt à plein nez.

Les seules réponses que l'on donne à ce trou béant, dans ce dossier qui aurait dû consister à présenter   au moinsles deux côtés de la médaille, la base élémentaire du journalisme et de l'honnêteté professionnelle, sont pour monsieur Deshaies:

> *Ma faute, semble-t-il, est de ne pas avoir écrit que ce sont les militaires qui vont détruire l'environnement des autochtones. Même si cela n'est pas vrai[2]. Les plaignants et leurs amis, qui n'ont jamais mis les pieds à Sheshashit et même au Labrador, en seraient satisfaits.*

C'est donc admettre que le point de vue de cet article était évident, que son auteur avait acheté d'emblée la thèse de l'armée canadienne, qu'il a développé aveuglément l'approche des gens en faveur de l'installation d'une base de l'OTAN à Goose Bay et qu'il voulait discréditer la position des Autochtones dans le débat sur ce projet en les décrivant comme des incapables et des irresponsables.

Monsieur Deshaies tente aussi de discréditer toute démarche appuyant les Autochtones ainsi que toute critique à l'égard de la militarisation du Nord en qualifiant celle-ci de position de type communiste. Le journaliste va même jusqu'à décrire le Conseil œcuménique des Églises comme une institution communiste.

Une telle argumentation, souligne monsieur Philip Carl Salzman, directeur du Département d'anthropologie de l'Université McGill, au nom des membres de ce département, dans une lettre envoyée à monsieur Paré, atteint directement les droits fondamentaux et propose une idéologie raciste et anti-démocratique qui n'a pas sa place dans notre société.

Le Conseil Attikamek-Montagnais partage l'opinion émise par le président de la Commission des droits de la personne dans la lettre envoyée à monsieur Paré, le 7 novembre dernier:

> *Dans le «Carnet de l'éditeur», en page deux du numéro de novembre, vous avez exprimé que la vraie bataille dans le cas du dossier des vols militaires par les forces de l'OTAN est celle des idées et de l'information. Nous nous demandons donc pourquoi le journaliste Guy Deshaies ne s'en est pas tenu à livrer justement des idées et des informations.*
>
> *Nous comprenons que l'intention de L'Actualité et de son journaliste était d'apporter au débat une contrepartie à ce qui était perçu comme une opération de propagande menée par des Autochtones et des pacifistes qui s'opposent au projet. Il nous semble cependant que cette contrepartie aurait pu bien être transmise aux lecteurs sans qu'il soit nécessaire de chercher à jeter le discrédit et à ternir la réputation de toute une communauté, de toute une nation et même de l'ensemble des Autochtones.*

Enfin, comme des larrons en foire, en guise de conclusion, messieurs Paré et Deshaies suggèrent aux plaignants de les poursuivre en justice. On dirait que, pour eux, il s'agit de l'argument-massue qui démontre qu'ils sont innocents comme l'enfant qui vient de naître et professionnellement irréprochables.

Doit-on en déduire que ce directeur de l'information et son adjoint d'alors croient que, s'il n'y a pas matière à poursuite judiciaire, le travail du journaliste est professionnellement bien fait et que le public a reçu toute l'information dont il a droit?

Je ne retire rien de cet article, souligne monsieur Deshaies, et j'estime que L'Actualité a parfaitement le droit de publier ce que bon lui semble du moment que c'est légal. C'est la liberté de presse qui ici est en jeu.

Belle mentalité journalistique... La liberté de presse, selon l'actuel adjoint au directeur de l'information du quotidien *Le Devoir*, Guy Deshaies, est directement reliée à ce qui est ou n'est pas légal. Quant au reste, les éditeurs peuvent faire tout ce qu'ils veulent. Donc, sous la gouverne de monsieur Deshaies, *Le Devoir* peut «biaiser» allègrement l'information, parler uniquement du Parti libéral, attaquer continuellement le Parti québécois, «descendre» systématiquement les comités de citoyens, donner la parole uniquement à la classe dirigeante, vanter exagérément les mérites des chambres de commerce et être aveuglément favorable à l'armée canadienne.

Tout est parfait, du moment que c'est légal...

Selon eux, la liberté de presse est ainsi sauvée.

Pour ce qui est du droit du public à une information objective, qu'il aille se faire cuire un œuf.

J'ose espérer que je comprends mal leurs propos car par une telle approche le droit du public à l'information serait entre les mains de gens complètement inconséquents.

D'ailleurs, dans sa note, qui peut paraître pour certains anodine, le Conseil de presse du Québec donne une sévère leçon à ces directeurs de l'information qui ont osé prétendre candidement, pour leur défense, que «la liberté de presse est directement reliée à ce qui est ou n'est pas légal».

Selon le Conseil, une telle vision des choses fait peu de cas de la responsabilité de la presse à l'égard du nécessaire respect des normes et balises déontologiques qui doivent guider la pratique journalistique. ... les professionnels de l'information doivent également agir dans le plein respect du droit du public à une information équilibrée, complète et exacte. C'est à ce prix, et à ce prix seulement, que la liberté de presse sera sauvegardée.

Et monsieur Paré va encore plus loin:

On pourrait donc croire que nous sommes plutôt en face d'un exemple d'utilisation d'un incident à rebours. D'une tentative d'embrigader et d'intimider les journalistes. D'une insulte non pas aux Indiens, mais au Conseil de presse. Je préfère penser que la plaignante avait lu, avec les yeux de l'émotion, un article écrit avec la froide objectivité du journaliste.

Selon moi, si le ridicule pouvait tuer, il n'en faudrait sûrement pas beaucoup plus...

Une telle démagogie fait sourire par son exagération et démontre bien le respect que monsieur Paré a pour le Conseil de presse du Québec et surtout dénote le degré de compréhension ou d'intelligence qu'il accorde aux gens qui ont à étudier les cas.

Il y a quand même des limites à vouloir ridiculiser des situations extrêmement graves et des gens qui, de bonne foi, utilisent les seuls moyens mis à leur disposition par des institutions sérieuses comme le Conseil de presse du Québec, la Commission des droits de la personne du Québec, la Ligue des droits et libertés, pour se plaindre des fautes impardonnables de ces tout-puissants qui ont droit de vie et de mort sur tout ce qui se passe dans la société.

C'est donc dire que, dans leur esprit, ils peuvent impunément tout faire parce qu'ils tiennent les rênes du pouvoir de l'information.

Ce genre d'argumentation vole vraiment au niveau des pâquerettes, à très basse altitude.

Avant de conclure, il serait bon de souligner que cet article, selon monsieur Paré, n'a pas été publié par inadvertance.

> *Il a été lu avant publication par plusieurs journalistes et par le rédacteur en chef, et approuvé par ce dernier. Aucun de ces journalistes d'expérience n'a estimé que ce reportage ponctuel sur un village du Labrador et de la base militaire qui s'y trouve était incomplet, ou partial, ou qu'il offenserait.*

Si c'est vraiment le cas, ce que je doute, le problème du journalisme professionnel à *L'Actualité* est plus grave qu'on le pense. Monsieur Paré ajoute, pour justifier la publication de cet article:

> *S'agit-il d'un cas de cécité collective chez des journalistes habituellement lucides? D'une épidémie subite d'incompétence?*

En utilisant ce genre d'argument démagogique, monsieur Paré «embarque» sur un terrain glissant puisque c'est un secret de Polichinelle dans le monde de la presse québécoise, surtout chez les pigistes, que les textes proposés à *L'Actualité* sont triturés à un point tel que souvent les auteurs ne les reconnaissent plus au moment de leur publication et ce, sous l'inspiration du directeur de la revue.

Si ce genre d'article, dans le même style, traitant des Québécois, avait été publié dans un hebdomadaire anglophone de Montréal, cela aurait été un scandale. On aurait accusé ce journal de tous les péchés d'Israël et surtout de racisme et de professionnalisme douteux.

Parce qu'il s'agit des Montagnais, que c'est une grande revue dirigée par un journaliste protégé par sa popularité auprès de ses confrères et que l'auteur de l'article a obtenu récemment un prix de journalisme québécois, on doit fermer les yeux...

Non, jamais pour moi.

Quant à tout ce qui a été exprimé par messieurs Paré et Deshaies, pour leur défense, il faut croire qu'il ne s'agissait pas de principes fondamentaux, mais simplement d'une argumentation rapidement bâtie, sans trop de réflexion, par manque d'habitude de se faire contester.

Il serait bien triste, pour l'avenir de la presse au Québec, et surtout pour le public, que ces dirigeants tout-puissants puissent impunément «charrier de telles bibites».

En guise de conclusion à la réponse aux propos de messieurs Paré et Deshaies, le Conseil Attikamek-Montagnais s'est permis d'utiliser celle d'une une lettre envoyée par monsieur Gérald McKenzie, président de la Ligue des droits et libertés, au directeur de *L'Actualité*:

> *L'article de* L'Actualité *nous apparaît contraire à l'éthique journalistique et constitue une atteinte à des droits reconnus tant par les chartes québécoise et canadienne des droits et libertés que par la Charte internationale des droits de l'homme et la Déclaration des Nations Unies pour l'élimination de toutes les formes de discrimination raciale. Ces documents ont en commun d'affirmer et de promouvoir, entre autres, le respect et la dignité de tous les êtres et de toutes les collectivités ainsi que le droit à l'égalité.*

> *Guy Deshaies, en rédigeant un tel acticle, et* L'Actualité, *en acceptant de le publier, montrent de plus le peu de cas qu'ils font des indications que le Conseil de presse donne dans ses «réflexions sur les droits et les responsabilités de la presse» quant à la rigueur intellectuelle et professionnelle dont doivent faire preuve les médias et les journalistes.*

> *Nous croyons que* L'Actualité *et le journaliste Guy Deshaies se doivent de prendre des mesures nécessaires pour rétablir les faits et réparer le tort causé. Plus précisément, nous exigeons:*

> *— que* L'Actualité *reconnaisse le caractère raciste de l'article «La bataille de Goose Bay» ainsi que ses lacunes;*
> *— que* L'Actualité *présente des excuses aux principaux intéressés, les Innu du Labrador, pour le tort causé à leur réputation;*
> *— que* L'Actualité *publie un rectificatif rétablissant l'image des Innu et procure les informations manquantes sur le projet de base de l'OTAN et que ce rectificatif dispose du même espace et du même nombre d'illustrations que «La bataille de Goose Bay».*

Les voies de la désinformation, comme le soulignait monsieur Deshaies en guise de conclusion dans son article, sont aussi insondables...

Voilà donc ce sur quoi le Conseil de presse du Québec a fondé son jugement dans le cas du dossier de *L'Actualité* et de son journaliste Guy Deshaies.

Je dois encore une fois vous souligner que je crois sincèrement que le Conseil de presse du Québec a véritablement joué son rôle de chien de garde de la presse et qu'il a su réprimander ces tout-puissants qui ont,

avec un professionnalisme plus que douteux, outrepassé leurs pré-
rogatives.

L'auteur de l'article s'est donné une mission.

Permettez-moi maintenant de vous faire part de l'intervention de la
Commission des droits de la personne du Québec auprès du Conseil de
presse du Québec.

Le dossier présenté, impartial et extrêmement bien structuré, a
certes eu des effets importants sur la décision du Conseil de presse de
condamner *L'Actualité* et son journaliste Guy Deshaies.

Pour le Commission des droits de la personne, la question fondamentale, dans toute cette affaire, est de savoir si la liberté d'expression des
uns a pu s'exercer sans tenir compte du droit tout aussi fondamental des
autres à jouir de leur dignité, de leur honneur et de leur réputation.

Par une analyse sérieuse du texte litigieux, déposée au comité des
plaintes du Conseil de presse du Québec, la Commission des droits de la
personne du Québec a vérifié la dénonciation du Conseil Attikamek-
Montagnais à l'effet que l'article concerné véhicule des stéréotypes
méprisants à l'égard des Autochtones et en a fait une lecture objective
pour en tirer des conclusions tout autant objectives:

> *En agissant ainsi, l'auteur a, du coup, véhiculé à nouveau ces mêmes*
> *stéréotypes et clichés. Par la diffusion de son article, il les a largement*
> *répandus à travers le Québec.*

La Commission des droits de la personne du Québec estime que les
reproches du Conseil Attikamek-Montagnais sont justes lorsqu'il affirme
que l'auteur a présenté l'ensemble des Autochtones sous un aspect
globalisant et fortement négatif.

Son analyse du texte litigieux a permis à la Commission de conclure:

> *La dénonciation faite par le Conseil Attikamek-Montagnais ne résulte*
> *pas d'une lecture superficielle ni d'une interprétation abusive du texte*
> *incriminé.*

La Commission des droits de la personne du Québec conclut que
l'article dénoncé projette une image fortement négative de l'ensemble
des Autochtones:

> *Le titulaire de la liberté d'expression, l'auteur de l'article, dans l'exer-*
> *cice abusif qu'il en a fait, a outrepassé les limites du délicat équilibre*
> *entre ses libertés et le droit fondamental des Autochtones à la sauve-*
> *garde de leur dignité, de leur honneur et de leur réputation. Ce principe*
> *de juste équilibre entre des libertés et droits fondamentaux conférés par*
> *la Charte, a été maintes fois reconnu, d'ailleurs, par le Conseil de presse*
> *du Québec dans plusieurs de ses décisions.*

Permettez-moi, maintenenant, de vous citer textuellement les objectifs et les conclusions de l'analyse impartiale faite par la Commission des droits de la personne du Québec:

> *Il est à souligner, dès le départ, que l'objectif de l'analyse n'est pas de réfuter les divers arguments mis de l'avant par l'auteur. Il s'agit plutôt de discerner, à la lecture de l'article, ses objectifs, son organisation et ses procédés de persuasion.*

> *Le titre de l'article identifie clairement que le sujet traité concerne, d'une part, un projet mis de l'avant par l'OTAN et, d'autre part, une opposition à ce projet. Les thèses en présence sont définies comme étant gravement conflictuelles, puisqu'elles sont l'enjeu d'une bataille.*

Dans cette affaire, souligne l'analyste, l'auteur semble s'être donné la mission de rétablir la vérité à la suite d'une campagne de désinformation organisée par les opposants au projet de l'OTAN. Fort de son mandat de dévoiler la vérité, l'auteur vise à révéler la fausseté de la situation.

> *Le texte est organisé en termes de thèse et d'antithèse. D'un côté, il y a la fausseté, le mensonge et ceux qui en sont responsables ou qui en sont les marionnettes. De l'autre, mais de façon moins marquée, il y a la vérité, l'honnêteté et ceux qui l'incarnent.*

> *Ainsi, l'article présente-t-il la réalité sous une forme jugée: l'auteur a préalablement distingué le faux du vrai, l'opinion de l'auteur constituant la prémisse à partir de laquelle cette distinction a été effectuée.*

Selon l'analyse, l'opposition fausseté/vérité est donc posée d'emblée et constitue, en fait, la synthèse de tous les développements contenus dans le texte. Autrement dit, ajoute-t-on, c'est cet axiome, cette prémisse, qui permet ensuite la mise en place d'oppositions qui ne sont, à vrai dire, qu'une suite plus ou moins réussie de variations sur le même thème: opacité/transparence, danger/sécurité, étrangers/Canadiens, incompétence/compétence, agressivité/tolérance, émotifs/logiques, dépendants/autonomes, exploitation/aide, déchéance/progrès, pollution/protection de l'environnement, désespoir/bonheur.

> *Cette constitution de contrastes aussi marqués peut assez facilement créer chez le lecteur un sentiment d'évidence: ces Indiens entre deux mondes ont perdu leur dignité d'anciens chasseurs réussissant à survivre dans des conditions difficiles et ne veulent pas aujourd'hui accéder à la civilisation occidentale. Anciens nomades ayant cessé d'errer sur le territoire, ils sont maintenant incrustés sur les rives de la baie de Goose où ils profitent de l'abri de la base militaire, de l'aide sociale et des subventions gouvernementales. Leur langage et leur organisation sociale semblent très près de l'ordre animal: certains vocifèrent et leurs vociférations se confondent aux aboiements des chiens; même les plus*

honorables des membres du village, c'est-à-dire les sages, refusent l'eau
courante et les installations sanitaires dans les maisons neuves qu'on
leur offre, préférant donc leurs cabanes sans eau courante ni égout.
Désœuvrés, ils consomment de l'alcool, se laissent manipuler par des
individus et des groupes qui défendent des intérêts qui n'ont rien à voir
avec leur bien-être et, par conséquent, empêchent le développement de
notre civilisation dont ils pourraient pourtant bénéficier.

Ce sentiment d'évidence rend beaucoup moins nécessaire une démons-
tration conceptuelle qui soit systématique et complète. Dans le texte que
nous analysons présentement, l'auteur a utilisé divers procédés de
persuasion qui lui permettent d'atteindre la sensibilité de ses lecteurs
sans nécessairement les convaincre logiquement.

L'auteur a d'abord brossé un tableau impressionniste des Autochtones
qui se fonde sur quelques scènes de la vie quotidienne auxquelles il a
personnellement assisté. Des cas individuels, il a induit que l'ensemble
des Autochtones partage les mêmes habitudes de vie, les mêmes opi-
nions et le même désespoir sans pour autant en faire une démons-
tration logique. Le rapprochement a parfois été fait par l'auteur lui-
même grâce à divers procédés stylistiques ou sémantiques et parfois il
appartient au lecteur d'établir lui-même ce lien.

Selon l'analyse, pour arriver à convaincre ses lecteurs, les exemples
choisis par l'auteur se doivent d'être typiques. Or, qu'y a-t-il de plus
stéréotypé que ces images d'Autochtones ivres, assistés sociaux et paresseux? Le recours à l'anecdote permet en outre à l'auteur de se mettre lui-
même en scène et de se porter garant non seulement de la véracité de
l'événement, mais aussi de l'interprétatation qu'on peut en tirer. Ayant
fait voir une image familière, puisque inscrite dans les préjugés, il n'est
guère plus nécessaire pour lui de démontrer, preuve à l'appui, ce qu'il
avance.

Autre exemple d'induction, se répercutant en cascade cette fois. Tout le
monde se rappellera la scène, décrite en début de l'article, du père
saoul faisant peur à ses enfants. Comment penser que cet homme cruel
dans sa vie privée puisse être débonnaire dans sa vie publique? Entre
cet homme, saisi dans sa vie privée, et le président de l'Innu National
Council, décrit dans sa vie publique, le lien s'établit par l'intermédiaire
de David Nuke, homme public, saisi dans sa vie privée au moment où
l'auteur le rencontre à l'hôtel Labrador Inn. Cet adjoint du président de
l'INC possède lui aussi un caractère menaçant; n'est-il pas colossal et
n'a-t-il pas trop bu? Demain, il reprendra son rôle d'homme public. Il se
rendra à New York sensibiliser des étrangers au sort des Amérindiens
et des effets désastreux du projet de l'OTAN. Comme l'a fait l'an dernier,
en Europe cette fois, son président encore en voyage à l'étranger au

moment où l'auteur mène son enquête à Sheshashit. Or, en 1984, le ministère des Affaires indiennes a cessé de subventionner l'INC parce qu'on avait utilisé des fonds à des fins non autorisées, à des voyages notamment... Comment ne pas induire par cette grappe d'éléments isolés, mais sémantiquement reliés, que les campagnes d'opposition au projet de l'OTAN menées à l'étranger sont réalisées par des personnes plus ou moins honnêtes et peut-être bien grâce à des détournements de fonds publics?

De plus, soutient l'analyse, comment conserver de la sympathie pour une thèse défendue par des hommes aussi peu recommandables? Notez bien que l'auteur n'a pas alors besoin de réfuter la thèse en question. Il lui suffit de disqualifier l'adversaire. Ainsi procède-t-il à l'égard des fondateurs, des dirigeants et des sympathisants de l'organisation qui orchestrent l'opposition au projet de l'OTAN.

Tous ceux-ci, pourtant plus ou moins étrangers les uns les autres, sont intégrés dans une catégorie unique: ils sont tous des personnages négatifs qui exploitent d'une manière ou d'une autre la majorité silencieuse des Autochtones du village. En agissant ainsi, l'auteur s'appuie-t-il sur des preuves précises, sur des informations variables ou sur de simples opinions? À vrai dire, aucune preuve ne vient étayer les affirmations de l'auteur. En revanche, il s'appuie à l'occasion sur du ouï-dire; par exemple lorsqu'il rapporte les propos du sous-ministre McGrath: «Les Innu sont utilisés par toutes sortes de groupes à toutes sortes de fins contraires à leurs intérêts. (...)» Comme par ce Jenkinson qui a de l'argent de sa famille, ne travaille pas et vit avec eux depuis 10 ans. Un colonisateur intellectuel qui méprise les Innu.

Mais, le plus souvent, l'auteur ne cite pas ses sources et, même lorsqu'il le fait, les informations qu'il livre mériteraient d'être vérifiées.

Cette analyse permet mieux de saisir les objectifs, l'organisation et les moyens de persuasion du texte litigieux. En identifiant le plus précisément possible chacun de ces éléments, nous avons constaté que l'auteur s'est appuyé sur des stéréotypes et des clichés largement répandus au sein de notre société et qui présentent l'ensemble des Autochtones sous un aspect fortement négatif. En agissant ainsi, l'auteur a, du coup, véhiculé à nouveau ces mêmes stéréotypes et clichés. Par la diffusion de son article, il les a largement répandus à travers le Québec. La dénonciation du Conseil Attikamek-Montagnais est donc bel et bien fondée lorsqu'elle affirme que l'article véhicule de tels stéréotypes.

Comment pourrait-on croire à l'information objective, si un journaliste de la trempe de Guy Deshaies, sous le couvert du journalisme d'enquête — un tour d'automobile à la dérobée à Sheshashit et deux jours passés avec les représentants de l'armée canadienne, du gouvernement de Terre-Neuve, des autorités municipales et de la chambre de commerce de Goose Bay —, biaise d'une façon aussi évidente l'information?

Monsieur Deshaies, dans sa réplique aux accusations du Conseil Attikamek-Montagnais, adressée au Conseil de presse du Québec, loin d'accepter un timide reproche, ajoute qu'il ne retire rien à ce dossier et que, si c'était à refaire, il écrirait le même genre d'article.

Avant de sombrer dans ce genre de journalisme d'enquête pourri, monsieur Deshaies aurait dû simplement essayer de faire du journalisme d'observation des faits.

Une information objective est véhiculée dans une revue aussi importante que *L'Actualité* si son directeur endosse et défend envers et contre tous ce genre de journalisme comme s'il en était le promoteur. Plus encore, monsieur Paré se permet même d'exprimer publiquement qu'il ne partage pas l'avis du Conseil de presse du Québec dans ce dossier et maintient que le reportage de Guy Deshaies ne méritait pas le blâme.

Il ne faut jamais oublier que l'information sert de base aux choix de société des citoyens, oriente leurs opinions sur les idées, les événements et les gens et façonne leurs principes fondamentaux. Donc, ceux qui la dirigent ont des devoirs sociaux énormes.

Figurez-vous maintenant le tort incommensurable que cet article a pu causer aux Indiens en général et aux Montagnais en particulier dans l'esprit des lecteurs de *L'Actualité* qui ont lu un pareil torchon. Comment pourrait-on croire que ceux-ci puissent respecter les Montagnais et leur cause après avoir lu ce tableau d'une société, barbouillé par ce peintre du dimanche sans talent?

Le Conseil Attikamek-Montagnais a investi des énergies humaines et financières considérables pour que les Québécois cessent de voir le côté négatif des Autochtones, prôné par des préjugés, dépassés et souvent sans fondement, tels ceux que la facilité, incarnée par l'armée canadienne et ses chevaliers servants, a soufflé dans l'oreille du grand journaliste Guy Deshaies.

Pour que les Québécois et les Canadiens en général comprennent bien le geste historique qu'est la négociation des revendications territoriales des Montagnais, acceptées par les gouvernements du Canada et du Québec, le Conseil Attikamek-Montagnais tente, par tous les minces moyens mis à sa disposition, d'expliquer sa position bien compréhensible et acceptable dans ce dossier. Même à cela, le contenu de la négociation reste difficile à défendre à cause des préjugés, qui sentent l'intérêt à plein nez, alimentés, dans bien des cas volontairement, contre les Autochtones pour bloquer la récupération d'une partie significative des territoires usurpés par l'abus de confiance et empêcher les Montagnais de s'offrir les instruments nécessaires à toute nation normale pour être maître chez soi.

Le Conseil Attikamek-Montagnais doit se donner un pouvoir de négociation (*bargaining power*) en démontrant sa capacité de prendre totalement en main le développement des communautés qui en font partie. Il doit en outre changer le focus de la caméra automatique de la très grande majorité de la population blanche, qui est programmée pour toujours chercher les éléments négatifs, et plutôt montrer, par les bons coups réussis — nombreux pour quelqu'un qui se donne la peine de regarder objectivement —, que les Montagnais, à leur façon, sont capables de se diriger entièrement en main si on leur en donne l'occasion et les moyens.

Voilà ce que, du revers de la main de l'échotier Guy Deshaies et d'une façon totalement inconsciente du directeur de *L'Actualité*, Jean Paré, l'article «La bataille de Goose Bay» a détruit auprès de ses lecteurs.

Comment pourrait-on croire en une information de qualité supérieure dans nos médias puisque cet article, d'une qualité professionnellement douteuse, aurait été mis en nomination, selon monsieur Jean Paré, pour le prix du meilleur article dans les revues du type de *L'Actualité*? Doit-on en déduire que le style d'écriture, la forme ou la présentation, sont plus importants que le contenu, ou l'objectivité, pour la qualité des dossiers primés de ce genre de revues? Le sensationalisme, ou le jaunisme, sont-ils plus dominants que la qualité professionnelle? La vente des revues prime-t-elle sur le droit du public à une information objective?

Autant de questions qui exigent des réponses si on ne veut pas laisser l'impression aux lecteurs des revues comme *L'Actualité* qu'une de leur plus grande qualité est la naïveté en ayant la foi du charbonnier.

Quelques mois plus tard, au mois de juillet 1987 — période de l'année où les taux de lecture, dans une revue comme *L'Actualité*, sont à leur plus bas, alors que l'article «La bataille de Goose Bay» avait été publié au mois de novembre 1986, une des périodes où les taux de lecture sont à leur plus haut —, la direction de l'information a décidé de publier intégralement le court texte de la conclusion de la sentence du Conseil de presse du Québec.

Ce court texte était suivi d'un commentaire du directeur de la revue, monsieur Jean Paré, dans lequel il se dissociait clairement de la sentence du Conseil de presse du Québec en se disant convaincu de la qualité de l'article en jugement. Il vantait grossièrement la revue d'avoir fait de l'excellent travail, au cours des années, sur le dossier autochtone. Il faisait bien attention d'admettre quoi que ce soit comme blâme. Et, surtout, aucun mot qui aurait pu donner l'impression d'une excuse ou d'une rétractation de sa part.

Pour lui, comme il le soulignait dans cet éditorial, l'incident était clos.

Pour les torts causés aux Montagnais, rien à faire.

Notes

1. La scénarisation de ce chapitre se fonde sur la description d'un cours sur «la connaissance des médias» que j'ai donné à cet époque comme professeur en journalisme à l'Université Laval, à Québec.

2. Pourquoi le gouvernement fédéral a-t-il investi des sommes d'argent énormes pour des études d'impact puisque ce monsieur a réglé cette question définitivement, ce qui fait comprendre d'ailleurs plus clairement le point de vue exprimé par le dossier présenté.

*L'enfant de 7 000 ans
saura maintenant
que l'amitié est construite
sur le respect mutuel.
Ces mots d'une autre langue
auront maintenant un sens.*

X

Les fossoyeurs

Pour souligner l'anniversaire d'un des membres de l'équipe des négociations, nous avions décidé de prendre le lunch ensemble dans une bras-
serie près du bureau du Conseil Attikamek-Montagnais.

Comme toujours au cours de ce genre de réunion, de rencontre
sociale, c'était plus fort que nous, nous discutions de l'état du dossier
des négociations, des stratégies les plus efficaces pour faire fléchir les
gouvernements, fédéral et provincial, et comment réussir, avec une certaine efficacité, à impliquer le plus possible les populations atikamekw et
montagnaises dans ce combat historique.

Nous devions malheureusement constater qu'il était extrêmement
difficile de faire un devant l'ennemi commun. Les nombreuses divisions

dans les communautés faisaient oublier, ou plutôt mettaient souvent en veilleuse, l'enjeu majeur de la négociation territoriale globale: la «recouvrance» d'un territoire montagnais et atikamekw et la mise en place des leviers nécessaires pour se développer.

Les approches de gens colonisés face au combat, marqués par les misères économiques, telles l'assistance sociale et le chômage chronique, dérangés par les tares sociales, comme l'alcoolisme et les drogues de toutes sortes, et écrasés par les multiples défaites, refaisaient continuellement surface. Les messages subliminaux des fonctionnaires fédéraux, avec comme thème principal le fait que les Autochtones soient incapables de se prendre en main, produisaient leurs effets.

Ce rêve presque à portée de la main trouvait difficilement le moyen de se matérialiser en une cause pour tous.

Nous avions bien des difficultés à rassembler les troupes derrière cet objectif commun.

Pour certains, il était impensable de croire que les gouvernements puissent vraiment accorder aux Atikamekw et aux Montagnais de véritables titres fonciers de propriété et les plus vieux, fatalistes comme seuls savent l'être les Autochtones écrasés par les ans de domination, étaient même prêts à se contenter de la simple utilisation de ce territoire pour chasser et pour pêcher en paix à la manière de leurs ancêtres. Ces derniers étaient sincèrement convaincus que trop demander risquait de nous conduire vers l'échec.

La suspicion, malheureusement toujours en filigrane et explicable dans certains cas par le fait d'avoir été si souvent trompés, laissait un goût amer pour ceux qui comme nous voulaient tout faire pour que cette négociation historique atteigne la très grande majorité de ses objectifs de société. On ne sentait pas toujours cette confiance nécessaire à un tel travail. Certains Atikamekw et Montagnais étaient donc comme ces malades, sans un bon moral parce qu'ils ont peur, donc doutent des compétences de leur médecin, qui ont à subir une opération à cœur ouvert. Leurs chances de guérir peuvent même être énormément diminuées par ce manque de confiance.

Enfin, pour une infime partie de la population, des jeunes décrocheurs très souvent inconséquents, qui monopolisent les périodes de questions des assemblées publiques d'information, les lignes ouvertes à la radio communautaire, et les débats publics, à cause d'une meilleure préparation académique, il s'agit malheureusement de détruire pour détruire.

C'est une approche, consciente ou non, dans le style dépassé, mais tellement dévastateur, des jeunes marxistes-léninistes qui avaient infiltré les mouvements sociaux ou syndicaux des Québécois des années 1970 pour faire de l'agitation sociale, avec comme but évident de soulever une révolution en abattant le pouvoir en place. Comme ces individus qui traînaient dans les universités pendant de nombreuses années, le plus souvent au crochet de l'État comme boursiers, où vivaient sur l'assistance sociale, ils pratiquent la technique de la désorganisation et de la destruction à la base.

Ces jeunes inconséquents semblent préférer que leurs frères autochtones croupissent le plus longtemps possible dans cet état de dépendance totale.

Toute autorité, d'où qu'elle vienne, Conseil de bande, gouvernement indien ou blanc, association indienne, etc., est nécessairement à abattre parce qu'elle donne une voix. Ceux qui essayent de bonne foi de travailler pour l'ensemble de la population autochtone se voient déchiquetés par ces rapaces et y laissent souvent leur réputation.

Il faut craindre, en étant surtout très vigilants, que ces derniers utilisent à leurs fins la radio communautaire. Cette radio qui pénètre à 100 % dans les foyers est un monopole dangereux parce qu'elle est le seul instrument d'information parlée dans la langue atikamekw et montagnaise. «Charriée» par ces jeunes qui recherchent plus souvent la destruction de la société atikamekw et montagnaise que sa construction, cette radio communautaire éteindrait toute flamme de libération. Ils pourraient souvent en faire ce qu'ils veulent et ainsi semer, dans l'esprit de leurs auditeurs, le doute et la méfiance.

Ces fauteurs de troubles auraient donc en main, sans aucun contrôle professionnel adéquat, surtout sur les réserves, l'instrument le plus destructeur d'une société s'il est mal utilisé: l'information. Cela pourrait ressembler à ce qui arriverait à des bambins de trois ou quatre ans à qui on aurait donné de longs couteaux de chasse aiguisés comme des lames de rasoirs pour s'amuser avec leurs petits amis. Ils pourraient se blesser et se tuer de même que les autres enfants qui joueraient avec eux.

Certaines communautés prennent donc un grand risque, sans le savoir, avec la radio communautaire. Il faut s'ouvrir les yeux, être alerte et surtout responsable face à un tel danger.

Au nom de la culture et de la langue, deux des éléments les plus nobles d'une société, ces contestataires atikamekw et montagnais alimentent les traditionnelles oppositions: vieux / jeunes, hommes / femmes, tradition / modernisme, chasseurs / gens instruits, autorités politiques / population, travailleurs / assistés sociaux et authentiques / inauthentiques Atikamekw et Montagnais.

Ils nourrissent un racisme interne inacceptable, fondé sur les «vrais» et les «pas vrais» Atikamekw ou Montagnais selon la définition d'une supposée pureté sanguine de la race, un terrain bien dangereux qui, historiquement, a beaucoup plus nui qu'aidé. Sur ce fondement, ils sont prêts à bafouer les droits de la personne humaine et à rejeter une sœur qui a commis le crime de marier un être humain qu'elle aime, mais qui a malheureusement la peau blanche.

Ces jeunes insensés attaquent à fond de train, sans aucune retenue et presque toujours très injustement, les employés allochtones qui travaillent avec toute l'énergie possible pour la cause autochtone sous prétexte qu'ils prennent les emplois des Atikamekw ou des Montagnais. On pratique ainsi un racisme à rebours qui fait rougir de honte ceux qui ont pour fonction de défendre les Atikamekw et les Montagnais sur la place publique sur ces questions aussi importantes et fondamentales des droits de la personne humaine.

Peut-on vraiment justifier que, pour prendre la place des employés blancs et donner de l'emploi à des Atikamekw et à des Montagnais, on puisse concéder sur le fond même ou sur les qualités morales et professionnelles de base?

Peut-on vraiment justifier que, pour créer de l'emploi chez les Atikamekw et les Montagnais, on puisse risquer d'embaucher des employés incompétents ou mal préparés dans des dossiers majeurs pour l'avenir de l'ensemble de la population?

Non, cette population ne mérite pas que ses leaders soient assez faibles pour faire passer l'intérêt du moment pour satisfaire quelques «chialeux» au-dessus de l'intérêt de l'avenir. Ce que l'on perd en «jobs» aujourd'hui sera multiplié à l'infini si nous savons nous donner les bons instruments de développement et si nous savons préparer la relève de demain.

Des politiques à courte vue dans ce domaine ne peuvent certes pas donner des résultats satisfaisants.

De retour d'une importante tournée d'information dans toutes les communautés montagnaises, les principaux membres de l'équipe de négociation avaient encore une fois pu vérifier tous ces problèmes majeurs et continuellement présents qui auraient dû décourager les gens les plus tenaces.

Les représentants de l'équipe des négociations avaient servi dans certains endroits d'amortisseurs pour le défoulement collectif d'une population en mal de boucs émissaires puisque les membres de leur Conseil de bande avaient depuis longtemps compris que les assemblées publiques étaient complètement stériles et ne servaient que de tribune aux éternels opposants pour chialer.

Donc, on n'en faisait plus depuis belle lurette.

Ces mêmes personnes avaient constaté qu'au cours de ces assemblées publiques, certains Montagnais lançaient des insanités sans jamais avoir besoin de démontrer quoi que ce soit. Ces derniers pouvaient détruire du revers de la main des réputations par des propos complètement erronés sur des gens absents. Ils jouissent de l'immunité complète, cette exemption de charge pour libelle diffamatoire qui est accordée aux députés à l'Assemblée nationale ou à la Chambre des communes.

On leur laisse dire n'importe quoi sur n'importe qui.

Les leaders de la négociation territoriale avaient aussi constaté à la suite de leurs nombreuses tournées que, dans certaines communautés, même la justice pouvait être handicapée par un protectionnisme raciste de mauvais aloi.

On refuse quelques fois de dénoncer à la justice des Blancs, malheureusement la seule qui existe présentement dans les réserves, des Atikamekw ou des Montagnais criminels qui distribuent des drogues violentes, encouragent l'alcoolisme par la vente de boisson alcoolisée aux jeunes, permettent la distribution de films pornographiques à des enfants, violentent les femmes et les enfants et sèment la terreur dans la population.

On préfère subir sans dire un mot ces crimes parce que des gens intéressés leur ont fait croire, souvent par les arguments du plus fort, que la justice des Blancs n'était pas pour les Amérindiens et qu'ils ne pouvaient pas dénoncer un des leurs.

On empêche souvent les conseils de bande de passer des règlements sous prétexte qu'il s'agit de méthodes de Blancs et que les Autochtones vivaient librement sans ces lois sur les territoires. Cet encadrement normal d'une société en pleine évolution, qui veut sérieusement se prendre en main, aurait évidemment pour effet, en quelques occasions, de limiter les ébats de certaines personnes qui préfèrent vivre dans l'anarchie pour ne pas avoir à répondre de leurs actes.

Avec comme résultat qu'on prend le risque de détruire à la base même les générations actuelles et à venir par des défauts de société qu'elles ne pourront plus corriger.

À quoi cela servirait-il de réaliser, par la négociation actuelle, ce projet de société si ceux qui auront à le mettre en place et à le compléter sont des dégénérés inutiles qui saboteront à la base les efforts faits par les générations précédentes?

A-t-on réalisé que l'on peut détruire à tout jamais notre jeunesse par l'abus des drogues et de l'alcool? Sommes-nous sérieusement prêts à prendre le risque de protéger ceux qui inconsciemment ou non sont les instruments de cette destruction d'une société?

Non, il est impensable que l'on puisse accepter de prendre de tels virages parce que les coupables sont des Atikamekw ou des Montagnais.

Voyons, c'est insensé...

Comme il est inacceptable qu'en 1989 on laisse la terreur dominer sur le bon sens.

Les gens doivent se prendre en main et nettoyer les réserves de ces agents de discorde qui écrasent par la force brutale toute évolution normale dans la bonne direction et qui s'attaquent physiquement, comme on le faisait dans le far west américain des siècles passés, à des individus qui ont à cœur un développement sain de leur communauté et surtout travaillent à fond de train pour elle.

Au même titre que les membres des communautés ne peuvent pas accepter que certains individus continuent à bafouer tout bon sens en violentant leur femme ou leurs enfants.

Il est grand temps que la justice revienne sur certaines réserves.

Tolérer un seul instant de plus ce genre de situations risque de détruire à tout jamais les beaux rêves de libération parce qu'elles atteignent en plein cœur les éléments dynamiques de notre avenir, nos enfants, et détruisent toute confiance que l'on pourrait avoir dans nos futures institutions.

On aura tôt fait d'utiliser ces failles majeures comme arguments pour démontrer à la face du monde que nous ne pouvons pas seuls nous diriger et nous développer, que nous avons encore besoin de nos tuteurs pour le faire et que nous accorder une trop grande autonomie ne serait pas nous rendre service.

Division, divisez, diviser...

Les membres de l'équipe des négociations en étaient à cette réflexion lorsqu'un jeune Atikamekw vint s'asseoir avec eux pour terminer le repas.

Son intention était évidente, il voulait essayer de mettre en boîte le négociateur en chef sur le dossier de la «chicane de famille» entre les Atikamekw et les Montagnais qui durait depuis quelque temps et qui avait eu comme effet d'arrêter temporairement les négociations territoriales.

— Monsieur, dit le jeune Atikamekw avec un brin d'arrogance, qu'est-ce qui se passe dans le dossier des négociations territoriales globales? Est-ce qu'il y a eu de nouveaux développements qui vont permettre aux conseils de bande atikamekw de redonner le mandat au Conseil Attikamek-Montagnais de négocier en leur nom ou vont-il être obligés de négocier séparément?

Allez-vous enfin accorder aux Atikamekw le pouvoir de négocier de la façon qu'ils l'exigent en respectant le principe des deux nations?

— Jacques, je dois te dire avec beaucoup de joie que cette «chicane de famille» entre les Atikamekw et les Montagnais est définitivement réglée et que nous ressortons tous grandis de cet événement parce que nous avons su le faire entre nous sans l'intervention des gouvernements.

Tout le débat important aura permis aux Atikamekw de retrouver une plus grande confiance dans le processus des négociations et de s'assurer, par la mise en place, au besoin, d'une table complémentaire, que la spécificité de leurs exigences se retrouvera dans le futur traité.

Maintenant, il est évident que nous devons analyser sérieusement tout ce débat et tirer certaines conclusions de ce dossier primordial pour les Atikamekw et les Montagnais qui nous touchait de très près et qui risquait d'influencer nos vies.

D'abord, personnellement, je n'ai jamais cru que la demande de revendication des communautés atikamekw et montagnaises ait été reliée au prétexte et du moment des deux nations tel que véhiculé. J'ai toujours été convaincu que cette interprétation ne supporterait pas la contestation devant un tribunal sérieux tel un conseil des sages.

Quand le gouvernement fédéral a accepté la demande de revendication à la suite des résolutions des douze communautés, comme ce fut le cas aussi pour le gouvernement du Québec par la plume de monsieur René Lévesque, alors premier ministre, il ne pouvait le faire que dans l'esprit de cette demande qui était des plus claires.

Quand le gouvernement fédéral, comme celui du Québec d'ailleurs, a accepté le leadership du Conseil Attikamek-Montagnais comme porte-parole des Montagnais et des Atikamekw, il a reconnu clairement l'esprit de cette corporation légale et de sa charte qui est fondé sur la primauté des communautés.

Et, enfin, lorsque les gouvernements ont refusé, il y a quelques années, à la communauté montagnaise de Sept-Îles-Malioténam, qui s'était retirée du CAM, la possibilité de négocier séparément en soulignant que c'est avec le Conseil Attikamek-Montagnais qu'ils négociaient, ils ont confirmé très clairement cette interprétation. Ils créaient donc ainsi une forme de jurisprudence.

Aujourd'hui, Jacques, parce que certains avocats intéressés auraient soufflé à l'oreille des gouvernements une interprétation différente, ce qui faisait d'ailleurs l'affaire de ces derniers en nous affaiblissant, ils auraient changé leurs vues en essayant d'en faire la démonstration par toutes sortes de subterfuges aussi faibles et grossiers les uns que les autres.

Croyaient-ils sincèrement que les Montagnais auraient accepté ces explications sans dire un mot?

Voyons, ce n'est pas sérieux si l'on considère l'importance des enjeux pour les Montagnais.

Peuvent-ils un seul instant avoir cru que les Montagnais auraient laissé un obscur contentieux gouvernemental ou privé décider de leur avenir sans contestation juridique, publique, ou autre?

C'aurait été bien mal les connaître.

Je dois te souligner que les Montagnais ont trouvé très curieuse et fort discutable la position du gouvernement du Québec dans tout ce dossier.

D'abord, l'appui inconditionnel et rapide au prétexte artificiel des deux nations, développé à ce moment-là par les conseillers juridiques des Atikamekw, soulève un certain nombre de questions.

Comment explique-t-on que le négociateur en chef du Québec et directeur du Secrétariat aux affaires autochtones, monsieur Gilles Jolicœur, au moment même où il a reçu les résolutions des communautés atikamekw de retirer le mandat de négocier au CAM, ait pris immédiatement l'engagement de suspendre les négociations? Avec l'appui du négociateur en chef fédéral, monsieur Ovila Gobeil, j'ai réussi à le convaincre de terminer au moins la négociation de l'entente cadre. Monsieur Jolicœur n'a pas cessé, pendant ce temps, de dire qu'il suspendrait les négociations si le problème politique entre les Montagnais et les Atikamekw n'était pas règlé à l'automne 1987.

Est-ce que le gouvernement du Québec était conscient que, par un tel geste d'appui, rapide et inconsidéré, il accréditait la thèse des conseillers juridiques des Atikamekw et leur donnait une force de «*bargaining power*» considérable face au Conseil Attikamek-Montagnais?

Par leur appui tacite, il annulait presque toute possibilité de règlement par l'interne, donnant ainsi aux conseillers juridiques des Atikamekw le «gros bout du bâton».

Était-ce à ce point de l'inconséquence?

Est-ce que le Gouvernement du Québec avait bien analysé le geste du ministre responsable du Secrétariat aux affaires autochtones, monsieur Raymond Savoie, lorsque ce dernier a mis de la pression sur les chefs montagnais pour qu'ils acceptent sur-le-champ, au cours d'une réunion convoquée par lui à son bureau, son offre de médiation pour régler ce conflit politique entre les deux nations autochtones concernées? Cette pression discutable, il l'avait aussi mise au cours d'une tournée impromptue sur la Basse Côte-Nord, avec l'intention évidente de convaincre les chefs montagnais de la justesse de son intervention dans ce dossier.

Était-il conscient que, comme ministre responsable de la négociation territoriale pour le gouvernement du Québec, il était juge et partie?

Enfin, il leur proposait la formation d'un comité, avec un nombre égal montagnais et de représentants atikamekw, en ajoutant, selon certains chefs montagnais, «qu'il ne voulait que des gens ouverts à la proposition des Atikamekw».

Il avait donc clairement acheté la thèse des conseillers juridiques des Atikamekw de deux nations égales: trois communautés atikamekw contre neuf communautés montagnaises, et il la défendait.

Quelle impartialité pour un médiateur en puissance...

On pourrait aussi ajouter que le gouvernement du Québec semblait croire que l'entente cadre, première étape de la négociation territoriale, qui constituait le plan de travail, allait beaucoup plus loin qu'il l'aurait souhaité, surtout sur les mesures provisoires, la base de la négociation et la portée de la future entente.

Étant donné la rapidité avec laquelle les représentants du gouvernement du Québec avaient sauté sur l'occasion de la «chicane de famille» pour arrêter la négociation territoriale, temporairement disaient-ils, mais en ajoutant: «Tant et aussi longtemps que le débat politique ne sera pas réglé»;

Étant donné que le gouvernement du Québec avait acheté d'emblée la thèse, défendue par les conseillers juridiques des Atikamekw, des deux nations égales, option inacceptable pour les communautés montagnaises qui conduisait à un cul-de-sac, donc pouvait reporter à beaucoup plus tard la négociation;

Étant donné que le gouvernement du Québec avait encouragé presque toutes les positions des Atikamekw en les acceptant souvent même avant qu'elles ne soient discutées avec les Montagnais: par exemple, l'acceptation des deux négociateurs en chef à la table centrale des négociations, une excellente formule de division qui nous aurait affaibli considérablement;

Je dois malheureusement conclure, et je ne suis pas le seul à le faire, que cette «chicane de famille» faisait l'affaire du gouvernement du Québec et lui permettait ainsi de reporter à plus tard la négociation territoriale — et pourquoi pas la renvoyer aux calendes grecques —, et la mise en œuvre de mesures provisoires sur les développements et sur les activités traditionnelles, ou d'affaiblir le Conseil Attikamek-Montagnais à la table centrale des négociations.

L'encouragement et le support que l'on accordait aux conseillers juridiques des Atikamekw portaient les Montagnais à déduire qu'encore une fois, on utilisait la vieille arme, mais toujours aussi efficace, *de diviser pour mieux régner.*

Le ministre des Affaires indiennes et du Nord, à l'époque monsieur Bill McKnight, et le gouvernement du Canada n'auraient pas pu encore longtemps, s'ils désiraient vraiment et sincèrement prendre l'intérêt des Atikamekw, demeurer la tête dans le sable pour ne pas voir le fond de cette importante question. Il aurait été trop facile, sous le prétexte de ne pas s'ingérer dans les affaires des bandes alors qu'ils le font continuellement par les actions du ministère quand ça fait leur affaire, de laisser se détruire une situation périlleuse que l'histoire leur aurait reprochée.

Jamais, les Atikamekw n'auraient pu faire des reproches au ministre des Affaires indiennes et du Nord d'avoir mis de la pression là où c'était nécessaire, après une enquête très sérieuse, pour purifier ce dossier d'interventions extérieures néfastes et irraisonnées qui risquaient de tout faire avorter sans qu'ils aient à en subir les conséquences d'une manière ou d'une autre.

Quelle belle excuse pour quelqu'un qui aurait voulu se pardonner d'avoir fui ses responsabilités...

En travaillant sur une proposition technique que j'avais personnellement mise sur la table, qui répondait à toutes les exigences premières des Atikamekw et sauvait la négociation territoriale globale, les trois négociateurs en chef ont fait en sorte de bien protéger les intérêts des Atikamekw dans cette négociation aussi importante pour eux que pour les Montagnais.

En acceptant cette proposition, les chefs montagnais ont concédé énormément sur le leadership de la négociation. Ils ont même accepté que ces concessions soient discriminatoires pour les communautés montagnaises. Ils ont donc été jusqu'à l'extrême limite de l'acceptable.

Et ça n'aurait pas suffi!

Qu'aurait-on voulu de plus?

Faire avorter la négociation...

On se le serait alors sûrement demandé.

Il aurait donc resté au ministre des Affaires indiennes et du Nord une alternative: poursuivre la négociation comme elle avait été acceptée par les gouvernements et convaincre les Atikamekw d'accepter la proposition faite par les trois négociateurs en chef, ou encore permettre que l'on négocie séparément.

Le ministre des Affaires indiennes et du Nord aurait donc dû prendre ses responsabilités dans un sens comme dans l'autre.

Enfin, Jacques, les Atikamekw devaient être conscients des gestes posés qui avaient consisté à se retirer librement de la négociation territoriale globale menée par le Conseil Attikamek-Montagnais et en toute conscience en supporter les risques d'en payer la note.

Mais il aurait fallu surtout que le gouvernement fédéral respecte son engagement de négocier avec le Conseil Attikamek-Montagnais en ne permettant pas aux trois communautés atikamekw de saborder un travail si bien amorcé pour des raisons inavouées et ainsi pénaliser injustement les neuf communautés montagnaises qui avaient tout fait pour trouver une solution à cet imbroglio téléguidé d'ailleurs.

Comment le gouvernement fédéral aurait-il pu publiquement défendre une telle injustice?

Morue qui passe, on la ramasse...

Après cette discussion du négociateur en chef avec le jeune Atikamekw, les membres de l'équipe de négociation ont continué à s'entretenir des interventions extérieures qui pouvaient avoir une influence néfaste sur la négociation territoriale en cours.

Ils ont tôt fait d'aborder le sujet des avocats qui tentent par tous les moyens de s'introduire dans cette négociation.

C'est un secret de Polichinelle que la très grande partie des bureaux d'avocats québécois voudrait répéter l'exploit rémunérateur de la négociation des Cris de la baie James.

Comme la négociation territoriale des Montagnais et des Atikamekw est une des rares qui restent au Québec et qu'elle est plus importante que celle des Cris de la baie James, elle est la cible visée par de nombreux bureaux d'avocats québécois qui voudraient bien en être les maîtres d'œuvre.

D'abord, presque à toutes les fois que le Conseil Attikamek-Montagnais ou les conseils de bande ont à traiter avec des bureaux d'avocats pour des poursuites sur des questions techniques et souvent mineures en relation avec la pratique des activités traditionnelles de chasse et de pêche, on veut toujours les conduire vers une défense de droits ancestraux avec comme objectif final de se rendre jusqu'à la Cour suprême.

On semble même faire peu de cas des faibles chances de succès que démontre la jurisprudence canadienne.

On y voit toujours la «cause du siècle» qui enrichira et rendra très populaire l'«avocat-plaideur».

Pour ce qui est du tort que pourrait causer la perte d'un tel procès en Cour suprême pour les Autochtones concernés en négociation territoriale globale que sont les Atikamekw et les Montagnais, on l'ignore complètement.

On ne s'interroge jamais sur la situation difficile à soutenir pour les Atikamekw et les Montagnais en cours de négociation, face à un public qui doute déjà de la validité des droits ancestraux des Autochtones, que causerait cet échec juridique par manque de preuves, une jurisprudence négative, un travail professionnel discutable et même l'incompétence de l'avocat. Cette défaite à ce moment-ci annulerait complètement tous les efforts considérables que met le Conseil Attikamek-Montagnais pour faire comprendre au public québécois le devoir des gouvernements d'Ottawa et de Québec face à leurs Autochtones.

Comment pourrait-on par la suite faire accepter de la part du public québécois, surtout les habitants d'un petit village ou d'une région directement concernés par cette question de négociation territoriale qui y voient beaucoup plus de privilèges que de droits, une forme de réparation ou encore une correction historique de l'illogisme causé par l'occupation pacifique?

D'ailleurs, ces avocats devraient savoir qu'aucune cause sur les droits ancestraux n'a véritablement été gagnée. Il s'agit beaucoup plus souvent et, au mieux, de confirmer l'interprétation des gouvernements que les droits ancestraux ne sont que des droits d'usage ou d'usufruit; ce que nous combattons avec acharnement à la table de négociation. Nous ne voulons pas de simples droits d'usage, mais bien des titres de propriété clairs.

D'autres avocats essaient par tous les moyens de convaincre certains conseils de bande ou d'autres organisations politiques que la négociation territoriale globale doit nécessairement passer par une victoire juridique à la suite d'une injonction.

Ils veulent simplement revivre le cheminement rémunérateur du dossier de la baie James.

Ils oublient volontairement de dire que ce ne fut pas une victoire juridique à la baie James puisque l'injonction a été rejetée en appel.

La seule victoire possiblement obtenue par la pression qu'a constituée cette injonction a été politique. Elle a permis aux Cris de s'asseoir avec les gouvernements fédéral et provincial pour négocier un traité.

C'est d'ailleurs le plus loin que pourrait aller une injonction: recommander aux parties de négocier.

Or, c'est ce que les Atikamekw et les Montagnais font présentement.

On peut même s'interroger sur le fait que ce soit véritablement l'injonction qui a fait cette pression. Il s'agit beaucoup plus de l'urgence à construire le barrage qui a forcé le gouvernement québécois à discuter avec les Cris pour tenter de trouver une solution satisfaisante pour les deux parties que la défaite juridique de ces derniers.

La pression sur les gouvernements peut être obtenue avec beaucoup plus d'efficacité par d'autres actions véritablement plus politiques et à des coûts nettement inférieurs.

Ces conseils inconséquents des avocats en mal de causes importantes pourraient même nous conduire au retrait des gouvernements du Québec et du Canada de la table des négociations en prétextant que nous ne pouvons pas, selon leur propre politique des revendications territoriales et l'entente de prêts consentis pour le financement des négociations, préconiser la voie de la négociation et la voie juridique en même temps pour régler la question de nos droits ancestraux.

Voyant que le Conseil Attikamek-Montagnais avait la possibilité de négocier les droits ancestraux de ses membres avec les gouvernements, certains bureaux d'avocats ont essayé, à quelques reprises et par toutes sortes de moyens, d'obtenir un mandat, en tout ou en partie, par des conseils de bande en faisant fi de celui (le mandat) déjà donné au CAM. En outre, ils n'ont pas pris en considération que le Conseil Attikamek-Montagnais avait déjà depuis longtemps ses avocats.

Soulignons l'exemple de ce jeune avocat qui s'est fait refuser par le Conseil Attikamek-Montagnais la fonction de conseiller juridique, poste qui, à ce moment-là et depuis plusieurs années, était d'ailleurs occupé.

Déjà, on pouvait s'interroger sur le fait qu'un avocat tente d'enlever à sa consœur un client, le Conseil Attikamek-Montagnais, et le dossier des négociations territoriales. Un tel geste n'est-il pas, dans la pratique courante, passible des foudres du Barreau qui peut souvent aller, semble-t-il, jusqu'à lui enlever le droit de pratiquer?

Devrait-on aussi se poser de sérieuses questions sur le fait qu'en voyant qu'il n'obtenait pas de résultat dans cette offre de service, il se retourne simplement vers une partie constituante et fait tout, selon ce que l'on a constaté plus tard, pour séparer les groupes? Il faudrait être bien naïf pour ne pas voir dans une série de démarches de sa part le fait qu'il veuille ainsi obtenir le mandat de négocier pour ce groupe dissident.

On se souvient sans doute de ce qui s'était passé entre les Cris et l'Association des Indiens du Québec vers le début des années 1970.

Ce jeune avocat avait ressorti, sans originalité, une copie quasi conforme de la stratégie du cabinet d'avocats d'alors.

Ces derniers avaient réussi, à ce moment-là, à faire retirer les Cris de l'Association des Indiens du Québec qui était opposée aux méthodes de rémunération consistant à verser un pourcentage sur les compensations monétaires. Certains leaders autochtones croyaient alors que le versement de telles sommes d'argent, des millions de dollars, pouvait influencer les avocats dans leurs conseils aux Cris d'accepter ou de refuser une convention ou un traité.

Après avoir «manigancé» pour que les Cris se séparent de l'Association des Indiens du Québec, leurs avocats ont obtenu, par la suite, le contrat pour négocier en leur nom avec les gouvernements d'Ottawa et de Québec selon le genre de rémunération habituel.

Les historiens blancs disent souvent que l'histoire se répète. Contre nous, et surtout négativement, c'est encore plus vrai...

Comment peut-on sincèrement croire à un conseil impartial lorsque la très grande partie de la rémunération d'un avocat est reliée à un pourcentage sur les compensations monétaires? Est-il simplement pensable qu'un avocat puisse conseiller à ses clients, les Autochtones, de ne pas signer une entente finale lorsqu'il sait qu'il va perdre des millions de dollars en rémunération?

Il est bien évident que cet avocat va essayer de convaincre ses clients de signer cette entente même si elle ne leur permet pas toute l'autonomie gouvernementale nécessaire pour se développer. Le futur contrat social entre les gouvernements et ces Autochtones n'aura certes pas comme base fondamentale un projet de société, car un pourcentage sur les pouvoirs n'est pas tellement payant pour les avocats.

On tournera toujours autour d'une question d'argent. Cet avocat risque d'orienter l'ensemble de la négociation vers des compensations monétaires parce que sa base de rémunération y est directement reliée.

Il s'ensuit donc que, dans l'esprit de la population, ce que veulent les Autochtones dans leur négociation territoriale, c'est de l'argent. Cette image destructrice, même vulgaire si l'on considère la noblesse de la cause des droits ancestraux, nous est alors collée à la peau.

Doit-on aussi s'interroger sur l'attitude de ce cabinet d'avocats, dont fait partie notre jeune avocat, comme conseiller juridique pour le Conseil de bande de Pointe-Bleue dans le dossier d'autonomie gouvernementale? En étudiant le projet de traité présenté par ces derniers, on ne peut que se poser de sérieuses questions sur son envergure qui avait nettement l'apparence d'une négociation territoriale globale avec tout ce qui s'ensuit.

Ne serait-il pas possible qu'on ait tenté de transformer cette négociation spécifique d'une communauté en négociation globale, indépendante du Conseil Attikamek-Montagnais?

Une telle attitude, si c'était le cas, nous conduirait donc, on l'admettra, à en déduire que ce groupe d'avocats voulait encore une fois mêler les cartes, nous diviser et s'accaparer d'une partie de la négociation et des revenus rattachés, sans aucunement penser au tort incommensurable causé à ses clients et à la négociation globale du Conseil Attikamek-Montagnais.

Les membres du Conseil de bande de Pointe-Bleue semblent avoir vu clair dans leur jeu en mettant fin à leur liaison professionnelle dans ce dossier.

Que penser aussi du fait que, pendant que ce même cabinet travaillait pour Pointe-Bleue et pour les Atikamekw, il représentait les Cris en commission parlementaire à Québec et laissait alors entendre que ces derniers voulaient étendre leurs territoires de chasse sur le territoire revendiqué par les Atikamekw et les Montagnais de Pointe-Bleue? N'est-ce pas que ça ressemble à un conflit d'intérêt lorsqu'un même bureau défend deux clients qui s'opposent?

En plus, semble-t-il, à la grande surprise du Conseil de bande de Pointe-Bleue, ce même bureau d'avocats conseillait les femmes autochtones alors qu'elles l'attaquaient en le menaçant de poursuites devant les tribunaux dans le dossier de la Loi C-31. N'y aurait-il pas là encore matière à interrogations?

Est-ce que chez les Autochtones, on ne semble pas vouloir ramasser tout ce que l'on peut sans se préoccuper de l'éthique professionnelle?

Ou est-on convaincu que parce qu'on croit que les Amérindiens ne diront rien, tout serait permis?

Si c'était le cas, de tels manquements à l'éthique professionnelle de la part d'avocats ne soulèveraient-ils pas de nombreuses questions que le Barreau devrait étudier?

D'autres faits, encore plus graves, comme celui qui veut que certains avocats qui travaillent avec les associations indiennes du Québec, dont ce cabinet d'avocats serait un des instigateurs, aient ou aient eu des rencontres régulières avec ceux des gouvernements, provincial et fédéral, sous prétexte de discuter du droit indien, soulèvent des questions majeures.

Pour nous, ça sent les «manigances» à plein nez entre avocats.

Des manœuvres secrètes qui risquent beaucoup plus de nous nuire que de nous aider.

On pourrait même affirmer, sans trop de risque de se tromper, qu'ils agissent comme des larrons en foire avec les gouvernements.

Certainement pas pour la cause des Autochtones...

Ce serait donc des façons de travailler que l'on pourrait facilement qualifier de douteuses et d'inacceptables.

Il ne faudrait quand même pas croire que nous sommes assez naïfs et absurdes pour ne pas voir clairement ce qui se passe dans ce dossier des avocats même si nous n'avons rien dit auparavant. Les petits jeux intéressés ne nous ont pas échappé. Nous avons simplement cru bon, en gens conséquents, de garder le silence pour ne pas envenimer inutilement les débats entre nous tout en espérant que les communautés comprendront, prendront leurs responsabilités et se libéreront de ces indésirables qui voient uniquement leurs intérêts financiers dans leurs relations avec les Autochtones.

Ce qu'elles ont fait d'ailleurs en très grande partie.

L'efficacité, une affaire de Blancs

Après avoir discuté de cette plaie que sont certains cabinets d'avocats, qui veulent coûte que coûte s'accaparer de cette clientèle payante en le faisant souvent au détriment des communautés et qui créent ainsi dans l'opinion publique l'impression que les négociations territoriales des Autochtones ne sont qu'une question «d'avocasseries», probablement volontairement compliquées et ambiguës pour leur donner la possibilité de continuer à travailler à l'interprétation en cours de justice ou ailleurs après la signature du traité, le groupe de travail est revenu dans sa discussion à ces mythes «charriés» dans le milieu amérindien.

Tous ont régulièrement constaté qu'à bout d'arguments, il n'est pas rare de voir certains Autochtones affirmer, lorsqu'on recherche l'efficacité ou lorsqu'on les force à remplir les mandats confiés, que «cette façon de voir les choses est une manière de Blancs».

Pour certains Amérindiens au jugement faussé, faire des efforts sérieux, être professionnellement compétents, être intellectuellement articulé, bien préparer ses dossiers, intervenir avec méthode et donner du poids à son argumentation, sont des approches d'Allochtones.

Comme si l'efficacité face à une situation ou à un débat était reliée à la couleur de la peau. Ce serait admettre que la compétence et le travail sérieux et bien fait ne sont pas des critères importants chez les Amérindiens alors que cela le serait pour les Allochtones.

De telles affirmations n'ont aucun sens puisque ces notions de base sont universelles et faisaient partie de la culture de nos ancêtres. Les ancêtres les utilisaient évidemment à d'autres fins et différemment, mais elles étaient continuellement présentes dans leur vie.

Il s'agit maintenant de les adapter à la vie d'aujourd'hui pour obtenir de bons résultats dans nos relations avec les autres.

Comment pourrions-nous négocier sérieusement avec les gouvernements sans utiliser les mêmes méthodes qu'eux?

Quand cela n'a pas été fait, les résultats des négociations ont été désastreux.

Rappelons-nous les anciens traités où les Amérindiens se sont faits complètement déposséder par les Blancs de leurs territoires en échange de «miroirs».

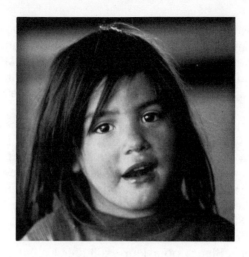

L'enfant de 7 000 ans,
retranché dans les coins
de terre qu'on lui laisse fréquenter,
rêve maintenant de retrouver
ses richesses perdues,
sa fierté,
sa personnalité.

XI

Le tour des propriétaires

«On devrait les voir apparaître d'une minute à l'autre puisqu'ils sont partis de Natashquan depuis un bon moment.

— Regarde, regarde, je crois que ce sont eux, là-bas dans le détour, près de la rive, entre la grande île et le bord.

— Oui, on aperçoit une série de points noirs, comme des libellules qui glissent sur l'eau.

— On distingue beaucoup mieux maintenant.

— Je vois plus d'une vingtaine de canots.

— Ce sont sûrement eux.

Cette conversation ressort d'un groupe de personnes debout sur le quai de Havre-Saint-Pierre, capitale de la Basse Côte-Nord.

Cet attroupement est composé du député provincial de la Côte-Nord et du maire de Havre-Saint-Pierre, entourés d'une centaine de citoyens de cette ville. Le chef de la communauté montagnaise de Mingan, monsieur Philippe Piétacho, et les membres de son conseil sont là avec eux. Le groupe de Montagnais de Mingan qui accompagnent leur chef est retiré un peu à l'écart.

Ils attendent tous l'arrivée de ces Montagnais, qui sont partis depuis quelques jours de Saint-Augustin avec des escales à La Romaine et à Natashquan pour que d'autres Montagnais se joignent à eux avant de retrouver ceux de Mingan et d'entreprendre la longue marche sur le territoire ancestral revendiqué. Ce *«tour des propriétaires»* les conduira jusqu'à Pointe-Bleue, réserve située dans la région de Lac-Saint-Jean, à quelque 700 ou 800 kilomètres plus au sud.

L'objectif de cette longue marche sur le territoire est de rencontrer encore une fois les Blancs pour leur expliquer les enjeux de cette négociation territoriale, entreprise depuis quelques années avec les gouvernements d'Ottawa et de Québec, qui traîne inutilement en longueur et ainsi se gagner des appuis dans la population allochtone.

Ils veulent leur faire comprendre que cette négociation ne se fait pas contre eux, mais bien pour les Atikamekw et lesMontagnais.

Il n'a jamais été question, et ne le sera jamais, d'expulser ceux qui habitent sur le territoire revendiqué. Les Montagnais et les Atikamekw veulent simplement récupérer une partie de leur territoire ancestral qui leur revient de droit pour l'utiliser selon leurs propres besoins en pensant à leurs intérêts.

Les richesses de leur territoire récupéré leur servira à se développer sainement sans toujours être au «crochet» des autres. Ils souhaitent simplement que le développement entre les communautés, qu'elles soient blanches ou montagnaises, se fasse d'égal à égal, en considération des uns et des autres, comme ça se passe normalement entre deux voisins qui se respectent mutuellement.

Les canots sont maintenant rendus à quelques centaines de mètres du quai de Havre-Saint-Pierre.

Le premier canot à accoster permet au président du Conseil Attikamek-Montagnais, monsieur Georges H. Bacon, et aux membres de son exécutif, messieurs Edmond Malec, vice-président pour la Basse Côte-Nord, Jean-Rock Picard, vice-président pour le bloc du Centre, et Marc Dubé, vice-président pour les Atikamekw, de descendre.

Il est suivi du canot du chef de Natashquan, monsieur Joseph Tettaut, accompagné des membres de son conseil, de celui des autorités de la bande de La Romaine, le chef Georges Bacon, avec les membres de son conseil, de celui de la bande de Saint-Augustin, dont descendent le chef, monsieur Charles Mark, et les membres de son conseil et, enfin, des autres canots de familles montagnaises qui vont participer à ce long portage sur le territoire ancestral. Ce tableau des temps modernes est des plus significatif.

Il semble vouloir faire revivre l'histoire à l'envers ou plutôt écrire un nouveau chapitre qui aura pour titre: «La recouvrance de ce territoire amérindien temporairement perdu».

Il ne s'agit plus maintenant de l'arrivée de Christophe Colomb sur les terres amérindiennes d'Amérique, mais du retour des Montagnais sur leur territoire ancestral après un long et pénible voyage.

Après les poignées de main d'usage, les mots de bienvenue du député provincial et du maire de Havre-Saint-Pierre, le président du Conseil Attikamek-Montagnais, prend la parole pour expliquer aux quelque 200 personnes présentes l'objectif ce cette longue marche sur le territoire.

Il leur souligne que les Montagnais négocient avec leurs deux paliers de gouvernement une convention ou un traité moderne qui leur permettra de récupérer une partie importante des territoires de leurs ancêtres. Il ajoute que ce traité moderne se réalisera dans le plus grand respect des populations respectives.

Les Atikamekw et les Montagnais n'ont jamais eu l'intention d'exagérer dans leurs revendications, mentionne-t-il. Au contraire, ils sont prêts à accepter des propositions raisonnables, mais pas n'importe quoi, qui feront d'eux des personnes libres.

— Cette longue marche devrait nous permettre de faire connaître à la population québécoise le contenu de nos revendications et lui en expliquer la justesse.

Nous pourrons discuter avec les Québécois de la base de ce futur traité moderne et leur démontrer que leurs gouvernements exagèrent en s'y opposant.

Nous répondrons ainsi à toutes les interrogations et même les appréhensions que les Québécois peuvent avoir face à cette négociation territoriale.

Comme on le sait, plusieurs personnes ou groupes, surtout les chasseurs et pêcheurs sportifs, qui profitent pleinement de la situation actuelle, ont des intérêts à créer certains mythes autour de cette négociation pour que les Montagnais et les Atikamekw ne réussissent pas à atteindre leurs objectifs de société.

On oublie trop souvent le côté positif de cette négociation, qui est de redonner confiance et vie à deux nations autochtones, les Montagnais et les Atikamekw, pour s'arrêter sur les aspects négatifs que l'on grossit volontairement à la loupe pour «faire peur au monde», comme le font les épouvantails à corneilles des fermiers blancs.

Pour certains milieux, il s'agit de privilèges que l'on accorde aux Autochtones. On met de côté tous les droits qu'on leur a usurpés au cours des derniers siècles. On ne pense jamais en fonction d'une justice sociale, mais simplement en cennes et piastres, en privilèges, en dons de charité, et ce en favorisant toujours la loi du plus fort pour écraser les plus faibles.

Dans les principales villes de la Côte-Nord, du Saguenay et du Lac-Saint-Jean, nous rencontrerons la population et nous lui expliquerons notre vision d'avenir que constitue ce projet de société que nous sommes en train de négocier. Nous sommes convaincus que les Québécois comprendront ce désir légitime d'une plus grande autonomie, de la même manière qu'ils l'ont souhaitée pour eux au début des années 1960 et obtenue par la suite.

Ils constateront avec nous que le moment est venu de faire ce rattrapage historique et que le Québec et le Canada sortiront grandis de cette exercice.

Ils auront ainsi corrigé une partie de la faute commise par le temps.

Nous aborderons entre autres, dans cette marche avec la population, des thèmes aussi importants que:

— la base de notre négociation qui est la «recouvrance» d'une partie importante du territoire ancestral, la superficie des terres, les titres de propriété et le transfert des terres, la gestion des ressources renouvelables et non renouvelables, les intérêts des tiers, les chevauchements;

— la non-extinction de nos droits ancestraux et la définition claire de nos droits fonciers;

— notre gouvernement autonome indien, responsable à sa population, les domaines de juridiction, les pouvoirs législatif, exécutif et judiciaire, les formes d'autorité, exclusive et partagée, la structure du gouvernement indien, les relations avec le Canada et le Québec;

— du sujet tant galvaudé que l'on appelle les indemnisations, de sa nature, des sources, des bénéficiaires, de la gestion des actifs, des modalités de transfert;

— la pratique de nos activités traditionnelles de chasse, de pêche, de piégeage et de cueillette, du principe de conservation, des zones d'exercice des activités, des modes d'exploitation et de gestion.

Voilà autant de sujets que nous aborderons avec vous, autant de questions auxquelles nous essayerons de vous donner des réponses claires et franches. Nous voulons que ce périple nous permette une meilleure connaissance mutuelle des personnes, de nos rêves et surtout que vous compreniez mieux les dossiers que nous véhiculons.

Je vous remercie de votre accueil et j'ouvre maintenant, avec mes vice-présidents et les chefs présents, cette longue marche qui se terminera dans quelques semaines à Pointe-Bleue, communauté montagnaise du Lac-Saint-Jean.

* * *

Fiers comme des paons et heureux de la responsabilité de porter le flambleau de la nation montagnaise, la cinquantaine de Montagnais débarqués à Havre-Saint-Pierre et la centaine de Mingan ont emboîté le pas à leurs leaders politiques. Ils ont arpenté avec discipline les rues de la ville qui les ont conduits à la route 138 pour ensuite prendre la direction de Mingan à plus d'une vingtaine de kilomètres de là.

Après quelques heures d'une joyeuse marche, ils ont commencé à distinguer un campement de tentes montagnaises, montées sur le territoire de la réserve de Mingan. L'équipe qui aura pour fonction de mettre en place et de démonter les campements au cours de cette longue marche avait fait son travail et les marcheurs n'ont eu qu'à regagner leur tente respective pour se préparer au «makusham» préparé par le chef Philippe Piétacho et les membres de sa communauté pour souligner le passage des marcheurs.

Ils ont mangé les délicieux plats de viande de bois préparés par les femmes de Mingan et ensuite dansé joyeusement autour d'un immense feu de camp sans prendre aucune goutte de boisson alcoolisée, comme ce sera le cas pour toute cette marche, pour bien démontrer aux Blancs la fausseté du préjugé qui veut que les Amérindiens soient presque tous des alcooliques et qu'ils ne soient pas capables de festoyer sans la bouteille de boisson alcoolisée en main.

Vers 22 heures, les gens ont commencé à regagner leur tente pour se coucher car ils savent qu'une longue journée de marche les attend le lendemain et qu'elle va débuter très tôt au lever du soleil.

Six jours plus tard, après avoir franchi 200 kilomètres, ils traversent le pont de la rivière Moisie, une des plus belle rivières à saumon de la Côte-Nord. Ils sont maintenant rendus dans la réserve de Malioténam et sont à quelques kilomètres de Sept-Îles.

Depuis leur départ de Mingan, ils ont rencontré dans les villages de la Côte des gens très sympathiques et, dans aucun endroit, ils n'ont été insultés par qui que ce soit. Ils ont parlé avec eux et fraternisé. Dans certains villages, des marcheurs ont franchi avec eux plusieurs kilomètres pour bien démontrer qu'ils appuyaient leur cause.

Tout s'est passé tel que prévu et le choix sévère des gens pour cette opération a donné les résultats escomptés. La discipline est exemplaire. Tous les Montagnais présents sont conscients de l'importance de cette marche sur leur avenir et aucun d'eux ne prendrait le risque d'en ternir l'image.

Sept-Îles est la première étape importante.

D'abord parce que les enseignants du Cégep de Sept-Îles ont organisé la première «grosse assemblée publique» et que c'est à cet endroit que la presse nationale va véritablement commencer à s'occuper de cette longue marche des Montagnais. Le Conseil Attikamek-Montagnais tiendra une conférence de presse pour faire le bilan de la première semaine et annoncera le programme à venir.

Le campement avait été installé dans les murs du vieux poste sur la réserve de Sept-Îles.

Difficulté à comprendre pour une personne lucide

Après avoir pris un léger souper et quelques minutes de repos, le groupe de Montagnais qui compte maintenant plus d'une centaine de représentants, avec l'addition des représentants de Sept-Îles et de Malioténam, a repris la route pour se rendre au Cégep de Sept-Îles pour rencontrer la population au cours d'une assemblée publique.

Lorsque furent terminées les présentations d'usage par les organisateurs de cette soirée et les discours de la direction qui ont vanté la qualité et les résultats accomplis par le programme d'étude préparé exclusivement en fonction des Amérindiens, le seul cégep du Québec à offrir ce genre de programme, et parlé du sérieux des étudiants montagnais qui fréquentent cette maison d'enseignement, le président du Conseil Attikamek-Montagnais a pris la parole, pour exhorter les nombreux Autochtones venus à l'assemblée publique à soutenir les marcheurs pour cette cause commune.

Il a ensuite laissé la parole au négociateur en chef du CAM qui expliquera aux gens de Sept-Îles la portée de la future convention ou du futur traité moderne et répondra aux questions qu'ils se posent sur cette négociation.

— D'abord, permettez-moi de vous souligner à quel point nous sommes heureux de vous rencontrer ce soir pour dialoguer avec vous sur des questions qui ont une importance vitale pour notre avenir à tous, Allochtones comme Atikamekw et Montagnais.

Le fait que vous soyez venus aussi nombreux démontre bien l'intérêt que vous portez à cette question. J'essayerai donc d'être le plus clair possible pour que vous compreniez bien les enjeux de cette négociation. Le thème que j'aborderai avec vous ce soir est la portée de ce futur traité.

C'est pour cette raison que j'ai l'intention de vous démontrer le bienfondé du contenu de cette partie de l'entente-cadre signée entre le gouvernement du Canada, celui du Québec et le Conseil Attikamek-Montagnais. Il ne s'agit surtout pas d'une toquade ou d'un simple caprice de notre part.

Au contraire, nous voulons essayer de vous prouver que le contenu de cet article va bel et bien dans le sens indiqué par l'évolution de la pensée de certaines gens, rendue par le rapport Coolican commandé par le gouvernement fédéral, des politiques exprimées par le gouvernement canadien, par sa politique des revendications territoriales globales, et surtout l'article 35 de la Constitution canadienne.

Le ministre des Affaires indiennes et du Nord doit défendre sa politique des revendications territoriales globales contre ses détracteurs du ministère de la Justice et d'ailleurs et ne pas faire en sorte que les Autochtones fassent les frais de cette bataille de pouvoirs entre ces deux ministères.

Je commencerai cette intervention en vous citant les paroles de Bill McKnight, ministre des Affaires indiennes et du Nord, qui servent d'introduction au résumé de la nouvelle politique des revendications territoriales globales, qui a été amendée au mois de décembre 1986, «à la suite d'un processus minutieux d'examen et de consultation mené pendant deux ans par le gouvernement du Canada»:

> *Les Autochtones ont toujours soutenu que le lien spécial les rattachant à la terre constitue le fondement de leur caractère culturel distinctif et de leur statut particulier d'Autochtone. La reconnaissance de ce lien par le règlement des revendications fondées sur leurs titres ancestraux représente donc pour eux un objectif fondamental. D'ailleurs, le règlement juste et équitable de ces revendications constitue une priorité importante pour le gouvernement canadien.*

Le ministre des Affaires indiennes et du Nord souligne aussi que, si les Canadiens ont hérité de l'incertitude et des ambiguïtés juridiques inhérentes aux titres ancestraux, l'histoire leur a aussi légué un moyen d'y remédier: la conclusion de traités.

> *Depuis l'époque coloniale, et pendant presque cinquante ans après la Confédération, la Couronne a conclu des traités avec les Autochtones afin de définir les droits respectifs des parties d'utiliser et de jouir des terres occupées traditionnellement par les Autochtones.*

Il faut souligner que le gouvernement fédéral, pendant une certaine période, avait mis de côté la signature de traités avec les Autochtones laissant plutôt la situation se détériorer sans trop intervenir.

En 1973, après le jugement rendu par la Cour suprême du Canada dans l'affaire Calder contre le procureur général de la Colombie-Britannique où trois juges se sont prononcés en faveur de l'existence toujours actuelles des droits aborigènes des Amérindiens alors que trois autres juges étaient contre, ce fut un choc magistral pour le gouvernement canadien qui s'est aperçu à ce moment-là que tout aurait pu tourner autrement si le dernier juge avait tranché en faveur des Autochtones au lieu de rejeter l'action des Amérindiens pour une question de procédure — un bel échappatoire — et ainsi créer un impact juridique majeur dans la définition future des droits des Autochtones où le gouvernement du Canada n'aurait plus aucun contrôle.

On pourrait aussi ajouter le jugement Malouf, en Cour supérieure, dans le cas de la baie James, reconnaissant que les Cris avaient des droits ancestraux et que le gouvernement du Québec devait considérer ces droits et s'entendre avec eux avant de changer quoi que ce soit sur leur territoire ancestral. Même si ce jugement a été cassé, par la suite, par la Cour d'appel, il n'en demeure pas moins qu'il a eu pour effet de forcer le gouvernement du Québec à conclure par la négociation une convention avec les Cris.

Le gouvernement canadien a donc fait un choix politique majeur et surtout très intéressé en annonçant en 1973 que dorénavant il favorisait le règlement, ou la clarification des droits ancestraux fonciers, par la négociation avec les groupes dont *«les intérêts soutenus et traditionnels aux terres revendiquées pourraient être établis»*.

La politique adoptée par le gouvernement fédéral à ce moment-là de négocier les revendications territoriales des Autochtones n'ayant jamais signé de traité prévoyait la cession complète de leur part de tous leurs droits, titres et intérêts, quels qu'ils soient, sur leurs territoires. Cette cession éteignait toute possibilité de revendication ultérieure de la part de ces Amérindiens sur le territoire qui avait fait l'objet de traité.

La position du gouvernement fédéral était à peu de choses près la suivante: on ne sait pas si les Autochtones ont des droits aborigènes. Toutefois, le gouvernement veut régler, une fois pour toutes, l'incertitude que lui causent les revendications territoriales des Indiens. Le gouvernement fédéral est donc prêt à régler ces revendications par la négociation, plutôt que par une loi unilatérale comme l'ont fait les Américains en Alaska, ou plutôt que de laisser le soin aux tribunaux de dire si les Amérindiens ont des droits ou non.

On voulait ainsi que le titre du gouvernement du Canada sur le territoire soit clair, sans lien ou hypothèque quelconque.

Le gouvernement du Canada mettait donc en place une politique des revendications territoriales globales dont le fondement serait de mener à terme le processus des traités, et je cite:

> *... par la conclusion d'ententes de règlement des revendications territoriales avec les groupes autochtones qui continuent d'utiliser et d'occuper des terres traditionnelles et dont les titres ancestraux n'ont pas été réglés par traité ni annulés légalement,*

Ce qui est notre cas, les Atikamekw et les Montagnais.

> *Sur cette importante question, l'approche du gouvernement fédéral a consisté à essayer de préciser les droits fonciers et les droits sur les ressources des requérants autochtones, des gouvernements et du secteur privé, par la négociation d'ententes de règlement. Dans le cadre de ces négociations, il a été possible d'examiner toute une gamme de questions reliées aux terres et aux ressources, dont celle de la propriété*

foncière, et celle des droits d'utilisation et de gestion de la faune et des ressources renouvelables.

La révision de cette politique en 1981, *«En toute justice»*, n'a pas apporté de modifications au chapitre de la cession des droits.

Par contre, chez les Autochtones, l'insatisfaction a toujours été grande à l'égard de certains éléments de cette politique. Comme le souligne le ministre McKnight, les groupes autochtones se sont particulièrement élevés contre la pratique consistant à obtenir l'extinction de tous les droits et titres ancestraux sur les terres visées par des règlements en échange des avantages fournis dans le cadre des ententes de règlement. Ils ont craint notamment, écrit-il, que d'autres droits n'ayant peut-être rien à voir avec l'aliénation des terres et des ressources, ne risquent pas d'être touchés par ce processus.

Le gouvernement du Canada, pour les Autochtones, agissait curieusement en leur demandant dans la première clause de leur traité d'éteindre tous les droits ancestraux alors qu'il (le Canada) ne leur en reconnaissait aucun.

Permettez-moi de vous citer cet exemple que j'emploie dans les communautés pour essayer d'expliquer cette absurdité de légalistes bornés:

Zacharie Mollen est assis à côté de son feu de camp (ce que l'on pourrait appeler ses droits ancestraux).

J'éteins son feu de camp (donc j'éteins ses droits ancestraux) pour en allumer un autre à côté (une partie de ses droits ancestraux, les droits fonciers, qui sont maintenant des droits issus de traités).

Et je lui dis: «Zacharie, tu n'avais pas de feu de camp (de droits ancestraux) avant que je l'éteigne. Maintenant, ton feu de camp (tes droits ancestraux) est celui (une partie de tes droits ancestraux qui sont maintenant des droits issus de traités) que j'ai allumé.»

Essayez donc de faire comprendre ça à un Montagnais lucide et même à un Blanc le moindrement logique... Et on «embarque» le plus sérieusement du monde dans ce genre de charabia juridique.

Dans le texte déposé par le Conseil Attikamek-Montagnais au ministère des Affaires indiennes et du Nord, en 1979, dans lequel on faisait état des revendications territoriales des douze communautés montagnaises et atikamekw, les trois premiers principes traitaient spécifiquement de la base sur laquelle CAM entend négocier:

1. être reconnus comme peuples ayant le droit de disposer d'eux-mêmes;
2. que nos droits de souveraineté soient reconnus sur ces terres.
3. nous refusons que l'extinction définitive de ces droits devienne une condition préalable à toute entente.

L'adoption de la Loi constitutionnelle de 1982 a marqué un tournant juridique important dans le processus de reconnaissance officielle des droits des Autochtones du Canada. Elle constitue un précédent en ce sens que c'est la première fois que la Constitution canadienne mentionne expressément que «les droits existants — ancestraux ou issus de traités — des peuples autochtones du Canada sont reconnus et confirmés (article 35 (1))». De plus, les accords de revendications territoriales sont considérés comme des traités au sens de l'article 35 (3) et sont par conséquent protégés par la Constitution canadienne.

Si le législateur n'avait pas voulu que les droits issus de traités, donc les droits fonciers, ne soient pas considérés comme des droits ances-traux, il aurait simplement fait un autre article qui aurait pu être l'article 36 de la Constitution canadienne sur les droits issus de traités. C'est donc dire qu'il ne voulait pas séparer les deux et que les droits fonciers des Autochtones sont des droits ancestraux même si certains esprits étroits s'évertuent à vouloir l'interpréter d'une façon contraire.

Il serait peut-être intéressant de voir ce qu'en penseraient les juges...

Cette même Loi constitutionnelle de 1982 contient également une charte des droits et libertés qui prévoit à l'article 25:

> Le fait que la présente charte garantit certains droits et libertés ne porte pas atteinte aux droits ou libertés ancestraux, issus de traités ou autres des peu-ples autochtones du Canada, notamment:
>
> a) aux droits ou libertés reconnus par la Proclamation Royale du 7 avril 1763;
> b) aux droits ou libertés existants issus d'accord portant règlement de revendications territoriales ou ceux susceptibles d'être ainsi acquis.

Il s'agit donc, à n'en pas douter, d'une reconnaissance formelle et d'une confirmation des droits ancestraux ou aborigènes des Autochtones.

Le processus de règlement par la négociation des revendications territoriales auquel réfèrent les articles 35 et 25 de la Loi constitu-tionnelle de 1982 a été adopté par le gouvernement fédéral en vertu de sa juridiction exclusive sur «les Indiens et les terres réservées pour les Indiens» prévue à l'article 91 (alinéa 24) de l'Acte de l'Amérique du nord britannique de 1867.

Donc, ce tournant majeur a renforcé énormément la position des groupes autochtones favorables à la non-extinction des droits ancestraux. L'extinction des droits n'était donc plus concordante avec la reconnaissance et l'affirmation, à l'article 35 de la Loi constitutionnelle de 1982, des droits ancestraux existants, ni avec le processus visant à définir ces droits dans le cadre des discussions constitutionnelles.

La révision de la politique des négociations «globales», en 1985, a mené à l'étude complète de ce dossier et à la rédaction du rapport Cooli-can selon lequel:

> (...) il n'est plus possible, pour le Parlement canadien, d'abolir ou de

modifier unilatéralement les droits ancestraux. Les modifications des droits ancestraux existants nécessitent le consentement des peuples autochtones concernés ou un amendement constitutionnel.

Le même rapport dit bien que:

La politique actuelle des revendications En toute justice, qui a été formulée avant l'enchâssement des droits ancestraux dans la Constitution (...) nécessite clairement une modification pour refléter les progrès récents enregistrés sur ces questions.

Et:

(...) le Canada peut encore conclure des ententes durables avec les peuples autochtones fondées sur la reconnaissance et l'affirmation des droits ancestraux.

C'est pourquoi le rapport Coolican préconise que:

(...) la certitude ne devrait être demandée que lorsqu'elle est essentiell.

Une politique en matière de revendication qui nécessite une cession complète et l'extinction de tous les droits ancestraux peut et doit être abandonnée.

Les accords devraient équilibrer le besoin de certitude pour la mise en valeur convenable des terres et des ressources avec le besoin de souplesse nécessaire à une évolution des relations entre les groupes autochtones et les gouvernements du Canada. Conformément à l'article 35 de la Constitution, ils doivent reconnaître et affirmer les droits ancestraux.

Dans le but évident d'essayer de contourner cette embûche que constituait l'extinction des droits ancestraux, surtout après la reconnaissance dans la Constitution canadienne des droits ancestraux des Autochtones:

(...) le Gouvernement du Canada s'est engagé par sa politique des revendications globales à régler les revendications territoriales globales par la négociation d'ententes de règlement qui doivent être équitables pour les Autochtones et les autres Canadiens et qui doivent constituer des règlements définitifs.

Et:

(...) seuls les droits fonciers peuvent faire l'objet de négociation et peuvent être touchés par les mesures prises pour établir une certitude dans les règlements. Tous les autres droits susceptibles d'exister ne seront pas touchés par les ententes de règlement des revendications globales.

On peut supposer que c'est dans l'esprit du rapport Coolican que la nouvelle politique des revendications territoriales globales du ministère des Affaires indiennes et du Nord canadien, établit que le fondement de la politique est de:

> (...) mener à terme le processus des traités par la conclusion d'ententes de règlement des revendications territoriales avec les groupes autochtones qui continuent d'utiliser et d'occuper des terres traditionnelles et dont les titres ancestraux n'ont pas été réglés par traité ni annulés légalement.

Et que:

> (...) les Autochtones devront renoncer seulement aux droits ancestraux liés à l'utilisation de terres et des ressources et aux titres fonciers. Les autres droits ancestraux tels que définis dans le cadre du processus constitutionnel ou reconnus par les tribunaux ne sont pas touchés par cette politique.

Et, enfin, que:

> Les ententes de règlement visent à fournir une certitude et une précision quant aux droits de propriété et d'utilisation des terres et des ressources dans les régions du Canada où les titres ancestraux n'ont pas été réglés par traité ni annulés légalement. Les ententes finales doivent donc servir à établir une certitude et des prévisions relativement à l'utilisation et à la disposition des terres touchées par les règlements. En ce qui concerne les droits de propriétés et l'application des lois, le caractère de certitude sera établi lorsque l'entente entrera en vigueur. Les prévisions seront fondées sur l'entente qui précisera la façon de modifier les dispositions applicables et quelles circonstances. Dans le cadre de ce processus, le groupe requérant se verra accorder des droits définis, des indemnités et d'autres avantages, en échange de l'abandon des droits liés aux titres revendiqués par les Autochtones sur l'ensemble ou sur une partie des terres visées.

Sous le chapitre «Portée des négociations», on souligne que:

> Comme les revendications territoriales globales visent principalement à préciser les droits liés aux terres et aux ressources, les négociations seront centrées sur des thèmes relatifs à ces questions.

Et plus loin, en guise de conclusion à ce même chapitre sur la portée des négociations, on ajoute:

> Il est important de reconnaître que, dans le cadre des revendications, les Autochtones devront renoncer seulement aux droits ancestraux liés à l'utilisation des terres et des ressources et aux titres fonciers.

C'est ainsi que le Conseil Attikamek-Montagnais a inscrit, dans le projet de l'entente-cadre qu'il a déposé en juin 1987 à la table tripartite de négociation (CAM-Québec-Ottawa) un article 9 qui prévoyait entre autres que:

> *(...) la future entente reconnaîtra les droit ancestraux confirmés par la Loi constitutionnelle de 1982 ou des autres à venir.*

Le gouvernement du Québec a répondu à cet article en proposant un article intitulé «Portée des ententes» qui prévoyait, plutôt que la reconnaissance des droits ancestraux confirmés par la Constitution:

> *(...) l'entente finale constituera un accord sur une revendication territoriale au sens de l'article 35 (3) de la Loi constitutionnelle de 1982 dans la mesure ou selon les modalités convenues entre les parties.*

Cette contre-proposition du Québec a fait en sorte que ce n'est plus l'article 35 (1) qui constitue le fondement ou la base de l'entente négociée, mais c'est l'accord, une fois signé, qui devient le fondement ou la base des droits reconnus dans cette entente. C'est un changement significatif par rapport à la position initiale du CAM.

Une clause de sans préjudices aux droits ancestraux de l'article 35 (1) de la Constitution canadienne a alors été introduite.

Partant de la reconnaissance claire des droits ancestraux par l'article 35 de la Constitution canadienne, partant du changement majeur de la politique du gouvernement du Canada qui préconise le règlement du contentieux avec ses Autochyones par la voie de la négociation au lieu de celle de la justice, partant de la politique des revendications territoriales globales, amendée en décembre 1986, qui exprime clairement et à plusieurs endroits que l'on veut régler avec certitude la partie des droits ancestraux fonciers sans toucher aux autres droits ancestraux, il était normal que les trois négociateurs en chef en arrivent à l'article suivant sur la portée de l'entente, dans l'entente-cadre, de la négociation tripartite entre le Conseil Attikamek-Montagnais, le gouvernement du Canada et le gouvernement du Québec:

> *L'entente de principe définira les droits fonciers des Atikamekw et des Montagnais et contiendra tout autre élément jugé essentiel par les parties. L'entente finale confirmera l'entente de principe et en déterminera les modalités d'application.*

> *L'entente finale sera conclue sans préjudice aux droits qui pourraient exister au sens de l'article 35 (1) sauf que les droits ancestraux relatifs aux droits fonciers, qui auront obtenu une certitude par la présente négociation, seront les seuls droits fonciers à exister en faveur des Atikamekw et des Montagnais.*

Les droits fonciers qui pourraient exister en dehors du territoire reven-diqué par les Atikamekw et les Montagnais ne seront pas affectés par la présente négociation.

L'entente finale sera conclue sans préjudice aux droits conférés aux peuples autochtones suite à tout amendement à la Constitution du Canada.

L'entente finale constituera un accord sur des revendications territo-riales au sens de l'article 35 (3) de la Loi constitutionnelle de 1982.

Les ententes et les sous-ententes, à toutes les étapes du processus de négociation, seront réalisées dans le cadre du régime juridique cana-dien. Elles ne seront pas limitées au cadre des lois actuelles, lesquelles devront être modifiées en conséquence.

Après avoir pris connaissance du contenu, le ministère fédéral de la Jus-tice s'oppose fortement au libellé de cette clause parce que, prétend-on, l'entente-cadre définit les droits ancestraux; ce qui, selon eux, n'est pas du ressort d'une table de négociation.

Pour eux, en écrivant: «*(…) sauf que les droits ancestraux relatifs aux droits fonciers, qui auront obtenu une certitude par la présente négociation, seront les seuls droits fonciers à exister en faveur des Atikamekw et des Montagnais*», Le gouvernement du Canada reconnaît que les droits fon-ciers font partie des droits ancestraux des Atikamekw et des Montagnais.

Ce revirement du gouvernement fédéral, évidemment appuyé par le gouvernement du Québec, a retardé la signature de l'entente-cadre d'un an et le Conseil Attikamek-Montagnais a dû accepter un libellé différent qui donnait raison aux gouvernements. Si ce n'avait pas été le cas, les gouvernements n'auraient pas voulu signer l'entente-cadre.

La position du gouvernement du Canada est à peu près la suivante: le gouvernement fédéral ne veut pas que le fondement de la négociation soit l'article 35 (1) de la Loi constitutionnelle de 1982. Il entend plutôt négocier la revendication du Conseil Attikamek-Montagnais et octroyer des droits aux Atikamekw et aux Montagnais par cette négociation en retour de quoi il exige l'abandon de leur part des droits ancestraux sur les terres et les ressources, droits, selon nous, reconnus et confirmés par l'article 35 (1).

Autrement dit, le gouvernement fédéral ne veut pas reconnaître les droits ancestraux comme fondement de la négociation, mais il exige une garantie du CAM qu'une fois l'entente signée, il ne pourra plus formuler de revendications ni intenter de procédures judiciaires fondées sur les droits ancestraux fonciers reconnus et confirmés par l'article 35 (1).

Encore plus simplement, les représentants du gouvernement fédéral sont convaincus que les Autochtones n'ont pas de droits et que c'est par simple magnanimité qu'ils s'assoient avec eux pour s'entendre sur l'utilisation du territoire en échange de la paix. Donc, tout ce que peuvent obtenir les Amérindiens est simplement ce que voudra bien leur donner le gouvernement fédéral. Il ne s'agira en aucun temps, dans leur esprit, de droits ancestraux, mais simplement d'une entente conclue entre les deux parties.

On aura beau continuer à clamer nos droits...

C'est comme si nous prêchions dans le désert.

Il existe un mur infranchissable entre ce que nous appelons nos droits fonciers ancestraux et les droits que nous obtiendrons du traité. Pour les leaders actuels chez les fonctionnaires, cette question conduit à un débat complètement inutile et stérile. C'est une question d'avocats en mal de causes à défendre ou recherchant tantôt la gloire et tantôt la fortune.

Pour essayer de démêler un peu cette question pour le moins ambiguë et pour mieux vous faire comprendre la logique de notre position, je me permettrai d'utiliser un petit dessin qui, je l'espère, éclairera votre lanterne.

D'abord, une grande boîte que l'on pourrait appeler la *boîte des droits ancestraux.*

Comme nous ne voulons pas éteindre nos droits ancestraux et que le gouvernement fédéral ne désire pas régler tous ces droits par la négociation, la convention ou le traité moderne sera donc signé sans porter de préjudice à ces droits de premiers occupants qui demeureront indéfinis.

Mais, comme le gouvernement fédéral veut obtenir une certitude sur les droits ancestraux fonciers, nous réglerons donc d'une façon définitive, par la future convention ou le traité, la petite boîte des droits fonciers issus de la grande boîte des droits ancestraux. Et c'est ce que dit le *nouveau texte* de la portée de l'entente de notre entente-cadre:

> *Sauf que les droits ancestraux relatifs aux droits fonciers seront échangés par les Atikamekw et les Montagnais en contrepartie de droits fonciers issus de traités au sens de l'article 35 (3) de la Loi constitutionnelle de 1982.*

Les négociateurs atikamekw et montagnais ont accepté cette correction parce que le fait de préciser que les droits ancestraux fonciers seront échangés exprime autant que ces droits existaient que le fait de dire que ces droits seront *les seuls droits fonciers à exister en faveur des Atikamekw et des Montagnais.*

Si, dans la première formulation, le gouvernement fédéral admettait que les Atikamekw et les Montagnais ont des droits ancestraux fonciers, il le fait sûrement encore dans la seconde formulation. Lorsqu'on échange une automobile pour un camion, cela signifie logiquement qu'on a une automobile...

Donc, quand nous aurons terminé la négociation et signé une entente, nous aurons défini les droits ancestraux fonciers des Atikamekw et des Montagnais avec certitude tel que demandé par le gouvernement fédéral, qui deviendront des droits issus de traités.

Ces droits issus de traités feront partie de la Constitution canadienne.

Nous aurons donc maintenant deux boîtes de droits: première boîte, celle des droits ancestraux, qui ne seront pas réglés ni préjudiciés et qui ne comprendront plus les droits fonciers; deuxième boîte, celle des droits fonciers, qui seront réglés définitivement en devenant des droits issus de traités.

C'est vraiment cet esprit d'échange, donnant une certitude pour les parties en cause, qui fait que la politique des revendications territoriales du gouvernement du Canada s'est transformée en 1986. *Cette certitude face aux titres fonciers permet maintenant au gouvernement fédéral de ne plus obliger les Autochtones à éteindre tous leurs autres droits ancestraux.* Il s'agit donc d'une modification importante qui permet de distinguer l'intention du gouvernement — *l'échange* — de la méthode légale pour y parvenir — *la cession.*

Donc, pendant un instant, le Gouvernement du Canada devra admettre que les Atikamekw et les Montagnais ont des droits ancestraux fonciers s'il veut les échanger et ces derniers — les Atikamekw et les Montagnais — *devront céder des droits ancestraux fonciers hypothétiques* — tant et aussi longtemps qu'ils ne sont pas reconnus, il ne peuvent être autre chose puisqu'ils ne sont pas respectés par personne — *en contrepartie de droits fonciers issus de traités au sens de l'article 35 (3) de la Loi constitutionnelle de 1982.*

Ce sera donc à ce moment-là que s'exprimeront avec force les résultats du processus de la négociation territoriale globale puisque les Atikamekw et les Montagnais n'accepteront cet échange que s'il a une valeur réelle et acceptable. Sinon, ils préféreront simplement attendre que le gouvernement du Canada reconnaisse d'une façon plus raisonnable ses devoirs envers ses Autochtones ou ils choisiront la voie des cours de justice pour faire définir leurs droits de premiers occupants.

Voilà donc ce qu'exprime pour nous la politique des revendications territoriales globales développées par le ministère des Affaires indiennes et du Nord et acceptées, en décembre 1986, par le Cabinet.

Une vraie maison de fous

Nous savons par contre de la part de nos sources d'information que le ministère de la Justice du Canada n'accepte pas certains points de cette politique des revendications territoriales globales.

Au départ, comme c'était le cas avant d'avoir enchâssé les droits ancestraux dans la Constitution canadienne en 1982, le contentieux du ministère de la Justice n'admet pas que les Autochtones aient des droits, ancestraux ou autres. Ils disent simplement que les Autochtones ont peut-être des droits, mais que ces droits seront ceux que voudront bien leur donner le gouvernement du Canada, par des amendements constitutionnels et des négociations, ou les cours de justice.

Donc, pour le ministère de la Justice, le fait que les Atikamekw et les Montagnais aient possiblement des droits ancestraux, le fait qu'ils négocient présentement leurs droits ancestraux fonciers et le fait que ces derniers seront devenus des droits issus de traités ne sont aucunement liés. Ils s'agit pour eux de choses complètement différentes.

Prenons deux boîtes de droits: celle possible des droits ancestraux et celle des droits issus de traités, comme le voient les leaders des gouvernements en matière de droits des Autochtones.

On pourrait ajouter aussi que le ministère de la Justice du Canada étant le maître d'œuvre dans le domaine des amendements constitutionnels qui pourraient accorder aux Autochtones une définition plus claire de leurs droits ancestraux veut conserver la mainmise sur cette définition.

C'est donc en filigrane une lutte de pouvoirs entre les deux ministères qui risque de se faire sur le dos des Autochtones et surtout d'hypothéquer encore une fois leur avenir.

Dans le cas d'une négociation territoriale globale, le leadership de cette clarification des droits appartient au ministère des Affaires indiennes et du Nord canadien; ce qui ne semble pas tellement faire l'affaire du ministère de la Justice qui n'est, dans ce cas-là, que conseiller.

Le ministère de la Justice prétendrait en outre que le ministère des Affaires indiennes et du Nord canadien est allé trop loin dans sa nouvelle politique des revendications territoriales globales et plus d'un fonctionnaire croit que les représentants de ce dernier ministère sont fous quand ils accordent aux Autochtones des titres fonciers clairs.

Pour eux, le plus loin que le gouvernement fédéral devrait aller dans le cas des négociations avec les Amérindiens, c'est de leur permettre un usage limité à certains territoires que les Blancs n'utilisent pas ou très peu.

Quant au reste, les Autochtones sont de simples citoyens canadiens minoritaires comme les autres minorités, sans plus. Le droit du premier occupant n'existe pas et c'est la loi du plus fort qui doit dominer.

Un point c'est tout...

Il essaie donc de regagner le terrain perdu par l'enchâssement dans la Constitution canadienne à l'article 35 (1) des droits ancestraux pourtant tenus volontairement vagues sur le dos des groupes en négociation.

Toute cette question de droits ancestraux, fonciers ou issus de traités, ressemble à une maison de fous, ou une tour de Babel, où chacun essaie d'interpréter à sa façon ce que signifie tous ces droits pour les Autochtones.

On complique volontairement cette question parce que, dans le fond, certaines personnes influentes dans les gouvernements, fédéral et provinciaux, des avocats sans cause qui s'amusent à grands frais avec l'argent des contribuables, n'acceptent pas vraiment que les Autochtones aient des droits ancestraux et on tente alors par toutes sortes de passe-passe d'en atténuer la portée.

Ces faux magiciens essaient de faire disparaître et apparaître ces droits ancestraux, là où ça fait leur affaire.

Enfin, puisque le conservatisme des contentieux est proverbial, les avocats veulent donc une protection mur à mur.

On souhaite faire en sorte que tout ne veuille rien dire.

Tant et aussi longtemps que les politiciens laisseront ce dossier dans les mains des avocats qui s'amusent sur le dos des citoyens, Canadiens comme Autochtones, et qu'une volonté politique ne sera pas exprimée clairement, on assistera à ce genre d'opéra bouffe.

On démontre encore une fois, plus clairement que jamais, que, dans un royaume d'aveugles, les borgnes sont rois.

L'enfant de 7 000 ans,
lorsqu'il regarde en avant,
ne voit que du blanc.
Quand il regarde en arrière,
il cherche ses rivières.

XII

Nitasinan
(notre terre)

Le lendemain, à quelques heures après le lever du soleil, le groupe de marcheurs entreprend de parcourir une autre partie importante du territoire ancestral de plus en plus habité par les Blancs, le deuxième tiers de cette longue marche qui les conduira sur la côte du Saint-Laurent, de Sept-Îles à Tadoussac, à l'embouchure de la rivière Saguenay, pour ensuite entrer dans les terres et terminer son périple dans la région du grand lac Saint-Jean.

La terre (*nitasinan*), sur laquelle les Montagnais de cette génération vont marcher symboliquement, leurs ancêtres l'ont parcourue depuis des temps immémoriaux pour vivre et exploiter les ressources et ont nommé, par des noms montagnais significatifs, les lacs, les rivières, grandes et

petites, et les montagnes, couvrant une immense superficie de la péninsule du Québec et du Labrador que l'on évalue à quelque 500 000 kilomètres carrés.

Sauf pour environ 25 % de cette superficie qui se trouve à l'intérieur
de la frontière du Labrador de 1927, la très grande majorité de cette terre
se situe dans les limites de la province de Québec.

On pourrait aussi ajouter que cette terre a été entachée, à environ
20 % pour les Montagnais et les Atikamekw, par la Convention de la baie
James et du Nord québécois. Nos droits ont été éteints sur cette partie
du territoire ancestral malgré nous puisque tout a été mis en œuvre pour
nous opposer à cette décision en prenant, entre autres moyens une
demande d'injonction interlocutoire en Cour supérieure, le 30 octobre
1975, et la présentation d'un mémoire, complété par nos témoignages
devant le Comité permanent des affaires indiennes et du développement
du Nord canadien.

On n'a pas besoin de rappeler comment l'urgence de ce qu'on appelle
injustement pour nous «des intérêts prioritaires» de nos exploiteurs, qui
composent cette société dominante, a triomphé malgré une injustice
criante. Elle fut et même reconnue ensuite dans la Convention de la baie
James par l'article 2.14 qui permet aux groupes concernés de revenir sur
cette question lors de leurs négociations territoriales avec le Québec.

Aucun Montagnais et aucun Atikamekw n'a pu accepter ce genre de
décision qui lui niait toute justice et tous revendiquent ces territoires qui
doivent leur revenir de droit même s'ils sont prêts à accepter certains
chevauchements sur ces terres limitrophes avec les Cris, les Naskapis et
les Algonquins.

On ne nie aucunement ces chevauchements puisque l'appropriation
personnelle ne fait pas partie des principes fondamentaux des Montagnais et des Atikamekw et que les ressources ont toujours été réparties
en prenant en considération les besoins des nations voisines.

Cependant, ces territoires sont autant sinon plus ceux des ancêtres
montagnais.

Pour prouver ces avancés, il s'agit simplement de relire les résumés
des témoignages de plusieurs aînés des Montagnais et des Atikamekw
devant le Comité permanent des affaires indiennes.

Mathieu André, de Schefferville:
Les territoires fréquentés par les chasseurs de Schefferville se situent
dans différentes directions: lac et rivière Ashouanipi, rivière Caniapiscau,
rivière Nid-à-l'aigle, lac Petitsikapau, rivière McPhayden, lac Minihek. La
rivière George était pour les Montagnais le principal lieu d'approvisionnement en viande de caribou.

Abraham Mestokosho, de Mingan:
Son territoire de chasse se situe dans la région du lac Atikonak. Son

père chassait plus haut, au sud du lac Michikamau. Son grand-père allait chasser le caribou à la rivière George.

Alexandre Michel, de Sept-Îles:
Les gens de son groupe avaient leurs territoires de chasse au lac Chambeaux et à la rivière Caniapiscau. Ils allaient aussi à Opiscoteo.

Barnabé Vachon, de Betsiamites:
Lui-même et plusieurs autres Montagnais de Bersimis ont chassé dans les régions des lacs Mistinic, Itonamis, Opiscoteo, Aticoupi, Pletipi, Naococane, Nichicun.

Jack Germain, de Pointe-Bleue:
Les territoires de chasse de sa famille sont situés aux sources des rivières Péribonca, Savane et Aux-Foins. D'autres chasseurs exploitent les bassins des rivières Chamouchouane, Mistassini, Mistassibi et Aux-Rats.

Les territoires de la communauté de Pointe-Bleue s'étendent profondément à l'intérieur des terres jusqu'au lac Naococane. Un Indien nommé Manigouche allait même chasser jusqu'au lac Caniapiscau. La limite des territoires de Pointe-Bleue au nord-ouest est le lac Mistassini.

David Niquay, d'Obedjiwan:
Des chasseurs de sa communauté ont exploité les terres situées au nord (lac Baptiste) et à l'ouest (lac Mégiscane) du réservoir Gouin.

Notre terre, nous l'aimons et nous y tenons

Maintenant, si on se réfère aux tracés des limites des réserves à castors établis par le ministère des Affaires indiennes et reconnus par le Service de fourrures du Québec, toute la partie nord de la rivière Saguenay est à l'usage exclusif des trappeurs montagnais.

Il est donc difficile pour ces Atikamekw et ces Montagnais de comprendre et surtout de croire aux raisons qui font que ces territoires soient devenus soudainement des territoires cris.

La seule explication pour eux est que ces territoires font partie des bassins hydrographiques qui se versent dans la baie James. Ce qui, à leur avis, n'est pas une raison suffisante pour justifier tout ce «tripotage» de la part des ingénieurs, des administrateurs, développeurs et négociateurs pour en arriver à une entente précipitée avec les Cris.

Les rives du golfe et du fleuve Saint-Laurent, à partir du détroit de Belle-Isle, y compris les îles du littoral et l'île d'Anticosti, forment, jusqu'à l'embouchure du Saguenay, les limites orientales et australes des territoires ancestraux des Montagnais.

En partant du Saguenay, la boucle doit être refermée par une ligne rejoignant la limite sud des territoires de la communauté atikamekw de Manouane.

La démonstration détaillée de l'occupation de ce territoire ancestral par des groupes atikamekw et montagnais a été faite au ministère des Affaires indiennes et du Nord canadien, selon les exigences de sa politiques sur les revendications territoriales globales, à la suite d'une vaste étude d'occupation, qualifiée de grande qualité par les hauts fonctionnaires de ce ministère, pour onze des douze communautés qui composent le Conseil Attikamek-Montagnais. La communauté de Sept-Îles-Malioténam n'était pas dans le C.A.M. à ce moment-là.

Pour ce qui est de l'occupation historique et préhistorique, les fouilles archéologiques confirment nos prétentions d'occupation de cette région depuis des temps immémoriaux. Ces fouilles archéologiques font remonter jusqu'à environ 8 000 ans la présence paléoindienne le long du Saint-Laurent et à l'intérieur des terres.

Pour la période historique, de nombreux témoignages, en particulier ceux des missionnaires jésuites, indiquent la présence de groupes de chasseurs autochtones à divers points de ces territoires.

Maintenant, s'il existe encore une certaine hésitation autour de l'identification précise et de la distribution territoriale exacte de ces groupes, il ne semble faire aucun doute qu'il s'agissait bien de nos ancêtres.

Plus récemment d'ailleurs, des anthropologues comme F.G. Speck, pour les Montagnais, et J. M. Cooper, pour les Atikamekw, ont dressé des cartes et des listes des territoires de chasse familiaux qui apportent des preuves irréfutables de notre occupation et de l'exploitation récente de toutes ces terres.

Enfin, l'établissement des réserves des Atikamekw et des Montagnais dans un contexte de sédentarisation partielle à partir du bassin du Saint-Maurice jusqu'à Schefferville en passant par Sept-Îles et Saint-Augustin sur la Côte-Nord et la Basse Côte-Nord témoigne éloquemment que tout ce coin de pays est d'abord à nous.

Depuis les temps les plus lointains, donc, a souligné le mémoire du Conseil Attikamek-Montagnais: *Nishastanan Nitasinan* (Notre terre, nous l'aimons et nous y tenons), nos ancêtres ont utilisé ces terres et leurs ressources pour assurer leur subsistance et celle de leurs familles par des activités de chasse, de pêche, de piégeage et de cueillette.

Ils étaient nomades et ils ont ainsi parcouru des distances considérables à la poursuite de certains gibiers migrateurs comme le caribou. Ils connaissaient à fond leurs terres, source de vie, comme les connaît encore la majorité d'entre nous. Nous avons toujours été, d'abord et avant tout, des chasseurs vivant en étroite dépendance de la nature et la respectant puisqu'elle est notre mère, dispensatrice de tous les biens nécessaires à notre survie. Si nous sommes devenus aussi des producteurs de fourrures pour alimenter le commerce des Blancs, ce fut pour nous procurer des armes, outils et vêtements pouvant faciliter notre vie de chasseurs nomades. Cependant, l'appât du gain ne nous a jamais beaucoup motivés. Nous avons toujours tenu à assurer d'abord la subsistance de nos familles par la chasse et la pêche avant de tendre des pièges pour capturer les animaux à fourrure. Tous ceux qui voient en nous des producteurs de pelleteries au profit d'intérêts mercantiles de quelques puissants monopoles, comme celui de la Compagnie de la Baie d'Hudson, se trompent en pensant que nous avons délaissé nos activités traditionnelles depuis que nous n'empilons plus les fourrures en quantité aussi impressionnante qu'autrefois sur les comptoirs des postes de traite. Partout la chasse et la pêche pour fins de subsistance demeurent des activités économiques majeures et assurent encore une partie importante des besoins alimentaires de nos familles. Malgré la concurrence de milliers de chasseurs et pêcheurs blancs qui pénètrent sur nos terres sans notre autorisation pour pratiquer leurs activités de loisirs préférés, nous continuons à dépendre largement du gibier et du poisson pour assurer notre subsistance selon les traditions transmises par nos ancêtres. Nous ne pouvons concevoir notre vie future autrement qu'en dépendance étroite du gibier et du poisson que la terre nous fournit.

De plus, nous n'accepterons pas que la non-utilisation de certaines parties de nos terres ancestrales pour des périodes plus ou moins longues soit utilisée comme argument pour en limiter la nature ou l'extension géographique. Si nous avons été évacués de certaines zones, la responsabilité doit en être imputée aux agents politiques et économiques qui ont favorisé l'invasion de nos terres par la colonisation agricole, l'exploitation forestière et minière, la construction de barrages, etc. On ne peut honnêtement nous reprocher de ne plus utiliser des terres qui nous ont été enlevées sans notre consentement. Par ailleurs, la pénétration industrielle sur nos territoires (dont nous ferons un bref historique un peu plus loin dans ce chapitre) *a forcément apporté des modifications importantes à nos activités de subsistance traditionnelles. En raison de notre système de valeurs totalement différent du vôtre, nous avons été les victimes inconscientes de ces transformations souvent brutales et rapides. Notre destin nous a échappé pendant un long moment et dans une large part et nous avons été les victimes de toutes sortes de manipulations. Nous affirmons aujourd'hui notre désir de mettre fin à cette situation et de prendre notre destinée en mains.*

Le territoire, décrit au cours des précédents paragraphes, est la véritable base et raison d'être de toute cette négociation territoriale globale des Atikamekw et des Montagnais.

Si nous sommes présentement assis à une même table avec les gouvernements d'Ottawa et de Québec, c'est uniquement pour clarifier nos droits sur cette terre retrouvée qui nous appartient depuis toujours.

Nous voulons aussi qu'elle se développe selon nos propres principes d'une société communautaire dans laquelle la répartition des ressources s'effectuera sur des bases égalitaires.

Contrairement au système de valeurs des Blancs, nous ne souhaitons pas bâtir une société où les intérêts collectifs doivent toujours passer par les intérêts privés d'entrepreneurs capitalistes.

Donc, nous ne comprenons pas pourquoi la notion de propriété privée, qui est la vôtre, doit primer sur la notion de propriété collective, qui est la nôtre. L'appropriation privée de la terre et de ses ressources nous apparaît être la base d'un système fondé sur l'exploitation de l'homme par l'homme que, traditionnellement, nos ancêtres ont toujours refusé.

Nous n'acceptons pas que le dominant tout-puissant consente, comme un bon maître, à nous accorder des droits limités par ses intérêts tel que c'est véhiculé aujourd'hui dans les officines gouvernementales sur notre territoire ancestral.

Nous voulons simplement qu'il reconnaisse ces droits fonciers sur la base de l'occupation traditionnelle de nos territoires et fasse en sorte que l'on en redevienne les propriétaires pour une partie importante.

Nous ne pouvons pas accepter que la base de cette négociation soit autre chose puisque ce serait refuser l'héritage de nos ancêtres.

Nous ne voulons surtout pas que les résultats de notre dépossession, la création de réserves, constitue le départ de cette négociation et que le gouvernement provincial négocie à partir de l'état actuel. Nous voulons encore moins que le gouvernement québécois décide pour nous ce que seront nos besoins futurs, comme il l'a fait pour les Cris avec la Convention de la Baie James, tout en pensant surtout aux tiers.

Nous accepterons un nouveau contrat social avec les Allochtones qui sera bâti à partir de notre propre projet de société.

Il ne sera jamais question pour nous de nous imposer le modèle de l'entente de la baie James.

La Commission des droits de la personne de la province de Québec s'est d'ailleurs déjà prononcée sur cette question:

> La Commission ne saurait accepter la procédure traditionnelle au Canada, qui pose comme principe préalable obligatoire à toute négociation l'extinction des droits territoriaux des Autochtones.

> Il faut réviser systématiquement les principes et les modes de négociation avec les Autochtones, notamment en matière de droits territoriaux, et pour y bannir en particulier le principe de l'extinction de ces droits comme préalable obligatoire à toute négociation.

> La Convention de la baie James ne doit pas devenir un modèle de négociation.

Le raisonnement du gouvernement québécois s'est exprimé clairement dans sa négociation avec les Cris en les forçant à oublier ce qui s'est passé par des compensations monétaires, comme si tout pouvait simplement se monnayer. Il a donc acheté ce territoire et il en a confié la gérance pour certaines catégories de terres aux Cris et aux Inuits.

Quant au reste, il peut en faire ce qu'il veut.

Pour nous, après avoir accueilli amicalement les Blancs sur nos terres et subi en retour tous les tourments, le temps est maintenant venu de réclamer justice et d'exiger la reconnaissance de nos droits fondamentaux en tant que peuples distincts — beaucoup plus que ne pourrait l'être le Québec face aux autres provinces du Canada, comme l'a reconnu le Sénat canadien — de la société dominante et en tant que peuples autochtones, premiers occupants de ce pays.

L'essentiel de nos revendications porte sur la reconnaissance de nos droits territoriaux et de notre droit à prendre en mains notre propre développement économique, social et culturel.

Les onzes principes de notre négociation

Dans cette perspective, les douze communautés qui composent le Conseil Attikamek-Montagnais ont résumé leurs positions de base dans les onze principes suivants:

I. *En tant que peuples culturellement autonomes, avant l'arrivée des Européens, nous voulons être reconnus comme peuples ayant droit à disposer d'eux-mêmes.*

II. *En tant que peuples autochtones, descendants des premiers habitants des territoires situés à l'est de la péninsule Québec-Labrador, nous demandons aussi que nos droits de souveraineté soient reconnus sur ces terres.*

III. *Nous refusons que l'extinction définitive de ces droits devienne une condition préalable à toute entente avec les gouvernements de la société dominante.*

IV. *Nous exigeons des dédommagements pour toutes les violations passées et actuelles de nos droits territoriaux.*

V. *Nous nous opposons à tout nouveau projet d'exploitation des ressources de nos territoires par les membres de la société dominante tant et aussi longtemps que nos droits n'auront pas été reconnus.*

VI. *Nous voulons contrôler à l'avenir l'exploitation de nos terres et de leurs ressources.*

VII. *Nous voulons favoriser prioritairement le développement des ressources renouvelables de nos terres par rapport à celui des ressources non renouvelables.*

VIII. *Nous voulons que l'assise économique que nous fournira le contrôle de l'exploitation de nos terres assure notre bien-être économique, social et culturel pour les génération à venir, comme c'était le cas avant que nous soyons envahis par les commerçants, les colons et les entreprises industrielles.*

IX. *Nous voulons prendre en mains notre développement à tout point de vue et ne plus le laisser entre les mains de membres de la société dominante.*

X. *Nous voulons orienter notre développement en fonction de nos valeurs et de nos traditions léguées par nos ancêtres et qui ont été développées pendant des millénaires en harmonie avec notre environnement naturel et social.*

XI. *Nous voulons à l'avenir traiter d'égal à égal avec les gouvernements de la société dominante et non plus être considérés comme des peuples inférieurs.*

*L'enfant de 7 000 ans
retrouvera son sourire
quand on lui aura redonné
sont habitat.
Celui préparé par ses ancêtres.*

XIII

Une dette d'honneur

Arrivé près du terrain de stationnement d'un centre commercial de Baie-Comeau sur la route 138, le groupe de marcheurs décide d'arrêter quelques instants se rafraîchir et discuter avec les badauds.

Sitôt mis le pied sur le terrain, des personnes sympathisantes, qui ont suivi par les médias la longue marche des Montagnais, s'approchent d'eux et entreprennent des conversations à bâtons rompus. Sachant que le but de cette opération de sensibilisation de la population blanche est de répondre aux citoyens sur le sujet de la négociation territoriale des Atikamekw et des Montagnais, les questions ont commencé à fuser de toute part.

— Pourquoi refusez-vous de devenir de simples Canadiens comme nous autres?

— Depuis que les Européens ont mis les pieds sur nos terres, nos droits les plus fondamentaux ont été constamment bafoués par eux. L'expression même de «découverte des terres neuves» représente une insulte à tous les peuples aborigènes d'Amérique qui connaissaient à fond et exploitaient ces terres depuis des millénaires.

La négation des Autochtones, de leur spécificité et de leurs droits de premiers habitants, a toujours été une des caractéristiques de la suffisance des peuples européens qui se considéraient comme les porte-flambeaux de l'unique civilisation et de la seule vraie foi.

Dans cette perspective, nos terres étaient à conquérir, nos peuples à civiliser selon votre système de valeurs. Malgré tous vos efforts pour nous assimiler à votre civilisation, nous avons pu y résister victorieusement tant que votre occupation de nos terres s'est limitée à la seule vallée du Saint-Laurent.

— Expliquez-nous pourquoi vous n'avez pas réussi à combattre ceux que vous qualifiez souvent d'usurpateurs?

— Déjà, les pêcheries sédentaires et les comptoirs de traite constituaient les avantages qui vous ont permis de pénétrer de plus en plus profondément à l'intérieur de nos terres pour vous accaparer des ressources à mesure que vos besoins et vos technologies se développaient.

Dès le XVIIe siècle, le gouvernement de la Nouvelle-France accordait le monopole de la traite des fourrures et de l'exploitation de certaines ressources de nos terres, telles le saumon et le loup-marin, à des intérêts mercantiles en créant la Traite des postes du Roi et en accordant des droits de seigneurs sur de larges parties du territoire de la Côte-Nord et des concessions de pêche à des hauts fonctionnaires du gouvernement ainsi qu'à de riches commerçants.

Après la conquête, ce monopole sur la traite des fourrures et de la pêche sédentaire s'est renforcé sous l'égide de quelques marchands anglais pour finalement tomber entre les mains de la toute-puissante Compagnie de la Baie d'Hudson au début du XIXe siècle.

Ces différents monopoles eurent au moins comme avantage d'empêcher la pénétration de nos terres par des agriculteurs et des industriels jusqu'au milieu du siècle dernier alors que des pressions économiques et politiques très fortes aboutirent à l'abandon du contrôle de la baie d'Hudson sur le Saguenay-Lac-Saint-Jean et la majeure partie de la Côte-Nord.

L'industrie forestière fut la première à ouvrir ces régions et l'agriculture ne tarda pas à suivre ses traces. Entretemps, la pénétration de la vallée du Saint-Maurice par ses bûcherons étaient déjà amorcée depuis une ou deux décennies.

Jusqu'alors nous avions pu conserver l'usage de la majeure partie de nos terres ainsi que de nos activités et notre culture traditionnelles même après certaines transformations liées au piégeage des animaux à fourrure.

En nous intégrant dans des circuits d'échanges internationaux, la traite des fourrures a certes eu des effets néfastes pour nos populations. Entre autres, certaines maladies que nous ne connaissions pas et contre lesquelles nous n'étions pas immunisés naturellement, comme la variole, ont fait des ravages considérables parmi les groupes se rassemblant aux postes de traite. Ceux-ci les transmirent aux leurs.

Ainsi, fortement décimés, nous n'avons guère pu opposer de résistance efficace à la pénétration de nos terres par l'industrialisation et la colonisation agricole de même qu'à la violation de nos droits par les gouvernements de la société dominante, soucieux uniquement de favoriser l'épanouissement économique et social de la majorité blanche toujours de plus en plus accaparante.

— Est-ce qu'il y a eu d'autres éléments qui ont servi à vous écraser encore plus?

— L'escalade a continué. Le développement agricole et industriel du Saguenay-Lac-Saint-Jean nous a repoussés toujours plus loin à l'intérieur de nos terres, de Tadoussac à Chicoutimi, et de là à Métabetchouan, puis à Pointe-Bleue. Le tour du lac Saint-Jean ayant été concédé à des agriculteurs et la coupe de bois faisant ses ravages en zone non propice à l'agriculture, nous avons été à la fois forcés d'aller de plus en plus loin pour pratiquer nos activités traditionnelles de chasse et de pêche sur des territoires de plus en plus restreints.

Depuis plus d'un siècle, de grandes compagnies forestières, telles la Compagnie internationale de papier, la Consolidated Bathurst, la Reed Paper, la compagnie Price, la Québec North Shore et bien d'autres, ont exploité sans souci du lendemain et sans se préoccuper de préserver nos sentiers de piégeage, la plupart des meilleurs bassins forestiers de nos territoires.

Chaque année, des dizaines de kilomètres carrés de forêts giboyeuses sont rasés avec la méthode de coupe à blanc sans aucun aménagement rationnel des ressources renouvelables. Par conséquent, à chaque année, plusieurs de nos trappeurs voient leur territoire de chasse dévasté et doivent en souffrir par de graves inconvénients économiques.

À partir des années 1920, les centrales hydroélectriques de plus en plus puissantes et des réservoirs de plus en plus considérables sont aménagés sur nos terres, toujours sans se soucier de nos droits et de nos activités traditionnelles. Une très grande partie de l'électricité produite au Québec provient du harnachement de nos rivières par la construction de près d'une quinzaine de centrales électriques et la mise en place de six barrages d'importance majeure. La superficie de nos terres ainsi inondées dépasse les 2 500 kilomètres carrés. Les régimes hydrologiques de la majorité de nos belles rivières en ont été considérablement modifiés et ces dernières sont devenues en grande partie inutilisables pour la poursuite de nos activités traditionnelles de chasse, de pêche et de cueillette ainsi que pour nos déplacements en canots

Pourtant, notre réseau hydrographique représentait l'infrastructure de notre culture de chasseur.

Les irréparables dommages causés par tous ces aménagements hydroélectriques nous ont, en conséquence, affectés profondément dans notre mode de vie et dans notre identité de peuples de chasseurs. De nombreux territoires de chasse familiaux, autrefois des plus productifs, sont ainsi devenus à peu près inutilisables.

Le bien-être des Québécois en matière d'électricité repose donc en fait sur notre dépossession et notre misère.

Nous ne sommes pas encore rendus au bout de nos peines puisque le premier ministre du Québec, monsieur Robert Bourassa, qui a fait sa popularité sur le dos des Amérindiens avec la baie James, ne cesse d'avoir des rêves mégalomanes de fournir de l'électricité à tous les États-Unis en harnachant plusieurs autres rivières de la Côte-Nord et de la Basse Côte-Nord comme, en autres, les rivières Sainte-Marguerite, Moisie, Magpie, La Romaine, Natashquan et Petit-Mécatina.

Il ne faut pas oublier que, depuis quelques années, Hydro-Québec a dépensé plus d'une trentaine de millions de dollars en études d'avant-projets dans cette région.

— Vous vous en prenez toujours à Hydro-Québec lorsque vous parlez de destruction du territoire ancestral des Montagnais et des Atikamekw. Est-ce que vous avez d'autres exemples?

— Évidemment. Regardons, si vous le voulez bien, le secteur minier.

Toutes les mines de fer qui ont été en opération au cours des dernières années dans la péninsule Québec-Labrador étaient situées en territoire montagnais. Pendant l'exploitation de ces mines, on extrayait annuellement quelque 50 millions de tonnes de minerai exporté en presque totalité vers des pays étrangers et vendu, comme le voulait la rumeur publique du temps, à une cenne la tonne.

Pas plus que pour les autres industries, nous n'avions autorisé la mise en place de ces installations à l'intérieur de nos terres.

Au niveau écologique, leurs effets apparaissaient plus ponctuels et moins destructeurs sur une grande échelle de l'environnement. Par contre, ces effets socio-économiques sur certaines de nos communautés, comme Sept-Îles et Schefferville, ont été considérables. La plupart des chasseurs de ces communautés sont devenus des travailleurs saisonniers les plus mal payés. Ils ont toujours été les derniers embauchés et les premiers mis à pied. Nous étions donc considérés par ces compagnies comme des étrangers, sinon des parias, sur nos propres terres.

— Vous nous accusez de discrimination. Est-ce que vous avez des exemples précis de cette discrimination?

— Les exemples de discrimination sont nombreux et vous les donner tous serait fastidieux. Permettez-nous de vous en citer un parmi eux qui est très révélateur.

Au début des années 1970, la compagnie Iron Ore à Sept-Îles refusait à un Montagnais un travail de conducteur de camion parce que la convention collective ne permettait pas à un Autochtone d'occuper un tel poste. Les Montagnais devaient se contenter de postes inférieurs à celui de conducteur de camion. Il faut cependant ajouter que, pendant les vacances des camionneurs de l'Iron Ore, et ce depuis plusieurs années, ce Montagnais les remplaçait et conduisait leur camion.

Après avoir discuté de cette question discriminatoire avec son syndicat, qui refusait de le défendre alors qu'il payait une cotisation syndicale depuis plusieurs années comme tous les autres travailleurs blancs, il décida avec une quinzaine d'autres Montagnais qui travaillaient dans cette entreprise et qui l'appuyaient, d'utiliser les mêmes armes que les Blancs et de débrayer.

Aussitôt qu'ils ont cessé de travailler pour appuyer leur frère, la compagnie Iron Ore les a tous congédiés.

Ce n'est qu'après un débat politique acerbe de plusieurs jours, mené par le chef d'alors, monsieur Paul-Émile Fontaine, et un délégué de l'Association des Indiens du Québec, que la compagnie et le syndicat ont accepté de permettre aux Montagnais de poser leur candidature, comme le pouvaient tous les travailleurs blancs, aux postes dont ils jugeaient avoir la compétence pour faire le travail en enlevant toutes les clauses discriminatoires de la convention collective.

La compagnie Iron Ore a rengagé tous les travailleurs montagnais qui avaient débrayé pour appuyer leur frère et celui qui avait postulé pour le poste de chauffeur de camion a eu la «job».

— On peut bien accepter votre argumentation qui veut que les Blancs aient développé le territoire, mais il s'agit quand même d'une minorité.

— Il s'agit peut-être d'une minorité, mais une minorité qui a quand même causé des problèmes de taille et qui nous a usurpé nos richesses naturelles.

Pour bien vous démontrer que la minorité n'a pas cessé d'augmenter au cours des années, permettez-nous de vous entretenir quelques instants de la pratique de la pêche et de la chasse sportives, autorisée sur nos territoires par le gouvernement du Québec.

Cette permission, sans consultation aucune auprès des Montagnais et des Atikamekw, a donné lieu à plusieurs systèmes différents d'appropriation de nos ressources fauniques par les membres de la société dominante: parcs et réserves fauniques, écologiques et autres, provinciaux et fédéraux, anciens clubs privés de chasse et de pêche, pourvoiries, habitations de villégiature, nouveaux systèmes des zones d'exploitation contrôlée, etc.

À tous les ans, pendant les périodes autorisées par le gouvernement du Québec pour la pêche ou la chasse sportive, des dizaines de milliers de villégiateurs et de sportifs envahissent nos terres pour pratiquer l'un ou l'autre de leurs passe-temps favoris.

Profitant de leur nombre et de leur agressivité, aidés par les lois répressives des gouvernements contre les Autochtones, ils parviennent à chasser plusieurs d'entre nous de notre propre territoire. Nous sommes souvent obligés d'attendre leur départ, à l'automne, pour pouvoir réintégrer nos terres ancestrales et pratiquer nos activités traditionnelles de chasse et de pêche, là où ils nous ont laissé un peu de gibier et de poisson.

Pas d'assistance sociale déguisée

En admettant que vous ayez raison et que des torts innombrables aient été commis sur le territoire, comment pensez-vous que nous puissions rattraper le passé?

— Le bilan des effets combinés de toutes ces activités industrielles, agricoles et sportives, des membres de la société dominante sur nos droits territoriaux, notre économie et notre culture reste à faire de façon approfondie, mais il apparaît d'ores et déjà évident que nous sommes les victimes de ce que vous appelez avec fierté «votre développement».

Vous nous avez écrasés sous le rouleau compresseur de votre progrès technologique. Vous nous avez ignorés en tant que peuples et en tant qu'individus détenteurs de droits égaux aux vôtres.

Vous avez envahi nos territoires et vous avez pillé nos ressources en ignorant notre droit le plus fondamental qui est celui de continuer à vivre de nos terres si tel est notre bon vouloir. Nous n'avons tiré aucun bénéfice de votre système d'exploitation des ressources de nos terres.

En retour de nos ressources, vous ne nous avez démontré qu'ignorance et mépris.

Ces razzias sur nos terres ont été rendues possibles grâce à la bienveillante complicité, sinon la participation très active, des gouvernements fédéral et provinciaux. Le gouvernement du Québec en particulier a toujours refusé de reconnaître les droits des Autochtones sur leurs terres et doit être considéré comme le principal agent de leur spoliation.

Ce gouvernement s'est toujours empressé de fournir à toutes les grandes compagnies forestières, minières et hydroélectriques, l'accès aux ressources naturelles aux meilleures conditions possibles, fondements de la réalisation de profits excessifs à même les terres amérindiennes.

Les gouvernements unionistes, libéraux ou péquistes ont multiplié les concessions forestières immenses, ont laissé partir pour presque rien le minerai de fer et ont mis les plus belles rivières à l'entière disposition des constructeurs de barrages.

L'arrogance d'un Robert Bourassa face aux droits des Indiens et des Inuits dans le dossier de la Baie James, dont nous répétons actuellement une partie de l'histoire, a trouvé son équivalent dans la volonté du Parti québécois au pouvoir de faire des Autochtones des Québécois comme les autres.

Nous ne nous laissons plus aussi facilement leurrer par de belles paroles et nous décelons, sous cette proposition à l'allure progressiste, la négation de nos droits aborigènes et de notre volonté de demeurer ce que nous avons toujours voulu être: des peuples autochtones distincts à part entière.

Même le gouvernement du Parti québécois, en qui nous avons eu confiance à cause de son option politique, soit la reconnaissance du droit de souveraineté en tant que peuple distinct, nous a refusé ce qu'il réclame avec insistance au nom du peuple québécois.

Enfin, que dire du rôle du gouvernement de Terre-Neuve, au Labrador, ce gouvernement néo-colonial qui exploite nos terres par la grande industrie et qui nie l'existence même des populations autochtones sur ces territoires, nos frères montagnais de l'Association Naskapis-Montagnais Innu du Labrador.

C'est avec ce triste représentant des Terre-Neuviens que nous devrons négocier une partie du territoire qui nous appartient parce que la fameuse ligne imaginaire de la frontière, contestée par le gouvernement québécois, traverse nos terres.

— Est-ce que vous allez exiger des gouvernements d'Ottawa et de Québec des compensations monétaires pour toutes les pertes d'argent que vous avez subies sur le territoire revendiqué?

— Avant de répondre précisément à votre question, permettez-nous de vous expliquer à notre façon et par un petit exemple le pourquoi des compensations.

Exiger des compensations, c'est exactement comme si un de vos voisins avait pris votre automobile sans permission pendant que vous étiez parti travailler à l'extérieur du pays et que vous la repreniez, deux ans plus tard, les ailes avant bosselées, le pare-choc arrière arraché, les sièges déchirés, la radio défectueuse et le silencieux hors d'état de fonctionner. Vous lui demanderiez alors, comme c'est normal, de faire réparer votre voiture pour vous la remettre telle que vous l'aviez laissée. Sinon, vous feriez évaluer les dommages et lui factureriez le montant que vous devrez investir pour la remettre en état de rouler avec un supplément pour l'utilisation.

Et s'il ne payait pas, vous iriez en cour de justice le poursuivre pour vol, utilisation sans permission et destruction du bien d'autrui.

C'est précisément ce que font les Autochtones dans une négociation territoriale lorsqu'ils demandent aux gouvernements, fédéral et provinciaux, des indemnisations en argent, en fonds de développement social et économique, en rentes, en territoires supplémentaires, ou en plus grande autonomie.

Il est évident, et nous croyons que vous feriez de même si vous étiez à notre place, que nous allons demander des compensations pour les pertes encourues.

Il s'agit maintenant de savoir quelles seront ces compensations.

Il est aussi évident qu'elles ne doivent pas nécessairement être que monétaires.

Nous sommes prêts à envisager toutes sortes de formules qui permettront que justice soit faite.

Par exemple, plus de pouvoirs pour réaliser notre projet de société pourrait être considéré comme une forme de compensation.

Ou encore, la reconnaissance d'un titre réel de propriété foncière et tréfoncière sur une partie plus importante du territoire ancestral revendiqué pourrait faire partie de ce que l'on appelle les compensations.

L'association dans des projets de développements futurs avec les gouvernemements d'Ottawa, du Québec et de Terre-Neuve pourrait être aussi pour nous une autre forme de compensation puisqu'elle nous permettrait, par des rentes ou des actions, de jouir des effets positifs de tels plans.

C'est donc dire que ce champ est extrêmement vaste et que nous ne relions pas directement les compensations, pour tous les dommages encourus au cours des années, seulement à l'argent.

Il est donc faux, comme semble le faire le gouvernement du Québec avec un intérêt certain, d'avilir ce processus de négociation en prétendant que les Atikamekw et les Montagnais ne recherchent que l'argent.

Comme le premier ministre actuel, monsieur Robert Bourassa, manque d'originalité et répète en très grande partie les gestes posés au cours de son premier mandat, au début des années 1970, il va sûrement tout faire, comme il l'a fait avec les Cris de la baie James, pour que la population blanche croie que les Atikamekw et les Montagnais se sont fait acheter par les compensations monétaires.

Il va essayer de mettre de côté toute cette fierté de «recouvrance» du territoire ancestral et de la signature d'un nouveau contrat social découlant du projet de société, des éléments beaucoup trop nobles qui ne vont surtout pas dans le sens de la moralité du premier ministre Bourassa, pour descendre au niveau du dieu des Blancs: l'Argent, qui est le résultat des dévelopements proposés.

Oui, bien sûr que nous aurons besoin d'argent pour réaliser notre projet de société et les compensations monétaires en seront un élément de financement.

Une injection de fonds, à la suite de pertes considérables encourues et au fait que nous ne pourrons plus utiliser une très grande partie du territoire recouvré, aidera notre développement futur et nous permettra, nous l'espérons grandement, un rattrapage nécessaire.

C'est donc avec ouverture d'esprit que nous devons, de part et d'autre, regarder cette question de compensations. Vous devez bien comprendre qu'il ne s'agit pas, pour nous, d'assistance sociale déguisée qui continuerait à nous faire vivre au dépens des gouvernements, mais bien d'un levier nécessaire pour nous faire retrouver l'indépendance.

Par exemple, nous étudions présentement la possibilité de négocier un régime de revenu minimum garanti qui sortirait nos populations de la situation dégradante de l'assistance sociale, qui nous avilit, pour faire des Atikamekw et des Montagnais des gens utiles et actifs. Cet élément de développement d'une société en pleine évolution, provenant de nos ressources retrouvées, serait certes revalorisant et compenserait pour toutes ces années perdues et inutiles au crochet de l'assistance avilissante de l'État.

Donc, pour nous, l'argent n'est pas la panacée, mais quand même nécessaire pour pouvoir développer les projets qui font partie de notre devenir puisque nous vivons dans une société où la finance a une place de choix. Et Dieu sait si ce choix de société n'est pas le nôtre.

Après cette longue discution avec la population de Baie-Comeau sur cette importante question des compensations monétaires, le groupe des marcheurs montagnais a regagné la route 138 pour faire, avec discipline, une autre partie de ce long et difficile portage.

Cet habitat n'est pas de ciment,
au bout d'un chemin d'asphalte,
mais de mousse.
Ses mocassins ne s'useront plus.
Le plancher de sa tente
n'a pas de tapis.
Il est de repousses de têtes de sapins.

XIV

Gouvernement responsable

Le passage des Montagnais dans la région du Saguenay a coïncidé avec le déroulement d'un colloque sur l'autonomie gouvernementale des Autochtones, organisé par l'Université du Québec à Chicoutimi.

Le Conseil Attikamek-Montagnais était un des participants les plus attendus à ce colloque à cause de la période de sensibilisation que constituait la marche sur le territoire, mais surtout par le fait qu'il est présentement en négociation territoriale globale avec les gouvernements du Canada et du Québec; ce qui forme déjà un laboratoire fort intéressant pour évaluer l'ouverture d'esprit de ces deux paliers de gouvernement face à l'autonomie gouvernementale réelle des Autochtones.

Au cours de ce colloque, deux représentants du Conseil Attikamek-

Montagnais, le négociateur en chef et la conseillère juridique pour les négociations, madame Renée Dupuis, s'adresseraient aux participants.

En premier lieu, la conseillère juridique avait comme fonction de faire un état de la question du gouvernement autonome indien alors que le négociateur en chef parlerait du contenu de ce que pourrait être ce futur gouvernement pour les Atikamekw et les Montagnais.

Il était donc important, dans un premier temps, de bien comprendre quel est le régime juridique fédéral actuel au Canada pour être en mesure de mieux situer la position du Conseil Attikamek-Montagnais sur le gouvernement indien.

L'analyse du régime fédéral canadien nous renvoie à la Constitution canadienne puisqu'une constitution sert de fondement politique et juridique à une nation.

Une constitution définit généralement des règles concernant:

1. les principes de la vie politique de la nation;
2. les principaux organismes gouvernementaux;
3. la répartition du pouvoir et des mécanismes de coordination entre le gouvernement fédéral et le gouvernement provincial (s'il s'agit d'un état fédéral comme le Canada);
4. les rapports entre les gouvernements et la population.

La majorité des principales dispositions concernant le régime fédéral canadien ont été écrites dans la Constitution canadienne de 1867, tandis que le système parlementaire se fonde sur des coutumes et des conventions. Depuis 1867, l'Acte de l'Amérique du Nord britannique (AANB) a été le document fondamental de la Constitution canadienne. Il s'agit d'une loi adoptée par le Parlement du Royaume-Uni dans le but de créer le Canada à partir de trois colonies: le Nouveau-Brunswick, la Nouvelle-Écosse et les provinces unies du Haut et du Bas-Canada — aujourd'hui le Québec et l'Ontario.

L'AANB définit les principaux éléments du régime fédéral canadien, y compris le parlement fédéral, les assemblées législatives et la répartition des compétences entre les deux ordres de gouvernement. L'AANB ne constitue toutefois qu'une partie de la Constitution canadienne parce que le gouvernement britannique y a apporté plus d'une vingtaine de modifications à la demande du gouvernement canadien. Ces modifications font maintenant partie de notre Constitution. Même si le Canada est un pays indépendant, il devait jusqu'en 1982 demander à Londres de faire les modifications à sa propre Constitution. Même si le Parlement britannique n'a presque jamais remis en question les demandes du Canada, il n'en demeure pas moins qu'il devait se présenter devant un autre État pour obtenir une approbation officielle à chaque fois qu'il voulait modifier certaines parties de sa Constitution. C'est une des raisons pour lesquelles le Parlement d'Ottawa a demandé le rapatriement de sa Constitution.

La résolution constitutionnelle adoptée par le parlement canadien prévoit que la Loi constitutionnelle du Canada (1982) comprend entre autres:

1. l'Acte de l'Amérique du Nord britannique de 1867,
2. de nouvelles dispositions, notamment la Charte des droits et libertés,
3. l'attribution aux provinces des pouvoirs en matière de ressources naturelles,
4. la reconnaissance formelle du principe de la péréquation,
5. une formule d'amendement.

Selon la Constitution, il existe deux ordres de gouvernement au Canada. Cependant, il ne faut pas oublier que certains articles de la Constitution sont dépassés et que des problèmes nouveaux, qui demandent des adaptations constitutionnelles, sont apparus au cours des années. Il s'agit de se rappeler que la Constitution a été rédigée en 1867 alors que le Canada était une colonie britannique. C'est pourquoi des domaines nouveaux comme les communications et la péréquation, qui n'avaient pas été prévus en 1867, ont dû être ajoutés à la Constitution. Comme le Canada n'avait pas le pouvoir de la modifier, de multiples négociations constitutionnelles ont eu lieu au Canada depuis 50 ans pour permettre de trouver une formule d'amendement.

Le gouvernement fédéral a décidé de passer à l'action en 1980 en déposant devant le Parlement un projet de résolution constitutionnelle. Divers groupements, dont le Conseil Attikamek-Montagnais, ont eu l'occasion de soumettre leur position au comité mixte du Sénat et de la Chambre des communes. Le débat se poursuivit au Parlement. Puis, en septembre 1982, la Cour suprême du Canada déclara que le Parlement fédéral pouvait légalement rapatrier unilatéralement la Constitution, même si politiquement il était préférable qu'il obtienne un degré appréciable de consentement des provinces.

Devant une telle décision, de nouvelles négociations eurent lieu, jusqu'à l'accord du 5 novembre 1981, entre le gouvernement du Canada et les neuf gouvernements provinciaux. Le Québec avait refusé cet accord.

Cet accord a permis à la Chambre des communes et au Sénat d'adopter une résolution dans laquelle on demandait au Parlement britannique d'adopter la Loi sur le Canada. Cette importante loi mit un terme au pouvoir du Parlement britannique de légiférer pour le Canada. Elle inclut aussi dans notre Constitution de nouvelles dispositions:

1. une Charte des droits et libertés,
2. la reconnaissance et la confirmation des droits existants des peuples autochtones,
3. le principe de la péréquation,

4. une clause confirmant la propriété provinciale des ressources naturelles,
5. une procédure de modification de la Constitution.

L'adoption de la Charte des droits et libertés rend plus difficile la possibilité de restreindre les droits et libertés fondamentaux. En effet, si le Parlement, ou une assemblée législative, veut restreindre ces droits ou ces libertés, il doit inclure une clause déclarant expressément que la loi est adoptée nonobstant les dispositions visées dans la Charte. Ainsi, l'enchâssement de la Charte des droits et liberté limite les pouvoirs des deux ordres de gouvernements, provincial ou fédéral, dans le domaine des droits individuels et permet aux citoyens de porter plainte devant les tribunaux lorsqu'ils s'estiment lésés.

Le principe de la péréquation, lui, consiste à redistribuer aux provinces moins riches une partie de la richesse du pays en utilisant les revenus fédéraux. Le but de la péréquation est de réduire les inégalités régionales, de réaliser une plus grande stabilité économique et d'assurer un meilleur équilibre entre toutes les régions du Canada. Ce principe, en application au Canada depuis 1957, a été inclus dans la Constitution et il engage les deux ordres des gouvernements *à promouvoir l'égalité des chances de tous les Canadiens et à favoriser le développement économique pour réduire ces inégalités et fournir des services publics à un niveau de qualité acceptable à tous les Canadiens.*

Le principe de la propriété provinciale des ressources naturelles situées dans une province est reconnu depuis longtemps. La Loi constitutionnelle de 1982 vient donc confirmer la compétence exclusive des provinces sur la gestion et l'exploitation de leurs ressources naturelles. Il permet également aux provinces d'adopter des lois concernant la vente des ressources naturelles non renouvelables à d'autres régions du pays. Il leur accorde de plus le droit de prélever des impôts indirects sur les ressources naturelles non renouvelables.

Toutefois, le gouvernement fédéral conserve le contrôle sur le commerce international des ressources naturelles et de leurs dérivés. Quant au partage des pouvoirs déterminés par la Constitution de 1867, il demeure inchangé.

Pour la première fois, la procédure d'amendement adoptée dans la Constitution de 1982 prévoit le rôle des provinces dans la modification constitutionnelle. En résumé, les changements futurs devront recevoir l'accord du Parlement fédéral et de sept législatures provinciales représentant au moins 50 % de la population du Canada. Selon cette formule, aucune province ne peut exercer un droit de veto. Cependant, si plus de trois provinces s'opposent à une modification, elle ne peut être apportée.

La Constitution prévoit aussi une compensation financière aux provinces qui refusent une modification en transférant ses compétences dans le domaine de l'éducation ou de la culture au Parlement du Canada.

Enfin, l'unanimité du Parlement fédéral et de toutes les provinces est exigée pour certaines modifications, comme la composition de la Cour suprême.

Ainsi, le Canada est un état fédératif en ce sens que le pouvoir de faire des lois est réparti entre deux ordres de gouvernement. La manière dont les pouvoirs ont été répartis en 1867 a consisté à établir la liste des pouvoirs du fédéral et celle des pouvoirs des provinces, et à laisser au fédéral l'autorité sur tout ce qui n'a pas été prévu à ce moment-là; c'est ce qu'on appelle la compétence résiduelle.

Selon une étude de monsieur Gil Rémillard, actuel ministre des Affaires intergouvernementales dans le gouvernement Bourassa, publiée en 1980, nous devons conclure que:

> *le partage des compétences législatives au Canada a été rédigé de façon à favoriser fortement le pouvoir fédéral conformément d'ailleurs aux intentions des pères de la Confédération.*

Il est également essentiel de bien comprendre la situation juridique actuelle des communautés indiennes du Canada.

Les Amérindiens et leurs communautés sont régis par des lois fédérales et plus particulièrement par la Loi sur les Indiens (S.R.C. 1970, C. i-6). Cette loi réglemente de manière générale la vie des Autochtones, les responsabilités des autorités locales dans chaque communauté et les pouvoirs importants que le gouvernement a conservés. Ces pouvoirs sont l'équivalent d'une tutelle, autant sur les individus que sur les communautés. Le pouvoir que le ministre des Affaires indiennes possède d'annuler le testament d'un Autochtone vivant dans une réserve et celui d'annuler un règlement adopté par une bande n'en sont que deux exemples éloquents.

Cette loi prévoit que les affaires de la communauté sont sous l'autorité du chef et du Conseil de bande élus selon un processus établi par la loi ou selon la tradition propre à la communauté.

Les conseils de bande ont un pouvoir réglementaire délégué par le gouvernement fédéral dans un certain nombre de domaines tels que la santé des membres de la communauté, la conservation de la faune dans leur réserve, etc.

Pour sa part, le Conseil Attikamek-Montagnais constitue un regroupement de communautés autonomes qui lui délèguent des mandats dans un cadre bien défini. En ce sens, le Conseil, son président et les membres de l'exécutif agissent à titre de porte-parole de ces Autochtones et de ces communautés, et non comme une autorité décisionnelle à leur égard.

Nous sommes donc en présence d'un modèle décentralisé parce que l'autorité décisionnelle est entre les mains des communautés locales. Cet élément est essentiel si on veut comprendre l'esprit dans lequel les bandes atikamew et montagnaises ont confié au CAM le mandat de la négociation globale qui comporte entre autres l'aspect du gouvernement indien et l'entente de solidarité signée par les chefs.

S'il n'y avait aucun changement d'orientation majeur, nous devrions donc respecter dans l'élaboration de gouvernements responsables indiens:

1. le maintien du pouvoir de décision au niveau local,
2. l'autonomie des communautés,
3. l'interaction possible entre les diverses communautés,
4. la création éventuelle d'institutions.

L'autorité de base est la bande et, à l'intérieur de la juridiction que la loi lui reconnaît, chaque bande est autonome. Une bande peut décider de s'associer à une ou plusieurs autres bandes pour la poursuite de buts communs ou le règlement de problèmes communs.

C'est ainsi que les bandes atikamekw et montagnaises ont décidé de s'associer pour défendre ensemble leurs revendications et faire connaître leurs droits. Elles ont donc confié au Conseil Attikamek-Montagnais le mandat de négocier leurs revendications territoriales.

Dans sa sphère propre, chaque bande conserve donc son autonomie de fonctionnement, même si elle a décidé de participer avec d'autres bandes à un processus d'exploration commune de solutions possibles pour la reconnaissance de leurs droits au sein du Conseil Attikamek Montagnais.

Chaque bande se trouve donc impliquée dans un double processus:

1. ses activités propres
2. des activités communes avec d'autres bandes au sein du Conseil Attikamek-Montagnais pour la reconnaissance de ses droits.

Il y a donc un réseau de relations et de communications qui s'établit dans les deux sens entre chaque communauté et le Conseil Attikamek-Montagnais. Un point de jonction existe entre le CAM et chaque bande par lequel doivent s'établir ces relations.

Il est essentiel de bien définir les rôles et de délimiter les responsabilités des divers acteurs susceptibles d'être impliqués dans le processus d'établissement de gouvernements indiens:

1. les bandes,
2. un regroupement de bandes, comme Atikamekw Sipi et Mamit Innuat pour les Montagnais de la Basse Côte-Nord,
3. le Conseil Attikamek-Montagnais,
4. l'Assemblée des premières nations, regroupement national des chefs indiens du Canada.

Voilà maintenant les éléments à considérer, selon moi, pour le dossier du gouvernement indien.

Il importe de déterminer ce que les Atikamekw et les Montagnais veulent voir adopter comme base légale du ou des gouvernements autochtones qui seront mis en place dans le cadre de l'entente qui sera éventuellement signée pour régler les revendications globales du CAM.

Il existe plusieurs possibilités:

Premièrement, une délégation d'autorité du fédéral ou du provincial, ou des deux gouvernements, dans le cadre de la Loi sur les Indiens et des lois provinciales existantes.

Deuxièmement, la délégation d'autorité fédérale dans le cadre d'une loi fédérale spéciale jumelée à la Loi sur les Indiens (Loi sur les Cris et Naskapis du Québec).

Troisièmement, la délégation d'autorité du fédéral avec certains pouvoirs d'adopter une Constitution interne sur la structure gouvernementale (Loi sur la bande de Seychelte).

Quatrièmement, établissement d'un gouvernement indien responsable défini dans l'entente, ou accord, ou traité, tripartite, CAM-fédéral-Québec. Une telle entente devrait mentionner explicitement qu'il s'agit d'un accord en vertu de l'article 35 de la Loi constitutionnelle de 1982, de manière à ce qu'elle reçoive une protection constitutionnelle.

Cette quatrième possibilité réfère à l'établissement d'un gouvernement responsable devant sa population, par opposition à un gouvernement autonome au sens où l'entend le gouvernement fédéral jusqu'ici: délégation d'autorité d'un gouvernement supérieur au gouvernement indien qui est responsable devant le ministère des Affaires indiennes.

Voilà donc les grandes lignes, plutôt légales, de ce que pourrait être un futur gouvernement indien pour les Atimakew et les Montagnais.

Un gouvernement le plus autonome possible

Après cette intervention de la conseillère juridique dans le dossier des négociations territoriales globales du CAM, l'animateur du débat sur l'autonomie des Autochtones a présenté le négociateur en chef du Conseil Attikamek-Montagnais. Ce dernier expliquera ce qu'il croit que le gouvernement indien pourrait être:

— Fondant cette intervention sur de nombreuses discussions dans les milieux montagnais ou atikamekw, et même ailleurs dans les autres groupes autochtones, sur plusieurs consultations dans les communautés atikamekw et montagnaises, sur la réflexion qui se fait présentement autour d'un projet de société, sur le dossier préliminaire fourni par le groupe de travail de Pointe-Bleue sur le gouvernement indien autonome, sur les travaux et la réflexion de la conseillère juridique du Conseil Attikamek-Montagnais que vous avez entendue avant moi, sur le contenu préliminaire de la vaste recherche effectuée pour les chercheurs du Groupe de travail des négociations, recherche qui nous a menés à étudier diverses formes de gouvernements chez les Autochtones du Canada, des États-Unis et même d'autres pays à travers le monde, je vous présente aujourd'hui un modèle de gouvernement qui pourrait être applicable aux Atikamekw et aux Montagnais.

Il s'agit évidemment d'une hypothèse préliminaire de travail. Elle n'est pas définitive et peut surtout servir à alimenter les discussions sur le sujet en constituant le dossier de consultation. Il ne s'agit surtout pas d'une position de négociation. Il ne faudrait pas déduire que cette intervention est remplie de fausses promesses si la différence est marquée avec les résultats de la négociation.

Sans être idéal, parce qu'il y aura toujours une place au perfectionnement et que tout gouvernement démocratique ne cesse de s'améliorer avec le temps, cette hypothèse peut constituer une base intéressante pour le départ de ce qui sera le premier gouvernement autonome et responsable des Atikamekw et des Montagnais.

Par exemple, tout modèle de gouvernement ne pourrait pas être appliqué chez les Atikamekw et les Montagnais sans tenir compte de certaines questions relevant du droit international, de la Constitution canadienne, de la Charte des droits et libertés, des politiques des gouvernements, fédéral et provincial, des modes de financement, des positions des Atikamekw et des Montagnais sur le sujet et, enfin, des résultats définitifs des négociations sur des points majeurs comme celui du territoire, comprenant une partie d'autorité partagée et la création de zones d'utilisation, qui auraient des répercussions directes sur ce futur gouvernement, autonome et responsable, indien.

Le modèle de gouvernement présenté a été pensé en termes plutôt fonctionnels. Le nombre des organismes est réduit à son minimum. Ce modèle de gouvernement s'inspire de principes de l'organisation politique traditionnelle des Atikamekw et des Montagnais.

Rappelons-les rapidement: *accès aux ressources, égalité, partage et entraide, discussions et recherche de consensus dans les prises de décisions, absence de classes dirigeantes, leadership circonstanciel, individuel, basé sur l'âge, l'expérience, l'habileté, la sagesse et l'appui des pairs, parents et amis, etc.*

Le leader dirige, conseille, redistribue et partage. Il est un porte-parole.

Le modèle tient compte également des structures politiques et administratives actuelles chez les Atikamekw et les Montagnais.

Dans un premier temps, j'énumérerai les grands principes sous-jacents à la mise en place d'un gouvernement responsable chez les Atikamekw et les Montagnais. Je passerai ensuite en revue certains des éléments essentiels à ce gouvernement. Je proposerai enfin une structure possible en tenant compte de différentes variables.

Comme les nations atikamekw et montagnaises réclament la reconnaissance claire de leur territoire ancestral par le gouvernement d'Ottawa et celui de la province de Québec sur la partie du territoire de cette province canadienne et qu'elles exigent une autonomie la plus complète possible sur une partie importante de ce territoire ancestral retrouvé, la conséquence normale est donc la mise en place d'un gouvernement responsable envers les citoyens des douze communautés habitant ce territoire ancestral et véritablement autonome.

Cette démarche légitime découle directement de trois des onze principes du Conseil Attikamek-Montagnais servant de base à la négociation territoriale:

Le deuxième:

En tant que peuples autochtones descendant des premiers habitants des territoires situés à l'est de la péninsule Québec-Labrador, nous exigeons que nos droits de souveraineté soient reconnus sur ces terres;

Le sixième:

Nous contrôlerons, à l'avenir, l'exploitation de nos terres et de leurs ressources;

et le huitième:

Nous voulons que l'assise économique, que nous fournira le contrôle de l'exploitation de nos terres, assure notre bien-être économique, social et culturel, pour nous et pour nos générations à venir, comme c'était le cas avant qu'on soit envahis par les commerçants, les colons et les entreprises industrielles;

Dans les faits, les Atikamekw et les Montagnais veulent simplement avoir juridiction sur un territoire et sur les individus qui habitent ce coin de terre sur la partie nord-américaine du globe.

Il est donc primordial pour les Atikamekw et les Montagnais que le gouvernement indien responsable ait une assise territoriale en relation directe avec l'occupation et l'utilisation des territoires ancestraux des communautés concernées.

Pour le futur, les Atikamekw et les Montagnais croient que la négociation des notions de territoire et de gouvernement doit être envisagée en prenant en considération les deux angles suivants:

1. les droits collectifs des Atikamekw et des Montagnais sur leur territoire et l'autorité de leur gouvernement responsable sur ce territoire;
2. les droits individuels des Atikamekw et des Montagnais, membres des communautés concernées.

Quant à l'autorité et aux activités visées, il appartiendra aux Atikamekw et aux Montagnais d'en arrêter les choix et d'en définir les modalités d'application.

Ceci ne signifie aucunement que nous refusons d'informer nos voisins — dans le cas de la section de territoire où nous détiendrons seule une autorité autorité exclusive — et nos partenaires — dans le cas de la partie de territoire où nous partagerons cette autorité avec les Allochtones — sur ce qui va se passer chez nous.

Cela veut cependant exprimer que nous voulons prendre nos responsabilités face au devenir de nos institutions et nous donner les moyens pour décider nous-mêmes de leur orientation.

L'autorité gouvernementale amérindienne veut se ménager un domaine propre à l'intérieur du régime juridique canadien actuel qui répartit les juridictions entre le gouvernement du Canada, d'une part, et les gouvernements provinciaux, de Québec et de Terre-Neuve, d'autre part.

Il ne fait aucun doute que les Atikamekw et les Montagnais veulent idéalement atteindre un statut de peuples souverains, comme nous l'avions avant la venue des Allochtones.

Nous sommes conscients cependant que nous devrons franchir des étapes avant d'y arriver presque complètement et que la présence des Blancs sur les territoires apporte des accomodations différentes et possiblement limitatives.

Nous pensons que cette souveraineté ne sera pas aussi grande qu'elle l'était avant cet avènement.

Enfin, nous savons aussi que la vision du futur pour les peuples du monde donnera beaucoup plus de place à l'internationalisme qu'au régionalisme et nous ne voyons pas de murailles autour des territoires atikamekw et montagnais.

C'est pour toutes ces raisons qu'il est important pour nous et pour les gouvernements d'avoir une approche plutôt par étapes qui nous permettra d'y arriver le temps venu, au bout de quelques années.

Pour la partie du territoire où les Atikamekw et les Montagnais agiront comme peuples quasi souverains, cette autorité exclusive s'exercera sur les individus: les Atikamekw et les Montagnais, les autres Autochtones et les Allochtones et sur les différents types d'activités futures dans les territoires visés. L'aménagement et le développement du territoire et l'exploitation des ressources hydroélectriques, fauniques et florales, minières, forestières feront partie des préoccupations de ce futur gouvernement.

Est-il besoin de répéter ici que le territoire et la compétence des nations indiennes, autant atikamekw que montagnaise, ont été reconnus avant 1763 comme en fait foi le traité de paix et d'amitié conclu en 1603 entre les Indiens et le roi de France en vertu duquel traité les Français étaient autorisés à coloniser certaines parties du territoire indien en retour d'un appui militaire. On pourrait aussi ajouter que ces compétences ont été aussi reconnues par la Couronne britannique dans l'article 40 de la Capitulation de Montréal alors que l'Angleterre a promis que les diverses nations indiennes continueraient d'occuper leur territoire en paix. Enfin, la Proclamation royale de 1763 a prévu un processus de traité entre la Couronne britannique et les nations indiennes du Canada. Elle garantit un processus continu de traités de nation à nation.

Il est donc évident qu'au cours de l'histoire, les Français comme les Anglais ont reconnu aux nations indiennes la légitimité du territoire autochtone et aussi celle des autorités en place et leur forme de gouvernement autonome et responsable en signant ces traités.

Ces droits ancestraux, existants et issus des traités, des peuples autochtones du Canada, sont reconnus et affirmés dans la Constitution canadienne où il est clairement prévu que le Parlement et le gouvernement du Canada s'engagent à favoriser le développement économique pour réduire l'inégalité des chances et prennent l'engagement de principes d'effectuer faire des paiements de péréquation.

Plus encore, le gouvernement du Canada reconnaît et affirme sa responsabilité particulière à l'égard des Indiens et des terres qui leur sont réservées (cf. préambule du projet de loi fédéral C-52). Le gouvernement du Canada s'est engagé à préserver et à promouvoir les droits et la culture des Indiens ainsi que le développement économique des collectivités indiennes (cf. préambule du projet de loi C-52). Il s'est aussi engagé à maintenir et à renforcer les gouvernements indiens par la reconnaissance des constitutions des nations indiennes et des pouvoirs de leur gouvernement (cf. préambule du projet de loi C-52).

En principe et idéalement, un gouvernement responsable des Atikamekw et des Montagnais devrait n'avoir de compte à rendre sur ses décisions qu'à la population qu'il représente. Il ne découlerait, directement ou indirectement, d'aucun autre palier de gouvernement, fédéral ou provincial.

Mais, comme nous avons accepté que ce gouvernement ait un domaine propre à l'intérieur du régime juridique canadien actuel, nous avons donc consenti à en limiter la souveraineté aux pouvoirs actuels d'une province, ou d'un état dans une véritable confédération.

Il devrait posséder cependant la très grande majorité des pouvoirs aux niveaux législatif, exécutif et judiciaire. Il serait donc le maître d'œuvre presque complet de sa destinée et non pas un simple gestionnaire de programmes préparés et acceptés par d'autres gouvernements.

Les gouvernements du Canada et du Québec reconnaîtraient, aux nations atikamekw et montagnaises, le droit d'établir et de maintenir les institutions gouvernementales nécessaires au fonctionnement de leur gouvernement responsable, notamment aux palliers exécutif, législatif, judiciaire, administratif et populaire, qui ont existé historiquement, ou qui peuvent être dictées par un changement de circonstance.

Les nations affirmeraient l'autorité presque suprême de leurs membres et les responsabilités des institutions du gouvernement responsable.

Sur le territoire à autorité partagée, le gouvernement responsable des Atikamekw et des Montagnais et les gouvernements du Canada et du Québec s'engageraient à établir des mécanismes d'administration conjointe, lesquels agiront dans les domaines des compétences partagées ou concurrentes.

Le gouvernement des Atikamekw et des Montagnais aurait au moins tous les pouvoirs actuels des provinces sur le territoire reconnu comme ayant une autorité exclusive.

Dans le cas du territoire à autorité partagée, le gouvernement des Atikamekw et des Montagnais partagerait son autorité avec les gouvernements fédéral et provincial, et non pas avec les créatures de ces gouvernements.

Les paramètres de ce partage d'autorité seraient définis dans le futur traité moderne en y ajoutant un mécanisme permettant la révision pendant la durée de cette entente.

Le gouvernement responsable des Atikamekw et des Montagnais aurait la capacité d'une personne morale et pourrait notamment:

1. Conclure des contrats ou des accords avec toute personne physique et morale, toute autre organisation, etc;
2. Conclure des accords avec les gouvernements, fédéral ou provinciaux, ou avec d'autres administrations canadiennes, pour l'application des lois de ces gouvernements ou des règlements desdites administrations;
3. Acquérir et détenir tous biens, ou droits y afférant, et les aliéner, notamment par la vente;
4. Effectuer toutes dépenses, ou tous investissements;
5. Contracter des emprunts auprès de quiconque;
6. Prendre toute autre mesure utile à l'exercice de sa compétence et de ses attributions.

Le gouvernement des Atikamekw et des Montagnais regrouperait et donnerait préséance aux populations autochtones. Cependant, ce gouvernement pourrait considérer et accepter de représenter des groupes non autochtones, présents sur son territoire.

Les compétences du gouvernement des Atikamekw et des Montagnais à l'égard de ses membres, peu importe où ils se trouvent au Canada, seraient reconnues par les gouvernements du Canada et du Québec.

Le gouvernement des Atikamekw et des Montagnais aurait juridiction sur les agissements des Allochtones sur le territoire à autorité exclusive. Ces derniers devraient obéir aux lois et règlements du gouvernement des Atikamekw et des Montagnais. Ces lois, ou règlements, pour les

Allochtones qui vivront sur le territoire à autorité exclusive, auraient préséance sur les lois provinciales.

Les gouvernements du Canada et de Québec reconnaîtraient que le gouvernement responsable des Atikamekw et des Montagnais aura les pouvoirs exécutifs nécessaires pour s'acquitter de son mandat.

L'essentiel du pouvoir du gouvernement des Atikamekw et des Montagnais pourrait être soit entre les mains des communautés, soit entre les mains des nations, soit entre les mains des deux. Les communautés et les nations seraient la base du gouvernement des Atikamekw et des Montagnais.

Ce gouvernement devrait respecter intégralement les caractéristiques particulières des communautés ou des nations.

La communauté et la nation devraient donc avoir le plus d'autonomie possible pour mieux réaliser les objectifs de ses membres.

Les communautés et la nation, bien que souveraines et indépendantes, pourraient déléguer, à des instances supralocales ou supranationales, différentes responsabilités ou différentes juridictions.

Cette délégation de pouvoirs et d'autorité de la communauté ou de la nation pourrait être faite à des organismes régionaux, c'est-à-dire qui desservent l'un ou l'autre des trois grands blocs identifiés à l'intérieur du Conseil Attikamek-Montagnais: la Haute-Mauricie, le Centre et la Basse Côte-Nord.

Cette délégation de pouvoirs et d'autorité pourrait être faite à des organismes nationaux.

Enfin, cette délégation de pouvoirs ou d'autorité pourrait s'exercer à l'échelle d'une confédération représentant l'ensemble des communautés des Atikamekw et des Montagnais.

Un gouvernement responsable, local, régional, national, ou confédéral, devrait posséder ses propres assises territoriales là où il exercera ses juridictions.

La Constitution des Atikamekw et des Montagnais permettrait d'établir les formes possibles de gouvernement sur le territoire à autorité exclusive.

Elle autoriserait aussi à détailler les responsabilités des divers paliers de gouvernement désirés par les communautés.

Elle établirait les grandes orientations que les individus et les institutions devront respecter sur le territoire à autorité exclusive.

Elle comprendrait un code d'appartenance en harmonie avec la Charte des droits et libertés des Atikamekw et des Montagnais, avec la Charte canadienne des droits et libertés et les conventions internationales sur les droits de la personne, signées par le gouvernement du Canada.

Elle accorderait la responsabilité, y compris celle financière, du gouvernement responsable des Atikamekw et des Montagnais devant ses administrés.

Elle imaginerait des mécanismes pour remédier, le cas échéant, à la précarité de la situation financière du gouvernement des Atikamekw et des Montagnais, à son incapacité d'exercer ses attributions ou à ses abus de pouvoirs.

Elle prévoirait en outre la protection des droits individuels et collectifs.

Quant à la Charte des droits et libertés des Atikamekw et des Montagnais, elle permettrait de définir les conditions d'existence minimales auxquelles ont droit les Atikamekw et les Montagnais.

Comme le gouvernement des Atikamekw et des Montagnais s'articulerait d'abord autour des populations, on retrouverait, à la base, l'ensemble de la population regroupée dans chacune des communautés, régions et nations, atikamekw et montagnaises.

Ces populations auront droit au respect de leurs particularités. À ce titre, chacune d'elles aurait la liberté de choisir le système politique qu'elle croit le plus représentatif.

Afin d'éviter des abus et aussi pour respecter les grandes orientations que les Atikamekw et les Montagnais voudront se donner, le choix du système politique d'une communauté ou d'une nation devrait se faire en conformité avec les dispositions d'une constitution et d'une charte des droits et libertés.

Par exemple, une communauté pourrait choisir la continuité et toujours être représentée par un Conseil de bande. Une autre pourrait cependant explorer des avenues nouvelles et choisirait un système de gouvernement local totalement différent.

Dans le choix de système politique qu'elle effectuera, une communauté serait libre de donner à un groupe particulier d'individus une place déterminante (v.g. Conseil des aînés).

Le Conseil de bande ou celui de la nation, ou tout autre organisme représentatif désigné comme instance gouvernementale, serait à la fois un organe politique, législatif et exécutif. Il passerait les lois et les règlements qui s'appliqueraient à son territoire et à ses membres.

Au point de départ, les populations détiendraient la totalité des pouvoirs législatifs et exécutifs. Leur Conseil de bande ou de nation pourrait donc légiférer et exécuter ses pouvoirs dans tous les secteurs d'activités habituellement reconnus aux gouvernements.

Les décisions des membres du gouvernement des Atikamekw et des Montagnais pourraient se prendre par la voie du consensus. Cette formule aurait pour objectif de permettre à toutes les tendances représentées au niveau du Conseil de bande ou du Conseil de la nation, ou de tout autre organisme représentatif désigné comme instance gouvernementale, de se faire respecter ou encore qu'un point de vue dominant rallie l'assentiment des autres. Un avis pourrait être demandé à un éventuel conseil des aînés, ou à la cour, pour sortir d'un cul-de-sac politique.

La tenue d'un référendum pourrait enfin servir de dernier recours.

La juridiction du Conseil de bande ou du Conseil de la nation, ou de tout autre organisme représentatif désigné comme instance gouvernementale des Atikamekw et des Montagnais, s'étendrait au territoire reconnu à la communauté ou à la nation et à ses membres, même ceux vivant hors des limites de la communauté ou de la nation.

Le titre de propriété du territoire communautaire ou national serait entre les mains de la communauté ou de la nation. Dans l'éventualité où des institutions supralocales représentant des communautés seraient formées (*cf.* Confédération), ce titre de propriété leur appartiendrait également, témoignant toujours de la force du gouvernement local, mais aussi de sa participation à un ensemble plus vaste.

Les employés du Conseil de bande ou du Conseil de la nation, ou de tout autre organisme représentatif désigné comme instance gouvernementale, s'occuperaient de la gestion des affaires. Ils feraient partie de l'appareil de gestion administrative locale.

Chaque communauté et chaque nation devraient établir sa propre constitution où seraient décrits les modes de fonctionnement du gouvernement, le type de représentation, les méthodes pour les prises de décisions, les méthodes de fonctionnement, etc.

Bien que la question du financement du gouvernement responsable des Atikamekw et des Montagnais fera l'objet d'un chapitre particulier dans la future convention ou le futur traité, on peut déjà avancer que l'essentiel des fonds, mis à la disposition des communautés, proviendra, entre autres endroits, de la péréquation, de diverses subventions gouvernementales reliées à l'administration de certains programmes, de la levée de taxes de redevances provenant de l'exploitation des ressources, de rentes et des indemnisations versées pour la destruction d'une partie du territoire ancestral revendiqué à la suitede négociation.

Éventuellement, une partie des revenus des communautés ou des nations devrait être dirigée vers les autres instances gouvernementales, si on assiste à leur création.

Dans l'éventualité où des instances seraient instituées, elles représenteraient les intérêts des communautés ou des nations. Leur rôle pourrait être législatif ou administratif.

Dans le cas maintenant où les rôles d'une instance supra pourraient être législatifs, les communautés ou les nations transféreraient à un organisme central, non seulement les pouvoirs de diriger un secteur particulier, mais également d'en dicter les règles.

Dans le cas où les rôles d'une instance supra pourraient être administratifs, les communautés ou les nations délègueraient à cet organisme les seuls pouvoirs de gérer les mandats qu'elles lui confieraient.

Nonobstant leurs pouvoirs, les instances supra, nationales ou confédérales, pourraient se composer de la façon suivante:

1. Un conseil constitué de représentants des communautés dûment mandatées. Ces représentants pourraient être les chefs ou des délégués de chacun des conseils de bande, ou de tout autre organisme représentant les communautés. Chaque représentant se ferait le porte-parole de sa communauté;

2. Le Conseil prendrait des décisions administratives qui s'imposeraient et, dans le cas échéant, passerait des lois. Ainsi, les membres du Conseil s'entendraient sur la façon de remplir les mandats confiés et de légiférer sur les questions pour lesquelles il y aurait eu choix de juridiction de la part des populations;

3. Les décisions se prendraient aussi par la voie du consensus. Ceci afin que des groupes se forment pour éviter la seule promotion de l'intérêt particulier, en oubliant l'intérêt commun, pour respecter toutes les tendances présentes et pour permettre à un point de vue dominant de se rallier les autres;

4. L'avis de la cour et la tenue de référendums seraient les moyens de sortir d'une impasse majeure au plan politique;

5. Les instances supra pourraient devenir des organes politiques si les populations acceptaient de leur conférer un pareil rôle;

6. Les conseils des instances supra se nommeraient un conseil d'aministration exécutif qui veille à l'application des décisions prises;

7. Les employés des instances supra atikamekw et montaignaises constitueraient leur administration et s'occuperaient de gérer les affaires;

8. Au niveau du financement, les instances supra auraient juridiction sur des sommes plus ou moins importantes selon le type de contrôle qu'elles auraient à exercer. L'essentiel des fonds proviendrait de la péréquation, des programmes gouvernementaux, de taxes, de contributions des communautés, du capital et des intérêts sur les indemnisations monétaires reçues et sur les rentes, à la suite des négociations;

9. Les instances supra pourraient éventuellement agir comme agent de redistribution afin de réduire les différences économiques qui pourraient exister entre les communautés qu'elles représentent.

À la base, chaque communauté ou chaque nation aurait le pouvoir d'organiser la distribution des services selon ses besoins et aussi ses moyens.

Cependant, afin de pallier le manque de ressources humaines dans les communautés plus démunies afin d'établir une forme de concertation pour l'ensemble du territoire des Atikamekw et des Montagnais, ou dans diverses régions, et afin de réduire les coûts à leur minimum, on pourrait penser à des agences régionales, nationales ou confédérales.

Chaque agence régionale, nationale ou confédérale aurait son responsable qui veillerait à la bonne marche des opérations.

Les responsables coordonneraient le travail et évalueraient les infrastructures, l'équipement, le personnel et les coûts requis pour rendre un service.

La distribution des services ferait appel aux ressources humaines locales lorsqu'elles existent, sinon on suppléerait à ce manque d'une façon temporaire ou permanente, selon les besoins.

Le budget de chaque agence pourrait faire partie du budget annuel de l'organisme qui la supervise.

Le Conseil de bande ou le Conseil de la nation aurait un droit de regard sur les services rendus. Il pourrait exiger des modifications ou des réajustements.

Les agences seraient donc à la fois responsables aux instances de la communauté ou de la nation.

La justice serait de compétence locale ou nationale. Des regroupements, sur une base régionale, nationale ou confédérale, seraient possibles, si désirés, par les populations.

La justice atikamekw et montagnaise devrait être rendue par la voie d'au moins deux cours:

1. Celle qui statuerait dans les domaines criminels, civils, commerciales et constitutionnelles;
2. Celle qui permettrait aux personnes ou groupements poursuivis d'aller en appel sur un jugement précédent.

Les cours de justice des Atikamekw et des Montagnais devraient fonder leurs jugements, quand cela peut s'appliquer, sur les coutumes. Elles devraient veiller au respect des lois des Atikamekw et des Montagnais.

Les gouvernements du Canada et du Québec reconnaîtraient que tous les membres des nations pourraient se prévaloir des lois du gouvernement responsable des Atikamekw et des Montagnais en matière de droit de la famille partout au Canada.

Ils prendraient les mesures nécessaires pour assurer que tout membre des nations atikamekw et montagnaises condamné à la détention par les tribunaux relevant de leurs compétences respectives aura le droit de purger sa peine sur les terres des Atikamekw et des Montagnais dans la mesure où des établissements de détention existent sur ces terres.

Ils reconnaîtraient que les Atikamekw et les Montagnais sont entièrement propriétaires du territoire à autorité exclusive, ou propriétaire d'une partie du territoire à autorité partagée, reconnu par l'entente finale et des ressources naturelles qui s'y trouvent. À ce titre, les Atikamekw et les Montagnais disposeraient sur ces terres et ces ressources naturelles des droits d'administration, de régie, de contrôle, d'usage et de jouissance et pourraient les exercer à toutes fins utiles, notamment communautaires, commerciales, industrielles ou résidentielles.

Commission de mise en œuvre

Le gouvernement responsable des Atikamekw et des Montagnais et les gouvernements du Canada et du Québec devraient mettre en place une structure conjointe appelée Commission de mise en œuvre de l'entente entre les Atikamekw et les Montagnais, composée de représentants des parties, ou d'un représentant nommé conjointement avec des pouvoirs de protecteur du citoyen, décrits par les parties, pour superviser la mise en œuvre du contenu de la future entente et des mécanismes gouvernementaux y faisant suite.

La Commission de mise en œuvre de l'entente entre les Atikamekw et les Montagnais devrait avoir comme mandat d'examiner les représentations soumises par les parties, ou par les membres des nations atikamekw et montagnaises, concernant la mise en œuvre de la future convention et lui donner suite.

Elle devrait avoir les attributions d'arbitrage recommandées par le Groupe d'étude de la politique des revendications globales.

Les parties à l'entente conviendraient en outre de créer des institutions distinctes pour la durée de la mise en œuvre de l'entente négociée:

1. Les nations atikamekw et montagnaises pourraient établir une institution avec les fonctions de surveiller la mise en œuvre de toute question touchant les terres des nations;
2. Les gouvernements du Canada et de Québec pourraient créer une autre institution avec comme mandat de surveiller certaines questions touchant les terres de la nation et de toute question propre à leur gouvernement respectif.

Les parties à l'entente établiraient une méthode de procédures qui permettrait de nommer des médiateurs, ou un conseil de médiation qui puisse traiter des problèmes précis de mise en œuvre.

L'entente conclue entre les parties devrait prévoir une procédure d'examen et de médiation plutôt que l'établissement d'une structure permanente.

Le gouvernement du Canada devra confier, à un commissaire aux ententes de revendications territoriales, la mission de surveiller l'efficacité de la mise en œuvre de l'entente.

Comme le suggèrent le comité Penner fédéral sur l'autonomie et le projet de loi C-52, le gouvernement du Canada devra mettre en place le Comité des reconnaissances qui aura un rôle important à jouer dans les décisions concernant l'exercice des pouvoirs.

Enfin, comme le prévoit l'article 58 du projet de loi C-52, les parties à l'entente s'entendraient pour établir des comités consultatifs qui aideront les différents gouvernements, celui des Atikamekw et des Montagnais, celui du Canada et celui du Québec, dans le processus des modifications des lois actuelles, ou règlements, ou de la rédaction de nouvelles lois, ou de nouveaux règlements, qui découleront de l'entente conclue.

La future entente entre les Atikamekw et les Montagnais et les gouvernements du Canada et de Québec n'affecterait en rien l'application de la Loi sur les Indiens à une personne qui n'est pas membre des nations atikamekw et montagnaise pas plus qu'elle n'affecterait les responsabilités du gouvernement canadien à l'égard d'une telle personne.

Il serait entendu que la future entente, ou le futur traité moderne, ne porterait pas atteinte à la reconnaissance et à l'affirmation des droits des peuples autochtones dans la Constitution du Canada et ne saurait être substituée au processus de définition et d'affirmation de ces droits prévu dans cet acte constitutionnel.

Il serait aussi entendu que la présente entente ne modifierait en rien la responsabilité particulière du gouvernement du Canada à l'égard des peuples indiens pas plus qu'elle n'autoriserait qu'on mette fin à cette responsabilité particulière.

La future entente n'empêcherait en rien les nations atikamekw et montagnaises, ou leurs membres, de bénéficier des mesures constitutionnelles, législatives ou autres, qui pourraient être prises à l'avenir en ce qui concerne l'autonomie gouvernementale des Autochtones du Canada.

Voilà donc en substance les éléments moteurs, ou les structures de base, que nous voudrions bien retrouver dans la future entente entre les gouvernements du Canada, du Québec et le Conseil Attikamek-Montagnais qui exprimeraient le contenu de notre projet de société à définir clairement et à ajuster au cours des dix prochaines années.

Il s'agit, comme vous avez pu le constater, d'exigences bien légitimes pour des nations qui veulent se prendre en main et surtout se développer selon leurs intérêts.

L'heure est plutôt à la centralisation

En guise de conclusion, je voudrais revenir sur la question de la base du futur gouvernement responsable et vous faire part de quelques observations sur ce sujet primordial pour notre avenir à tous. Selon toute apparence et après de nombreuses consultations auprès des populations locales, il semble évident que l'on souhaite que l'autorité gouvernementale future des Atikamekw et des Montagnais ait comme assise les communautés et possiblement une délégation de pouvoirs pour certaines questions à un niveau supralocal.

C'est d'ailleurs à partir de cette philosophie qu'a été fondé le Conseil Attikamek-Montagnais il y a quelques années. Les pouvoirs de cet organisme politique partent des chefs qui représentent les communautés.

On peut donc en principe donner et enlever des mandats au gré et à la fantaisie de chacun d'eux.

L'esprit de la décentralisation des pouvoirs est en principe excellent pour les États qui ont une population nombreuses. Cette décentralisation permet d'approcher la prise de décision des sujets de ces choix. Elle oblige aussi les décideurs, souvent bien loin des besoins de la base, à se préoccuper des vrais problèmes. Par contre, l'expérience a démontré que toute décentralisation ne se faisait pas sans perte de services à cause des coûts plus élevés qu'amène habituellement ce genre de fonctionnement.

Pour un petit groupe comme le nôtre, avec des communautés rendues à des degrés différents d'autonomie et des ressources humaines limitées, qui a un besoin évident de se regrouper et d'utiliser les compétences d'ailleurs, *l'heure n'est pas à la décentralisation, mais bien à la centralisation. C'est le temps de l'entraide, du regroupement des forces et des objectifs communs qui doit primer et non pas celui de l'isolement et des divisions qui vont nécessairement nous affaiblir comme entité face à l'adversaire.*

D'ailleurs, à chaque fois que les gouvernements considèrent que le Conseil Attikamek-Montagnais livre une lutte trop serrée contre eux dans des dossiers importants, ils s'adressent directement aux communautés pour affaiblir l'organisme politique des Atikamekw et des Montagnais. Ils le font sous prétexte de l'importance de ces communautés, mais en sachant surtout qu'ils auront beaucoup plus de facilité à influencer ces communautés souvent inorganisées et surtout avec des ressources humaines moins bien préparées à ce genre de lutte.

Ils utilisent donc la bonne vieille arme, mais toujours efficace, de diviser pour mieux régner, et isolent les communautés.

Il faut bien analyser cette orientation qui va exactement dans le sens préconisé depuis de nombreuses années par le gouvernement fédéral, surtout dans la Loi sur les Indiens, et surtout décoder les messages subliminaux envoyés par les fonctionnaires pour accorder une importance démesurée et fort intéressée aux conseils de bande.

Le gouvernement a toujours traité avec les bandes parce que ces dernières, isolées, étaient une proie facile pour les fonctionnaires fédéraux et les surintendants. Ils font encore tout ce qu'ils peuvent pour éviter de traiter avec les organisations politique comme le Conseil Attikamek-Montagnais qui regroupe plusieurs communautés.

Ne devrions-nous pas nous demander pourquoi?

Je ne suis pas le seul à constater que les Autochtones, au cours des ans, ont toujours eu de la difficulté à s'unir dans un objectif commun. Par ses politiques et son emprise de tuteur sur les Amérindiens, le gouvernement fédéral a toujours réussi à tenir les communautés dans un état d'isolement presque complet.

Les fonctionnaires fédéraux, contre toute logique d'efficacité administrative, ont toujours préféré travailler avec des groupuscules beaucoup plus facilement influençables.

Ce n'était certainement pas pour le plus grand bien des Autochtones...

On pourrait aussi ajouter qu'ils ont retardé de plusieurs décennies cet éveil politique des premières nations en accordant une importance démesurée aux chefs de communautés qu'ils «achetaient» souvent par des voyages dans la capitale nationale ou les bureaux régionaux en ville, les miroirs modernes.

Quand un de ces chefs était trop pressant, les fonctionnaires faisaient en sorte qu'il rencontre le ministre des Affaires indiennes, une attention suprême. Ce dernier lui racontait, avec une grande tape dans le dos, qu'il s'occuperait personnellement de son problème et qu'il pouvait retourner en paix dans sa réserve. Quand la question était encore plus importante aux yeux de la communauté et pouvait surtout causer des emmerdements politiques, le ministre allait même jusqu'à se rendre dans la communauté faire ses promesses sur place. Il tuait habituellement dans l'œuf le germe d'un début d'autonomie.

Enfin, et ce qui est encore beaucoup plus important pour nous qui sommes en négociation territoriale globale avec les gouvernements d'Ottawa et de Québec, le plancher de la négociation sur l'autonomie risque d'être bien bas si les balises du futur gouvernement responsable des Atikamekw et des Montagnais se fondent sur les communautés locales.

Ils proposeront des pouvoirs à la dimension des communautés les moins bien pourvues, ou organisées, sous prétexte que ces communautés ne pourraient pas à ce moment-ci prendre en charge certaines fonctions d'un gouvernement autonome. Ils utiliseraient certainement l'argument massue de tous les peuples oppresseurs du monde que certaines communautés ne sont pas prêtes à beaucoup de pouvoirs. D'ailleurs, on nous a déjà fait voir ce genre d'approche, ou plutôt d'argument négatif.

Par contre, si nous voulons obtenir le maximum de pouvoirs, nous devons faire en sorte que ces pouvoirs, à ce stade-ci de notre développement, soient les plus centralisés possible. C'est à ce niveau, à cause du fait que les ressources humaines regroupées sont plus nombreuses et de meilleure qualité, que nous pourrons plus facilement faire la démonstration de notre capacité de se prendre en main totalement.

Pour l'avenir, on verra au moment venu, quand nous l'aurons décidé collectivement.

L'enfant de 7 000 ans
a pris sa décision.
Jamais plus,
il ne reviendra en arrière.
Le rêve de l'enfant de 7 000 ans
deviendra réalité.
Il en a fait la promesse
à son ami le lièvre
qui a cru à son tour,
mais pas en vain,
au petit Indien.

XV

Jusqu'au bout

Une foule de deux ou trois mille Autochtones de plusieurs nations québécoises, évidemment en majorité des Atikamekw et des Montagnais, avait envahi l'entrée de la petite municipalité de Roberval.

Les Autochtones attendaient avec impatience l'arrivée des marcheurs qui devaient être là d'une minute à l'autre puisque la radio communautaire de la SOCAM (Société de communication atikamekwmontagnaise) avait annoncé depuis plus d'une bonne heure leur sortie de Val-Jalbert, où ils avaient passé la nuit.

Ils étaient venus retrouver les marcheurs montagnais pour franchir avec eux les derniers kilomètres de cette longue marche symbolique sur le territoire ancestral des Montagnais.

Lorsque les marcheurs apparurent dans l'anse et que l'assistance put les distinguer, ce fut un foudroyant cri de joie. Les Atikamekw, les Montagnais et les autres Autochtones partirent les rejoindre pour grossir le peloton des marcheurs.

Ils empruntèrent ensuite la rue principale de Roberval et passèrent devant l'hôpital où déjà plusieurs spectateurs étaient massés et les attendaient. De nombreux Blancs commencèrent alors à accompagner les marcheurs comme l'avaient demandé les organisateurs de cette marche pour démontrer clairement qu'il existe un esprit de solidarité entre plusieurs voisins, Amérindiens et Blancs.

Plus ils avançaient vers le, plus la foule grossissait et plus la file des marcheurs s'allongeait.

La petite municipalité de Roberval était aussi vivante et animée qu'au cours d'une journée de la Traversée internationale du lac Saint-Jean à la nage au mois d'août. Roberval était pour cette journée le point de ralliement de plusieurs supporteurs de la cause autochtone qui étaient venus de toutes les villes du Québec, aussi loin que la région de Montréal ou celle de l'Abitibi, pour appuyer les marcheurs atikamekw et montagnais, mais surtout pour bien démontrer à leurs gouvernements qu'ils devaient considérer à leur juste valeur les revendications du Conseil Attikamek-Montagnais.

À la sortie de la ville, pour franchir les derniers kilomètres entre Roberval et Pointe-Bleue, ils n'étaient pas loin de 10 000 personnes à marcher ensemble vers un objectif commun. Ce tableau d'une grande solidarité était beau à voir et surtout plein de promesses pour l'avenir des nations concernées, autant blanches qu'autochtones.

Quelques heures plus tard, ils arrivèrent à Pointe-Bleue, objectif de cette longue et difficile marche sur le territoire montagnais.

Ils se dirigèrent ensuite sur le vaste terrain du pensionnat où on avait placé une estrade pour que des orateurs puissent prendre la parole.

Après que le chef de la communauté montagnaise de Pointe-Bleue, monsieur Aurélien Gill, eut souhaité la bienvenue aux marcheurs, que des porte-parole blancs eurent exprimé leur solidarité à la cause autochtone et, en particulier, à celle des Atikamekw et des Montagnais en négociation territoriale, le président du Conseil Attikamek-Montagnais, monsieur Georges Bacon, s'est adressé aux marcheurs.

— Mes chers amis, nous venons de terminer aujourd'hui cette symbolique marche sur le territoire de nos ancêtres. Nous l'avons faite dans le but de sensibiliser la population québécoise à nos revendications territoriales et se gagner des appuis, comme en témoigne aujourd'hui cette journée de solidarité mémorable. Nous avons aussi constaté la richesse de ce territoire ancestral. Nos pieds fatigués ont subi l'immensité de ce territoire que nos ancêtres nomades arpentaient continuellement à la poursuite du gibier pour nourrir leur famille. Enfin, nous avons discuté avec les Blancs et nous leur avons démontré que cette négociation territoriale ne se faisait pas contre eux, mais bien pour nous.

À voir le nombre de personnes qui nous ont accompagnés à plusieurs étapes au cours de cette marche et surtout aujourd'hui, je crois que nous pouvons dire: «µission accomplie».

Nous avons fait tous les efforts nécessaires pour que les Québécois, qui voulaient en savoir plus sur cette négociation territoriale, puissent l'apprendre. Nous n'avons en aucun temps fardé l'image de cette négociation entreprise. Nous avons été francs en montrant bien clairement à la population québécoise que nous avons l'intention de nous rendre *jusqu'au bout* dans cette négociation pour reprendre le terrain perdu et se donner les instruments nécessaires pour réaliser notre projet de société.

Nous leur avons clairement démontré que ce projet de société ne se construira pas contre eux, mais bel et bien pour nous, et que c'est avec un esprit positif que nous allons entreprendre le virage historique de la «recouvrance» d'une partie importante de notre terre ancestrale et de la mise en place de notre propre gouvernenement responsable et autonome.

C'est à vous aujourd'hui, Atikamekw et Montagnais, que je veux surtout m'adresser.

C'est aux gens défaitistes de nos populations qui ne croient pas encore à la négociation territoriale, pas plus qu'ils ne croyaient que nous mènerions au bout cette longue marche sur le territoire ancestral.

C'est à ceux d'entre nous qui sont écrasés par les échecs et qui ne pensent pas que les Atikamekw et les Montagnais puissent véritablement se prendre en main et conduire à bon port leur propre destinée.

C'est aux jeunes qui ont devant eux un avenir fantastique s'ils réalisent bien ce que la génération actuelle est en train de mettre en place pour eux par la négociation territoriale globale.

C'est aux gens dynamiques qui ne cessent de prendre conscience qu'ils peuvent réaliser des choses fantastiques s'ils le décident vraiment.

C'est aux Atikamekw et aux Montagnais qui participent à chaque jour à agrandir cette prise en charge et à faire la démonstration de notre capacité à se diriger selon nos propres choix de société: éducation, protection institutionnalisée de la langue atikamekw ou montagnaise, services sociaux, santé, police amérindienne, radio communautaire, société de développement économique, pourvoiries communautaires, usine à poissons, centre commercial, magasins communautaires, entreprises de bois, etc.

C'est aux marcheurs qui ont franchi plus de 1 000 kilomètres et, surtout, qui ont démontré à tous, par leur volonté et une sorte d'acharnement de bon aloi, à quel point il était important d'être tenaces dans nos démarches.

C'est à toute cette population qui les a suivis et qui a constaté pourquoi il était essentiel de faire la preuve de notre force de caractère pour démontrer aux gouvernements des Blancs que nous ne reculerons plus et que nous n'abandonnerons jamais les objectifs de société que nous nous sommes fixés.

Oui, Atikamekw et Montagnais, nous sommes fiers aujourd'hui d'être Autochtones.

Nous sommes fiers, et vous aussi vous devez l'être, d'avoir réussi à franchir cette distance physique, énorme, mais aussi morale, qui nous a rapprochés des Blancs en leur faisant partager nos rêves et nos projets immédiats.

Nous sortons donc de cette expérience grandis et enrichis sur tous les points.

Nous sommes fiers des nôtres car, pendant toutes ces semaines, les marcheurs ont été des ambassadeurs de notre cause et ils ont complété leur mission avec une dignité exemplaire.

Tout s'est passé dans l'ordre et la discipline.

Nous sommes fiers parce que nous avons fait la démonstration aux gouvernements du Canada et du Québec que nos prises de position à la table de négociation, lorsque nous affirmons notre capacité de se prendre en main et de mener à bien nos choix de société, sont des plus exactes.

Nous sommes fiers aujourd'hui parce que nous venons de démontrer clairement aux gouvernements du Canada et du Québec que nous sommes tous derrière notre négociateur en chef pour l'appuyer dans la défense de nos droits et que nous pouvons répéter à nouveau ce genre d'exploit s'ils ne comprennent pas la justesse de nos revendications plus que réalistes.

Nous sommes fiers et heureux de ne plus nous sentir seuls dans notre juste combat et de constater, comme nous le faisons aujourd'hui, que plusieurs Québécois sont derrière nous et nous appuient de toutes leurs forces. Cela permettra de compenser pour les exploiteurs qui ne cessent d'élargir leurs tentacules et d'occuper un territoire qui nous appartient de droit.

Nous avons ressenti au cours des derniers jours les effets positifs de cette longue marche sur le territoire puisque le premier ministre du Québec, monsieur Robert Bourassa, dans un télégramme que nous avons reçu hier, a fait en sorte que son gouvernement reprenne la négociation et le fasse, comme nous l'avons demandé, sur le territoire de nos ancêtres.

Nous reprendrons la négociation territoriale cette semaine dans une grande tente montagnaise, montée sur le terrain de chasse de la famille

Germain. Ce moment historique soulignera tout le travail entrepris par le Conseil de bande de Pointe-Bleue pour faire revivre l'occupation du territoire par les chasseurs montagnais de cette réserve.

Cette victoire extraordinaire des Atikamekw et des Montagnais nous démontre encore une fois d'une façon très évidente que tout ce que nous obtenons des gouvernements, nous devons nous battre avec énergie pour l'obtenir.

Cela a été le cas pour le contrôle des rivières à saumon, à Mingan, à Natashquan, à La Romaine, à Sept-Îles, à Betsiamites et aux Escoumins, l'abandon de la pêche commerciale par les Blancs à l'embouchure de nos rivières à saumon, le contrôle de la chasse au caribou à Schefferville, la cogestion de la réserve de parc à Mingan, le contrôle de la chasse aux oiseaux migrateurs, le projet pilote pour la conservation des espèces à La Romaine, le sommet socio-économique, la route 138 à Betsiamites, etc.

Dans tous les cas, nous avons dû nous battre de toutes nos forces pour obtenir des résultats probants. Nous avons dû quelques fois menacer et faire la démonstration, d'une façon ou d'une autre, de notre volonté ferme d'obtenir ce que nous voulions.

Nous avons goûté à la victoire dans ces diverses batailles et, tout en trouvant ça bon, cela nous a donné confiance en nous-mêmes.

Nous savons aujourd'hui que nous pouvons vaincre la toute-puissance des gouvernements des Blancs si nous employons tous les moyens nécessaires pour obtenir les résultats désirés.

Nous nous sommes donc donné un pouvoir de négociation qui est de bon augure face à la bataille finale qui nous permettra de gagner la guerre.

Nous allons maintenant entreprendre la dernière manche de cette négociation historique, celle qui nous permettra d'atteindre nos objectifs de société. Il faut donc que nous soyons prêts à nous battre *jusqu'au bout* pour nous faire reconnaître comme véritables propriétaires d'une partie importante de ce territoire ancestral.

Non, les gouvernements d'Ottawa et de Québec ne nous feront pas de cadeaux.

Ce que l'on va nous donner, c'est ce que nous aurons gagné.

Ce n'est plus maintenant une question de force du Conseil Attikamek-Montagnais, de l'équipe de négociation ou du négociateur en chef.

C'est maintenant l'affaire de tous, Atikamekw et Montagnais.

Nous devons joindre nos efforts, unis pour un même objectif, et se lancer tête baissée dans la mêlée.

Nous ne devons plus permettre aux Blancs de nous diviser pour encore une fois régner sur nous.

Nous devons faire en sorte que les gouvernements comprennent que plus jamais nous ne retournerons en arrière.

Nous devons aller jusqu'au bout...

Épilogue

Vous voici maintenant au dernier chapitre de cet ouvrage. Au fil des pages, pour les profanes, vous avez découvert les Atikamekw et les Montagnais, leurs qualités et leurs défauts. Vous avez certainement plus d'informations sur ces nations autochtones en voie de développement ou rendues à un tournant majeur que vous en aviez préalablement.

Si vous avez lu ce livre avec un esprit ouvert, vous avez perçu clairement ce que souhaitent les Atikamekw et les Montagnais en revendiquant leurs droits ancestraux, non définis encore, qu'ils ne voudront jamais éteindre, et territoriaux, dont ils souhaitent clarifier pour mieux en jouir, comme c'est tout à fait normal, les titres de propriété.

La négociation territoriale actuelle peut possiblement s'exprimer par l'histoire de ce fier et tenace Montagnais qui a hérité de son père d'un camp de bois rond construit sur le bord de la baie de Sept-Îles. Aujourd'hui, ce chalet défraîchi est situé sur un des plus beaux terrains du centre d'une ville minière développée rapidement et entourée de maisons modernes.

Les dirigeants de cette municipalité suggèrent, avec insistance, à ce Montagnais de débâtir cette habitation rustique pour l'enlever complètement du décor. Elle ne cadre pas, prétendent-ils, avec les développements actuels de cette ville. Ils veulent donc la faire disparaître parce qu'elle détruit, selon leur étroite perception, l'image de marque de cette société.

Ils lui ont proposé d'exproprier le chalet en l'achetant à gros prix pour qu'il parte simplement vivre ailleurs, plus au nord, encore une fois, et se reconstruire; ce qu'il refuse carrément depuis plusieurs années. Il continue à se battre de toutes ses forces pour le conserver.

Ils n'avaient pas compris que l'argent ne peut satisfaire ce Montagnais parce qu'il ne remplacera jamais cette nature remplie de souvenirs où il a grandi et s'est développé avec les siens. Face à ce refus catégorique, les administrateurs de cette municipalité, pour régler définitivement cette question, n'ont pas eu d'autre choix que de s'asseoir avec lui et de négocier.

Le jeune sage montagnais a profité de cette période pour expliquer aux administrateurs de cette municipalité sa façon de voir les choses. Il a pu, pour une fois, faire connaître ses valeurs et la forme de développement qu'il souhaitait. Il les a difficilement convaincus que, même différent, son projet de société pouvait cadrer avec ce qui existe autour de lui. L'architecture plus archaïque de son chalet reconstruit avec de meilleurs moyens pouvait même devenir un atout majeur si on savait accepter sa spécificité et si on le regardait à travers un prisme nouveau.

Ensemble, ils ont donc dû d'abord clarifier les titres fonciers de sa propriété sur laquelle il va dorénavant vivre heureux avec sa famille et se développer à son rythme et selon son intérêt. Il sera alors beaucoup plus respecté par ceux qui l'entourent puisque ce voisinage reposera sur un fondement clair qui s'exprimera par l'égalité.

Ensuite, petit à petit, par le brassage d'idées avec les siens et la négociation avec les représentants de cette municipalité, ce Montagnais va rebâtir son camp de bois rond.

La première chose qu'il aura à faire, et sûrement la plus importante, est de soulever ce chalet et de construire un véritable soubassement, une fondation solide, qui pourra soutenir ce nouvel édifice, évidemment plus moderne.

Il s'agira alors pour lui et les siens de revoir, pour adaptation, leurs principes fondamentaux...

En poursuivant la lecture de ce texte, certains préjugés face aux Autochtones, bien ancrés dans votre esprit, ont certes été secoués. Quelques-uns sont sortis, d'autres y sont encore, plus tenaces.

En lisant les chapitres concernant plus directement les Atikamekw et les Montagnais: «Un pays rêvé», «Les clés du futur», «Honteuse discrimination», «L'enfant-chef», «Les fossoyeurs» et «Jusqu'au bout», vous avez possiblement cru qu'il était beaucoup trop tôt pour réaliser ce projet de société.

Pour les autres lecteurs, ceux qui connaissent de plus près les Atikamekw et les Montagnais, l'analyse sincère qui se dégage de cet ouvrage a secoué, a fouetté.

Elle a fait réfléchir ceux qui avaient à cœur l'objectif normal d'évolution de cette société et a choqué les esprits faibles qui se complaisent dans la pitié, un état d'âme indulgent et poltron qui pourrait détruire les fondements de la rampe de lancement en éliminant ainsi toute chance d'un départ pour la véritable «recouvrance» de cette liberté tant de fois souhaitée par les aînés et maintenant rendue à portée de la main.

Elle a ouvert les yeux, je l'espère, de ceux qui ont la fâcheuse habitude de ne pas voir plus loin que le bout de leur nez. Elle les a obligés à s'interroger sur ce qui se passe présentement et sur l'impact de l'actuel sur le devenir.

L'approche franche de ce contenu, sans aucune intention de détruire qui que ce soit ou quoi que ce soit, a réveillé, je le souhaite, ceux qui avaient peur de regarder la vérité en face.

Le miroir a reflété ce qu'il devait refléter, sans farder ni corriger.

Devrait-on continuer à cacher les miroirs ou à casser ceux qui nous tomberaient sous la main, sans y jeter un coup d'œil, de peur de se voir tel qu'on est?

Non, ce ne serait pas digne de peuples comme les nôtres qui revendiquent la reconnaissance de leur souveraineté.

Connaître ses défauts de société est important si nous voulons y apporter les correctifs nécessaires.

Savoir s'ausculter nous permettra de soigner nos maux souvent malingres avant qu'ils ne soient devenus cancéreux.

Se blâmer soi-même lorsqu'on a tort, sans chercher de boucs émissaires, nous ragaillardira.

D'ailleurs, nous ne pourrions plus éternellement brandir la pancarte de l'indépendance et continuer en même temps à mettre tout sur le dos des autres par des pleurnichements d'enfants gâtés, souvent «pourris à l'os».

Nous assumerons mieux notre leadership de société parce que nous n'aurons plus à protéger des gens qui ne le méritent définitivement pas. Seuls ceux qui prennent leurs responsabilités sociales recevront les marques de reconnaissance normale.

Ils ne sont pas rares les sages de nos nations lorsqu'ils sortent du discours traditionnel, trop souvent pleurnichard pour la foule, qui soulignent timidement, à voix basse ou en privé, que les Amérindiens ont malheureusement mis de côté la majorité de leurs principes fondamentaux, qui reprochent à certains d'entre eux de tirer le maximum du contexte dégradant actuel, préférant souvent l'argent de l'entremetteur gouvernemental sous forme d'assistance sociale aux fruits d'un labeur plus valorisant, qui constatent que les tares sociales, comme la boisson et les drogues, cette guerre «bactériologique», ne cessent de causer des torts immenses à la génération actuelle, qui accusent les parents éducateurs d'avoir laissé tomber le gant et baissé les bras en permettant aux jeunes de faire ce qu'ils veulent sans aucune retenue et qui souhaitent un coup de rame magistral pour que le canot puisse retrouver sa trajectoire, sa stabilité, et ainsi descendre, avec plus d'assurance, les rapides tumultueux de la rivière.

D'autres, plus défaitistes, croient sincèrement que les Atikamekw et les Montagnais ne sont pas prêts à se prendre en main et ainsi obtenir leur autonomie gouvernementale. Ils sont malheureusement convaincus que le manque d'institutions responsables aurait tôt fait de créer l'anarchie dans les communautés. De là à y voir «un régime de bananes», il n'y a qu'un pas à franchir que certains font allègrement.

En vous arrêtant maintenant sur les chapitres qui concernent plus spécifiquement la société québécoise et ses gouvernements: «Racisme et mépris», «Sans crier gare», «Blanc de mémoire», «Sous le joug militaire», «Le tour des propriétaires», «Nitasinan (notre terre)», «Une dette d'honneur» et Gouvernement responsable», vous avez possiblement déduit qu'il était malheureusement trop tard pour faire quoi que ce soit qui puisse corriger, d'une façon significative, les erreurs historiques du passé, causées par les Blancs.

Bien sûr, l'argument massue de certais bornés du trop grand nombre de personnes touchées par tout le branle-bas de la négociation territoriale des Atikamek et des Montagnais, la majorité écrasante qui n'est certes pas la «trouvaille» du siècle, est rapidement et bêtement brandi par les défenseurs du statu quo, cet état de fait qui aurait comme résultat d'éliminer, à brève échéance, les droits ancestraux des Autochtones et de faire de ces derniers des Canadiens comme les autres, mais défavorisés et beaucoup plus frustrés.

Un statu quo qui, entre parenthèses, sert bien les intérêts des dominants qui gagnent continuellement du terrain.

Les Autochtones seraient ainsi assimilés et continueraient à être un fardeau pour une société qui semble beaucoup plus les tolérer par pitié, un peu comme un mal, que les accepter d'égal à égal, contrairement aux premiers habitants lors de l'arrivée des Européens sur ce continent.

Comme si les droits d'une majorité, du plus fort, pouvaient simplement écraser ceux de toute minorité, du plus faible, sans aucune gêne.

On utilise donc, sans discernement et surtout avec un intérêt évident, un trait merveilleux de toute démocratie, la majorité, pour satisfaire ses besoins abjects de domination et s'approprier bassement des richesses des autres en les détruisant socialement.

On avilit, pour arriver à ses objectifs infâmes, un des éléments les plus nobles des sociétés modernes, la base même de toute révolution sociale digne de ce nom, histoire qui, pour certains peuples, a été écrite dans le sang.

On emploie lâchement un des cris de ralliement et de liberté pour écraser servilement les habitants du territoire des premières nations qui osent tenter de récupérer, d'une manière civilisée, par la négociation, une infime partie de ce qu'on leur a usurpé.

On s'en sert pour justification, ou excuse, face à un génocide, ou tout au moins à un ethnocide.

En même temps, dans les parlements canadiens, on vote des chartes de droits de la personne humaine. D'un côté, les Canadiens prétendent vouloir protéger les opprimés, les plus démunis de la société, et de l'autre, face à leurs Autochtones, ils sont les pires oppresseurs.

Ils se sentent pourtant très à l'aise dans ce non-sens tragique, cette absurdité historique.

Une telle approche conduit irrémédiablement à défendre ceux qui se sont illégalement permis d'occuper un territoire qui ne leur appartient pas de droit et ainsi de s'approprier des richesses naturelles, inhérentes, sans avoir eu besoin d'en faire l'acquisition. De la même façon que le ferait votre voisin de derrière dans un quartier résidentiel d'une grande ville de banlieue, qui déciderait tout bonnement, sans avoir acquis cette parcelle de terrain, de creuser un immense trou sur votre propriété pour y mettre une partie importante de sa piscine après avoir coupé quatre ou cinq magnifiques «talles» de bouleaux qu'il vendrait par la suite comme bois de chauffage.

Immédiatement, vous crieriez haro sur cet escroc et vous engageriez des poursuites en justice avec toutes les chances voulues d'obtenir gain de cause.

Le geste d'usurpation commis est trop évident pour qu'un juge ne condamne pas le coupable sur le champ.

Tous les Canadiens sans exception accepteraient ce genre de jugement et ils trouveraient plus que normal que cet usurpateur abandonne ses projets de construire une partie de sa piscine sur le terrain du voisin et dédommage ce dernier pour les troubles causés.

En plus, ils souhaiteraient qu'il soit puni pour avoir osé poser un tel geste.

Pourtant, quand il s'agit des Autochtones, que les fautes commises sont immensément plus importantes et que les injustices sont plus évidentes et plus nombreuses parce qu'elles sont multipliées à l'infini, on doit appliquer une autre base de justice, où la loi du plus fort domine.

Parce que le crime perpétré est trop considérable et qu'il se perpétue depuis plusieurs siècles, on doit le juger différemment et surtout être indulgent avec les criminels.

Plus encore, les gouvernements se servent comme argument majeur du fait que les coupables occupent, sans titre et en très grand nombre, comme le feraient des conquérants, beaucoup plus pirates que guerriers, le territoire dérobé, qu'ils ont construit illégalement leurs villes, qu'ils ont mis en place, par la force morale et souvent même physique, des infrastructures, qu'ils ont voté et appliquent des lois normalement caduques, qu'ils retirent malhonnêtement des gains importants par l'exploitation des richesses naturelles qui les enrichissent et les rendent encore plus forts et moins vulnérables et qu'ils règnent en maîtres absolus.

Ce qui serait dans toute autre cause extérieure insurmontable devient leur argument de base le plus difficile à combattre pour nous puisque les coupables qui jouissent de tous ces avantages sont dans les faits juges et parties.

Comment pourraient-ils sincèrement, après leurs propres aveux, condamner leurs ancêtres d'avoir commis une telle faute historique, eux qui la perpétuent, qui l'aggravent et qui en profitent pleinement sur tous les plans?

C'est d'ailleurs pour cette raison que, dans tous les traités signés avec leurs Autochtones, les gouvernements fédéral et provinciaux mettaient comme premier article l'extinction des droits ancestraux même si curieusement ils avaient toujours refusé de reconnaître officiellement que les premiers occupants avaient des droits.

D'ailleurs, si les gouvernements, fédéral et provinciaux, négocient avec les Autochtones, ce n'est certes pas par magnanimité, mais bien pour régler, une fois pour toutes et à leur avantage, ce contentieux qui les gène, cette servitude qui leur nuit.

C'est pour cette raison qu'ils vont tout faire pour que ce règlement se fasse à rabais sans aucunement affaiblir leurs positions actuelles comme société dominante.

Tel que le souligne régulièrement le gouvernement du Québec à la table centrale de négociation, ce règlement doit se faire sans menacer l'intégrité du territoire québécois.

Donc, pour eux, à ce moment-ci, il n'est aucunement question que les Atikamekw et les Montagnais retrouvent, comme propriétaires, non régis par leurs lois, une partie importante du territoire ancestral.

Les gouvernements se sont même convaincus, facilement il faut l'admettre, que cette usurpation de pouvoirs et de terre constitue des droits pour les tiers, les criminels, qu'ils ont comme devoir de défendre envers et contre tous et que les Autochtones doivent prendre en considération et satisfaire, dans leur négociation territoriale, leurs détracteurs.

Ils vont d'ailleurs encore plus loin puisqu'ils considèrent que les droits des tiers, les receleurs, sont beaucoup plus importants que ceux des véritables propriétaires, les victimes. Dans leur esprit, satisfaire signifie clairement que les Autochtones devront se contenter des miettes que voudront bien leur laisser ceux qui ont commis la faute.

Comme nos ancêtres habitent le territoire depuis des générations, disent-ils, ignorants pour les uns et feignant l'ignorance pour les autres, nous avons aussi des droits et les Amérindiens doivent en tenir compte puisque nous sommes ici aussi chez nous.

Nous avons développé cette terre, prétendent-ils, et si elle est aujourd'hui aussi prospère, il faut remercier nos ancêtres qui ont su faire ce qu'il fallait. Nous avons donc, avec le temps, gagné ces droits reliés à l'occupation et au développement.

Jamais, ajoutent-ils d'un trait, les Autochtones n'auraient réussi ce que nous avons fait.

Plutôt que nous blâmer, les Autochtones ne devraient-ils pas nous en être reconnaissants, concluent-ils tout bonnement, avec le plus grand sérieux du monde?

Donc, parce qu'il n'a jamais été avoué et reconnu par ceux qui l'ont commis, et par le fait même n'a jamais reçu la punition normale attachée à cette faute, le crime est devenu un droit pour les criminels et les victimes doivent en être reconnaissantes. Il en est de même en Afrique du Sud.

C'est le monde à l'envers...

Si c'est vraiment le cas, il faudra que tous les codes criminels soient revus et corrigés pour que la justice soit égale pour tous et que les criminels de droits communs puissent aussi jouir de tels avantages.

Après avoir confiné les Autochtones dans des réserves, pas plus grandes que des «dix cennes», les avoir repoussés le plus loin possible des endroits intéressants et leur avoir même enlevé la liberté de circuler librement dans les grands espaces de leurs territoires ancestraux, les gouvernements veulent maintenant négocier avec eux sur la base des besoins actuels et futurs.

Donc, en plus clair, leur générosité va aussi loin qu'agrandir les réserves actuelles en perpétuant cette approche de dépendance envers les tuteurs.

On souhaite tout au plus rendre la prison plus confortable, les murs mieux capitonnés, comme un cercueil, et les prisonniers plus gavés pour atteindre passivement le châtiment suprême.

Par la signature d'une entente-cadre historique — la première à l'être avec un groupe autochtone en négociation depuis que la politique fédérale des revendications territoriales a été amendée en décembre 1986 — avec les gouvernements d'Ottawa et de Québec, il y a quelques mois, le Conseil Attikamek-Montagnais a franchi une étape importante.

Ce plan de travail élaboré démontre bien dans ses grandes lignes que les Atikamekw et les Montagnais veulent négocier un nouveau contrat social avec les gouvernements d'Ottawa et de Québec à partir de leur propre projet de société tout en ayant bien ancré à l'esprit de se donner les leviers nécessaires pour leur développement social et économique. Il n'a absolument pas l'arrière-goût désagréable de vouloir enlever aux Québécois une partie de leurs moyens. Il désire tout au plus éliminer quelques iniquités flagrantes et ainsi garantir un avenir plus prometteur aux Atikamekw et aux Montagnais en corrigeant simplement une erreur historique.

La négociation a donc considérablement avancé au cours des dernières années. Elle a permis un déblocage important sur la définition des grands principes de cette négociation territoriale globale que l'on retrouve dans l'entente-cadre.

D'abord, les parties ont réussi à définir cette base de négociation territoriale globale qui part du territoire ancestral occupé et utilisé traditionnellement par les Atikamekw et les Montagnais. On reconnaît donc ainsi qu'il s'agit d'une véritable négociation territoriale:

Le territoire sur lequel les Atikamekw et les Montagnais ont établi leur revendication territoriale globale, fondée sur des titres ancestraux issus de l'utilisation et de l'occupation traditionnelle et continue des terres, dont le gouvernement fédéral a accepté de négocier le règlement. La négociation tiendra compte des besoins actuels et futurs des Atikamekw et des Montagnais, de ceux de la population en général et des possibilités offertes par le territoire.

Selon la politique des revendications du gouvernement du Canada, pour qu'un groupe autochtone puisse négocier et par la suite signer un traité pour définir et clarifier ses droits ancestraux fonciers, il faut qu'il fasse la démonstration d'une occupation traditionnelle et continue du territoire qu'il revendique. Dans notre cas, il a été démontré par une étude d'occupation sérieuse, faite par des chercheurs universitaires à la suite de témoignages contemporains et de textes historiques, que le territoire ancestral des Atikamekw couvrait la Mauricie et la Haute-Mauricie et que celui des Montagnais s'étendait au Lac-Saint-Jean, une partie du Saguenay, la Côte-Nord, la Moyenne et la Basse Côte-Nord et une partie du Labrador, à Terre-Neuve, pour une superficie totale de quelque 700 000 kilomètres carrés.

C'est donc sur la base de ce territoire ancestral revendiqué que doit se tenir la négociation historique actuelle des Atikamekw et des Montagnais.

Cela ne signifie aucunement, comme le soulignent certains «bonhommes-Sept-heures» du gouvernement du Québec lorsqu'ils ressortent leurs épouvantails à moineaux pour «faire peur au monde», que les Atikamekw et les Montagnais veulent récupérer entièrement cette superficie qui équivaut à environ le quart du Québec et obliger les Québécois à partir avec leur maison sous le bras habiter ailleurs.

Cependant, il ne faut jamais oublier qu'avant l'arrivée des Allochtones, les Atikamekw et les Montagnais vivaient en nomades sur ce territoire ancestral. L'occupation pacifique des colonisateurs et des «développeurs» s'est faite au cours des années sans que soit ni cédé, ni conquis, ce territoire; donc, toujours grevé de l'obligation par les gouvernements du Canada et du Québec de signer un traité avec les Atikamekw et les Montagnais. Nous détenons toujours des droits ancestraux ou aborigènes sur ces terres qui sont d'ailleurs protégées depuis 1982 par la Constitution canadienne.

Aucune partie de nos terres, aucun lac, aucune rivière, aucune montagne, aucune forêt n'a fait l'objet d'une cession de notre part au profit de quelque gouvernement ou quelque compagnie que ce soit comme ce fut le cas pour d'autres terres autochtones situées dans les limites de certaines autres provinces.

Cette hypothèque, pour un pays civilisé qui doit faire face à ses obligations envers ses Autochtones, sera là, sur ce territoire de 700 000 kilomètres carrés tant et aussi longtemps qu'une entente négociée ne sera pas réalisée.

Ensuite, les gouvernements ont accepté dans l'entente-cadre que le futur traité ou la future convention n'éteigne pas les droits ancestraux des Atikamekw et des Montagnais comme ce fut le cas pour tous les autres traités signés précédemment par les Autochtones du Canada.

Pour que des gestes irréparables ne soient pas posés par des «développeurs» publics et privés, qui pourraient altérer encore plus le territoire revendiqué, les parties à la table ont convenu qu'avant d'entreprendre la négociation territoriale globale proprement dite, elles s'entendront sur des mesures provisoires qui seront en force pendant toute la durée de cette négociation. Cette entente a été signée au début d'avril 1989.

L'entente-cadre exprime aussi toute l'importance de cette négociation territoriale globale en dressant la liste des sujets à négocier:

1. le territoire;
2. le gouvernement responsable indien;
3. les activités traditionnelles de chasse, de pêche, de piégeage et de cueillette;
4. les indemnisations;
5. l'admissibilité aux bénéfices;
6. l'approbation et la ratification des diverses ententes;
7. les mécanismes de mise en œuvre;
8. les mécanismes décisionnels pour la résolution des conflits de l'entente finale;
9. les mécanismes d'amendement de l'entente.

Enfin, les parties ont convenu des échéanciers suivant:

Les parties prévoient conclure une entente de principe au plus tard le 30 avril 1990 et une entente finale avant le 30 avril 1991.

Plutôt que de préjuger de l'issue du débat, plutôt que de simplifier à outrance ce qui est essentiellement, par la négociation territoriale, un processus complexe, tous ceux qui sont intéressés à cette question doivent s'informer.

Comment peut-on sérieusement croire qu'en 1989, les Atikamekw et les Montagnais puissent se contenter de miettes, comme la simple négociation d'un régime de chasse et de pêche, alors qu'ils ont réalisé, avec plus d'acuité que jamais, la force de leurs droits ancestraux?

Comment peut-on sérieusement croire qu'en 1989, les Atikamekw et les Montagnais puissent accepter de signer un traité moderne, ou une convention, qui ne reconnaîtrait pas des titres fonciers clairs de véritables propriétaires d'une partie importante des territoires ancestraux?

Comment peut-on sérieusement croire qu'en 1989, les Atikamekw et les Montagnais puissent accepter de signer un traité moderne, ou une convention, qui ne leur permettrait pas de récupérer les fruits de l'exploitation des richesses naturelles sur la plus grande partie des territoires ancestraux?

Comment peut-on sérieusement croire qu'en 1989, les Atimakekw et les Montagnais puissent accepter de signer un traité moderne, ou une convention, qui ne leur permettrait pas de prendre leurs propres décisions, de faire leur propre choix de société et de retrouver la plus grande autonomie possible?

La négociation territoriale, moment historique pour les Atikamekw et les Montagnais, a une signification incommensurable.

Les Atikamekw et les Montagnais ont tellement rêvé à la récupération de ce territoire qu'ils ne se contenteraient jamais d'un règlement dont l'issue serait autre.

Ils préféreraient continuer à croupir dans l'abomination actuelle plutôt que d'accepter la soumission d'un traité moderne, ou d'une convention, qui détruirait à tout jamais ce rêve de «recouvrance» d'une partie importante du territoire de leurs ancêtres.

Elle est le moment privilégié d'un règlement qui traîne depuis quelque 400 ans.

Il ne s'agit donc pas d'une simple prise en charge à rabais pour soulager les gouvernements de leurs problèmes administratifs et laisser aux Autochtones l'odieux des coupures budgétaires ou l'application des politiques gouvernementales, difficiles à faire avaler, comme ça s'est passé trop souvent au cours des dernières années, mais d'une prise en main totale de notre destinée, notre choix de société, sur une terre bien à nous.

Dans un sens, ce que nous souhaitons aujourd'hui par cette négociation territoriale globale, c'est exactement ce que désiraient les Québécois du début des années 60 et qu'ils ont obtenu en partie par la suite: plus de pouvoirs pour se développer selon leurs propres choix, le respect de leur spécificité et la reconnaissance de leurs compétences.

Et comme eux, avec la même fierté écrasée par «des années de grande noirceur», nous sommes moralement convaincus de «ne pas être nés pour un petit pain».

Plus encore, en constatant avec quelle rapidité certains Allochtones s'enrichissent avec les ressources de notre territoire ancestral, nous sommes persuadés qu'avec quelques minimes retombées, nous pourrions sortir du marasme de l'assistance sociale qui nous avilit pour nous développer économiquement selon nos propres intérêts et dans le respect de cette nature que nous chérissons.

Nous ne sommes pas historiquement et foncièrement un peuple d'assistés sociaux et nous désirons que cette tare amenée par d'autres disparaisse le plus tôt possible de nos communautés pour faire place à une activité sociale et économique souhaitée selon notre intérêt véritable et notre propre vision des choses. Nous ne voulons pas que ce développement économique se fasse sur la base de principes importés d'ailleurs qui rejetteraient automatiquement, entre autres choses, l'esprit de partage et de participation active aux décisions qui nous animent depuis toujours. C'est pour cette raison que nous voulons conserver la plus intacte possible cette approche communautaire que la très grande majorité des Atikamekw et des Montagnais souhaitent.

Puisque nous sommes les premiers habitants de ce pays, avec une langue, une culture et un mode de vie différents, nous constituons donc une société tout au moins aussi distincte, sinon plus, que celle des Québécois. C'est une partie importante de cette distinction que nous souhaitons faire reconnaître dans notre nouveau contrat social avec les gouvernements d'Ottawa et de Québec en leur demandant surtout d'oublier leur désir de faire de nous des Canadiens ou des Québécois comme les autres.

Avec peu de moyens, nous avons réussi au cours des siècles derniers à garder cette distinction presque intouchée. Nous avons protégé, tant bien que mal et souvent envers et contre tous, cette spécificité que l'on voulait éteindre par toutes sortes de méthodes d'assimilation et nous sommes convaincus que les gouvernements doivent aujourd'hui cesser ces folies stériles et accepter que nous sommes différents.

Qui plus est, ce serait un paradoxe inacceptable si le gouvernement fédéral reconnaissait un caractère distinctif au gouvernement du Québec tandis que les deux paliers de gouvernement ne le faisaient pas avec les Atikamekw et les Montagnais.

Cette recherche d'identité ne peut malheureusement se matérialiser que par la concrétisation d'un nouveau contrat social entre les Québécois et nous sur une base complètement différente qui nous permettra de développer nos capacités selon nos propres choix de société.

Pour y arriver véritablement, il faut que les Québécois reconnaissent que les Atikamekw et les Montagnais ont des compétences historiques propres qui se rapprochent de la nature.

L'histoire millénaire a démontré que les Autochtones ont été et sont encore aujourd'hui les protecteurs de l'environnement. Et si cet environnement s'est détruit au cours des 100 dernières années en Amérique, sous le règne incontesté des Allochtones, beaucoup plus rapidement qu'il ne le fut jamais sous celui des Autochtones pendant des milliers d'années, c'est possiblement à cause de gestes inconsidérés d'un développement trop rapide que la nature n'a pas pu supporter.

Les sages autochtones ont toujours prêché qu'il fallait laisser reposer un territoire de chasse pendant un certain temps après qu'il eût été utilisé pour lui permettre de redevenir aussi giboyeux.

Dans cette perspective de respect des équilibres écologiques qui a toujours été la nôtre, la protection de l'environnement passe par la vénération des relations d'interdépendance des principaux éléments des éco-systèmes: sol, eau, végétation, faune, etc.

Notre éducation traditionnelle nous a appris à préserver les habitats des animaux terrestres et des poissons dont nous dépendons pour notre alimentation.

Malgré les connaissances impressionnantes accumulées par vos biologistes, il semble que certains Allochtones ne se rendent pas compte que les activités industrielles et forestières, minières et hydroélectriques, poussées à l'exagération, ainsi que les loisirs pratiqués à outrance sont incompatibles avec le respect de la nature prôné par les peuples amérindiens.

Ce ne serait-peut être pas un geste d'humilité inutile des Blancs que de voir dans la sagesse de la civilisation autochtone millénaire des avantages certains pour la protection de cet environnement que nous voulons tous car il s'agit de notre survie sur cette planète.

Pour nous, ce n'est pas un thème électoral qui durera le temps que durent les roses pour permettre de distribuer des millions de dollars souvent inutilement, mais bien un mode de vie que nous voulons conserver et en démontrer les bienfaits à nos voisins que nous aimons malgré tout.

Dans la foulée d'une plus grande ouverture d'esprit, les Québécois doivent oublier certaines de leurs «bibites» face à la négociation territoriale des Atikamekw et des Montagnais en ayant bien en tête qu'ils ne pourront jamais justifier leur inaction en se cachant derrière certains paravents comme celui que les Autochtones ne sont pas prêts à une plus grande autonomie. Une telle attitude dénote plutôt que les dominants veulent conserver sous leur joug, le plus longtemps possible, les dominés et, sans aucune originalité, emploient l'argument massue de tous les oppresseurs du monde que les Autochtones ne sont pas prêts. Et, si nous les laissons faire, nous ne serons jamais prêts...

Les Québécois doivent comprendre que nous avons besoin de retrouver un espace vital pour nous développer normalement et sortir de la tutelle des gouvernements par des méthodes d'assistance sociale et que notre seul moyen d'y arriver est la récupération d'une partie du territoire ancestral.

Ils doivent aussi cesser d'avoir une peur maladive du fameux syndrome des enclaves perdues — comme des trous dans le fromage — causé par les réserves situées dans les environnements urbains sur le territoire sous la responsabilité temporaire et exclusive du gouvernement québécois.

C'est vrai que la situation qui fait que les Québécois ont envahi avec plus d'acuité et d'évidence les territoires ancestraux revendiqués par les Atikamekw et les Montagnais pour leurs développements cause plus de problèmes à solutionner que ce fut le cas pour ceux des Inuit, des Cris et des Autochtones beaucoup plus au nord et aura plus d'effets directs sur les tiers, les Québécois et leur organisation sociale et économique. Cependant, il ne faudrait pas que la justice soit autre à cause du fait que les dommages causés furent plus importants et surtout plus évidents.

Ce serait une bien drôle de justice.

Il faut donc faire tomber cet autre paravent qui veut que l'intégrité du territoire québécois, historiquement hypothéqué comme nous l'avons vu précédemment, doit demeurer intacte en reconnaissant seulement des droits d'usage aux Atikamekw et aux Montagnais pour la pratique des activités de chasse et de pêche. Une telle approche est nettement inacceptable et nous sommes convaincus que nos droits aborigènes sont équivalents à des droits de souveraineté. Nous sommes appuyés en cela par l'opinion de juristes québécois renommés et spécialistes en droit constitutionnel.

Il est aussi évident que nous n'accepterons jamais que ces droits soient limités à cette notion étroite de droits résiduels de chasse, de pêche et de piégeage que veut nous appliquer le gouvernement du Québec.

Comme le mentionnait le ministre québécois désigné aux Affaires autochtones, monsieur Raymond Savoie, au cours de la conférence de presse tripartite — Ottawa, Québec et Conseil Attikamek-Montagnais — soulignant la signature de l'entente-cadre, il faut que «l'illogisme historique actuel» face aux Atikamekw et aux Montagnais soit corrigé le plus tôt possible par un traité moderne qui permettra aux populations concernées de se développer.

À l'instar de plusieurs leaders sociaux et politiques québécois, le ministre reconnaissait donc qu'il y avait une erreur historique à corriger qui pèse lourd sur la réputation internationale du Canada et du Québec. Il aurait pu ajouter que permettre aux Autochtones d'occuper la place qui leur revient est un gage de paix sociale, face à une jeunesse moins patiente et plus radicale qui pousse, et peut certes favoriser le renforcement du pays.

Comme on peut le constater, le défi de la négociation territoriale des Atikamekw et des Montagnais est de taille, mais nous n'avons pas peur d'y faire face.

Il ne faut donc pas penser que nous allons accepter des «miroirs», ou des «cataplasmes».

Il ne faut surtout pas croire qu'il s'agit uniquement, pour régler cette négociation territoriale, d'une simple question d'argent, de compensations, et trop compter là-dessus.

Nos terres ne sont pas à vendre, nous l'avons dit souvent et il ne s'agit pas d'une formule de style. Je n'ai pas accepté un mandat d'agent d'immeubles, mais de négociateur en chef d'un projet de société extrêmement valable pour les Atikamekw et les Montagnais, rien de moins.

Cet engagement, je l'ai répété, implicitement ou explicitement, à toutes les tournées d'information, fort nombreuses d'ailleurs, que j'ai faites dans les communautés pour difficilement, il faut l'admettre, gagner la confiance des gens, surtout les plus vieux, qui avaient été si souvent trompés.

Jamais, je ne manquerai à cette promesse.

Face à un mur d'incompréhension de la part des gouvernements, fédéral et provincial, au bout du bout de nos efforts de négociation, je préférerai recommander à nos gens de ne pas signer de traité, ou de convention, et d'attendre à plus tard, même si je suis convaincu que nous pourrions perdre une occasion unique. Il ne faut jamais oublier que je ne suis pas un avocat payé à pourcentage sur les compensations monétaires. Le pire qui peut m'arriver c'est de perdre mon emploi de négociateur en chef... Je peux faire autre chose.

Nous prendrons donc le risque que la conjoncture s'améliore avec le temps et que les Québécois et l'ensemble des Canadiens comprennent mieux leurs devoirs face à leurs Autochtones. Nous avons attendu des centaines d'années, nous pouvons le faire encore pendant quelques décennies.

Nous n'abandonnerons certainement pas notre lutte et nous continuerons simplement à négocier en public, morceau par morceau, à la manière d'une guérilla, jusqu'à la récupération totale de ce que nous croyons être nos droits ancestraux. Nous emploierons alors d'autres méthodes reconnues et surtout encombrantes pour les oppresseurs.

Cependant, avant d'en être rendus à admettre cet échec, nous aurons employé tous les moyens pour faire la démonstration que nous avons droit légalement et socialement de recouvrer l'indépendance de nos ancêtres qu'on nous a volée, pièce par pièce.

Il ne faudrait surtout pas oublier que les jeunes générations ne seront pas aussi patientes que les anciennes. Ces jeunes souhaitent une juste part et ils feront tout pour l'obtenir. Il ne faudrait pas que les gouvernements, par leur inconséquence, les conduisent à l'irréparable: des démonstrations de violence.

Les trois parties à la table de négociation doivent s'ingénier à trouver toutes les solutions pour ne pas faire avorter cet instant historique qui permettra aux Atikamekw et aux Montagnais de retrouver leur fierté et de bâtir un projet de société rempli de promesses et aux gouvernements du Canada et du Québec de démontrer aux peuples du monde que leur ouverture d'esprit, face à l'avenir de leurs Autochtones, doit servir d'exemple et que leurs belles paroles n'étaient pas simplement pour enjôler et nous faire abandonner des principes importants, comme le renard de la fable de La Fontaine l'a fait avec le corbeau pour ensuite ramasser le fromage.

Pour ce faire, il faut prendre en considération, de part et d'autre, *du «trop-tôt» des Atikamekw et des Montagnais,* par un certain manque de préparation adéquate, dû à des années d'écrasement, ou par l'absence de confiance en soi, souvent volontairement alimentée, *et du «trop-tard» des gouvernements du Canada et du Québec,* par l'appropriation scandaleuse et, ensuite, entre autres, par une exploitation outrancière des terres réservées aux Autochtones par la Proclamation royale de 1763, et rechercher les solutions futures à partir de ces prémisses.

Cette recherche d'un dénouement satisfaisant pour les Atikamekw et les Montagnais, en s'effectuant avec ouverture d'esprit, amènera sûrement des solutions acceptables si le travail de négociation est fait sans carcan. Il ne faut surtout pas limiter nos ébats à un simple carré de sable, ou situer le plafond à la hauteur d'une maison de nains, à seulement quelques pieds du sol.

Laissons l'imagination et le cœur travailler et nous découvrirons peut-être une fin convenable qui sera le commencement de jours merveilleux tant de fois souhaités.

Cela ne doit surtout pas signifier que ce «trop-tôt-trop-tard» invite à abandonner le défi.

Au contraire, ce «trop-tôt-trop-tard» doit plutôt vouloir dire que nous devons inventer des méthodes qui permettront, aux uns comme aux autres, de digérer par étape une une dose trop forte administrée d'un seul coup; ce qui pourrait nous faire prendre le risque de tout rater.

Et pourquoi ne pas découvrir une véritable entraide de la part des Blancs pour permettre aux peuples autochtones de retrouver une place de choix dans la société d'aujourd'hui et celle de demain? Ils doivent bien ça à ceux qui les ont accueillis les bras ouverts. Il n'est jamais trop tard, comme l'enseignent les religions, pour réparer sa faute et ainsi se libérer la conscience. Les confesseurs prétendent ensuite que l'on vit beaucoup plus heureux la conscience soulagée.

La certitude que recherche la nouvelle politique nationale des revendications territoriales ne doit aucunement notifier que le pays règle, à tout jamais et à rabais, si possible, ses comptes qui traînent depuis une éternité.

Elle ne doit surtout pas signifier que le Canada s'est libéré définitivement de tous ses engagements envers ses Autochtones.

D'ailleurs, cette certitude ne s'applique que sur une infime partie des droits ancestraux, non définis encore, celle des droits fonciers.

Elle devrait plutôt s'exprimer dans le sens d'une plus grande équité et surtout comme un engagement, de part et d'autre, à développer au cours des années à venir les jalons nécessaires à une plus grande liberté d'action des peuples autochtones.

La fierté ainsi rallumée, comme le font les fans de chanteurs populaires au cours des spectacles où, après avoir éteint les lumières, chaque spectateur craque une allumette ou allume un briquet pour éclairer la salle et fredonne joyeusement un refrain apprécié, donnera une lumière quasi éblouissante et bienveillante. Elle le sera d'autant plus par la somme des efforts de chacun, petits feux unis, avec un seul objectif: se refaire une vie à l'image des ancêtres selon ses propres choix de société tout en respectant les véritables voisins retrouvés.

Ces formes d'étapisme doivent permettre aux Atikamekw et aux Montagnais d'apprendre à utiliser à bon escient des pouvoirs nouveaux. Elles doivent être l'apprentissage d'une démocratie renouvelée et la reprise en main d'un sens des responsabilités malheureusement perdu, dans certains cas, par de nombreuses années de domination. Les Atikamekw et les Montagnais seront un peu comme ces malades qui ont dû ingurgiter de la nourriture liquide pendant plusieurs semaines et qui doivent réapprendre à manger pour que leur estomac s'habitue lentement à digérer de la nourriture solide.

Voilà donc maintenant que nous devons écrire les pages les plus importantes de l'histoire des Atikamekw et des Montagnais. Des pages qui lieront, de nouveau et beaucoup plus solidement, nos destinées aux voisins blancs mais, cette fois-ci, dans un véritable pacte, plus sérieux et infiniment plus respectueux, dont le cadre doit être totalement différent. Nous aurons participé avec conviction et professionnalisme à en tracer toutes les lignes. Nous aurons scruté à la loupe, sinon au microscope, nos engagements et ceux des gouvernements des Blancs. Nous aurons utilisé les mêmes armes qu'eux pour nous faire respecter.

De part et d'autre, les efforts devront être soutenus pour faire de cette négociation territoriale globale une réussite.

Nous aurons donc inventé et donné un sens à un mot qui n'existe pas en montagnais et en atikamekw: *négociation*.

Il ne faudra jamais que les futurs dictionnaires atikamekw et montagnais définissent ce mot péjorativement.

Il ne devra jamais être synonyme de tromperie.

Il devra être un bien beau mot d'espoir, le prélude, malheureusement long, mais nécessaire, du matin tant attendu.

Les Atikamekw et les Montagnais doivent se convaincre que les résultats de ces négociations seront à l'image de leurs désirs, de la conviction de la justesse de leurs récriminations et de l'acharnement qu'ils y mettront pour se battre afin d'obtenir leur dû.

Le temps du pleurnichement d'enfant gâté est terminé. L'heure est à l'action, celle des adultes, celle des guerriers, dont le courage est à toute épreuve. Il faudra se battre et le faire jusqu'au bout contre les véritables adversaires.

Les Atikamekw et les Montagnais doivent savoir qu'on ne leur fera pas de cadeaux. Les enjeux sont beaucoup trop importants.

Par contre, nous sommes conscients que, seuls, nous aurons bien de la difficulté à faire fléchir les gouvernements en place qui sont beaucoup plus tournés vers l'électoralisme que la magnanimité ou la justice. Les votes montagnais ou atikamekw sont malheureusement peu nombreux.

Nous avons donc besoin de gens qui, de près ou de loin, sont intéressées par cette noble cause, qui voient dans cette faute historique une erreur à corriger et qui sont prêts, en personnes responsables, à en payer la note.

Nous avons besoin de ceux qui ne comprennent pas encore le bien-fondé des revendications territoriales des Autochtones du Canada, mais qui vont chercher à découvrir la vérité.

Nous avons besoin de ceux qui ont acheté les thèses faciles, véhiculées par les tenants du statu quo, qui profitent largement de la situation actuelle, mais qui vont aller au fond des choses et probablement changer d'opinion à la lumière de faits nouveaux.

Nous avons besoin d'opposants honnêtes qui nous permettront un débat objectif pour que nos chances soient plus égales face à nos adversaires.

À la fin de ce plaidoyer, il est important de souligner que les Atikamekw et les Montagnais ont en tête une négociation beaucoup plus sociale que simplement juridique et économique.

Nous souhaitons vraiment mettre en place ce projet de société qui nous permettra de nous développer selon nos propres choix et par nos propres leviers. Cette autonomie sur un territoire retrouvé est importante si les gouvernements veulent vraiment que les Atikamekw et les Montagnais progressent sainement et ne soient plus du bois mort vivant au crochet de l'État, tout en étant considérés comme nuisibles à l'évolution de la société québécoise actuelle.

Les Québécois doivent comprendre que plus les Autochtones vont se développer à tous les niveaux, plus ils deviendront des éléments de développement importants et plus la société québécoise en ressortira grandie sur toute la ligne.

Nous ne voulons plus que les Québécois croient que nous vivons du produit des taxes qu'ils paient personnellement. Nous avons un territoire ancestral riche en ressources de toutes sortes et nous souhaitons vivre de cette richesse que nous pourrons exploiter nous-mêmes ou avec nos voisins dans le plus grand respect des uns comme des autres.

Enfin, à plusieurs reprises depuis le début de la négociation, nous avons souligné aux gouvernements d'Ottawa et de Québec que nous ne voulons plus donner l'impression de négocier clandestinement parce qu'ils craignent d'admettre les raisons de cette négociation en reconnaissant publiquement que les Atikamekw et les Montagnais ont des droits ancestraux. Ils doivent donc exprimer clairement que nous définissons ces droits par la négociation territoriale globale, que c'est un processus sérieux et obligatoire exigé par la Proclamation royale de 1763 et que nous ne sommes pas en train de tripoter des privilèges dans le dos des populations blanches.

Oui, nous sommes prêts à faire le pari que la très grande majorité des Québécois a l'esprit assez ouvert pour saisir que cet «illogisme historique» doit être corrigé. Nous sommes aussi convaincus que cette majorité comprend et accepte que les Atikamekw et les Montagnais revendiquent la «recouvrance» d'une partie de leur territoire ancestral, une autonomie plus grande et les leviers sociaux, politiques et économiques nécessaires pour se développer selon leurs propres choix.

C'est pour cette raison que nous proposons une approche franche qui enlèvera cette espèce de brume qui plane autour des négociations territoriales globales parce que les gouvernements ne sont pas assez francs pour dire à leurs commettants toute la portée du geste historique que nous sommes en train de poser.

Il s'ensuit toutes sortes d'interprétations plus farfelues les unes que les autres, souvent empreintes de racisme, qui ternissent toujours l'image des Autochtones. Ce qui semble évidemment faire l'affaire des gouvernements puisqu'ils n'y changent rien.

Nous sommes fatigués de subir l'argument des grenouilleurs mal informés qui prétendent que les Autochtones vivent de privilèges qu'ils quémandent dans les antichambres et les «bunkers» des politiciens.

Combien de fois avons nous entendu dire à tort par des personnes de bonne foi que les Autochtones ne paient pas ceci ou ne paient pas cela? Une jeune journaliste de La Tuque m'a même assuré que la très grande majorité des gens de cette région sont convaincus que les Atikamekw reçoivent une motoneige à tous les trois mois.

Est-ce assez ridicule?

Pour d'autres, par le fait que les Autochtones sont tolérés à chasser le gros gibier pour nourrir leur famille pendant qu'ils sont dans le bois sur leurs territoires de chasse dans les réserves à castors, constitue un privilège. On préférerait probablement que les chasseurs et leur famille meurent de faim au cours des trois ou quatre mois qu'ils trappent. Ou souhaiteraient-ils qu'ils partent avec des centaines de livres de boîtes de conserve?

Quand on parle de la pêche de subsistance au filet des Autochtones, on a derrière la tête qu'à chaque fois qu'ils mettent leurs filets à l'eau, il s'agit d'une pêche miraculeuse comme ce fut le cas pour saint Pierre. Et certains scribouilleurs sportifs, chroniqueurs de chasse et de pêche et leurs mécènes en profitent pour prétendre que les Autochtones vident les lacs et les rivières.

La vérité est pourtant tout autre et nous l'avons démontrée à maintes reprises.

Citons l'exemple de la pêche à la ouananiche au lac Saint-Jean.

À la suite d'une campagne de salissage des pêcheurs sportifs de ce secteur menée par le président de Ouananiche-Plus, le Conseil de bande de Pointe-Bleue, en collaboration avec le ministère du Loisir, de la Chasse et de la Pêche du Québec, a engagé une biologiste pour comptabiliser les prises faites pour la pêche de subsistance au cours de l'été 1987.

Ce rapport impartial fait par une personne professionnelle allochtone a démontré que les filets des Montagnais avaient permis de prendre un peu plus de 500 ouananiches.

Or, pour la même période, on évalue, selon les prises enregistrées, que les pêcheurs sportifs auraient pêché quelque 15 000 ouananiches.

Donc, comment pourrait-on croire que l'impact de la pêche de subsistance est plus important que celui de la pêche sportive sur le fait qu'il y a beaucoup moins de ouananiches dans le lac Saint-Jean qu'il en avait auparavant, et à qui la faute?

De plus, on oublie la pollution de ce lac par les coupes de bois, les pluies acides, etc.

Je pourrais aussi vous citer des chiffres révélateurs en ce qui concerne la pêche au saumon.

Au Québec, les Amérindiens prélèvent environ 4 % ou 5 % des stocks de saumon alors que les pêcheurs sportifs en 27 % et les pêcheurs commerciaux, sur la même ressource, du Groënland, en passant par Terre-Neuve et le Québec, en ramassent 60 %.

Où est donc la vérité dans le préjugé qui veut que les Autochtones exploitent cette ressource de façon inconsidérée?

Pour d'autres personnes mal informées, comme ce citoyen de La Romaine, sur la Basse Côte-Nord, qui a téléphoné à Radio-Canada, à Sept-Îles, pour se plaindre que les Montagnais reçoivent beaucoup d'argent. Il a parlé de privilèges qui font en sorte que, selon lui, la population blanche est discriminée face aux Amérindiens. Radio-Canada a même fait un reportage avec ce genre de «potinage» dans son émission de prestige *Le Point*,, en défendant le point de vue exprimé.

Il fondait cette discrimination sur le fait que les Montagnais avaient un dispensaire pour soigner leurs malades, que les jeunes recevaient une instruction gratuite, que les gens qui ne travaillaient pas recevaient de l'assistance sociale, qu'ils jouissaient de programmes de construction de maisons et qu'ils avaient reçu l'aide du gouvernement du Québec pour travailler à la restauration de la rivière, etc.

Ce simple d'esprit oubliait que tous les Québécois et tous les Canadiens défavorisés ont l'assistance sociale, sont soignés gratuitement, que les défavorisés ont droit aux mêmes programmes de construction de maisons et que leurs enfants aussi peuvent profiter de l'instruction gratuite. Plus encore, s'il avait seulement demandé de l'aide gouvernementale pour restaurer la rivière, au lieu de se dépêcher de la vider comme il l'avait fait avec le club privé des années passées, il en aurait sûrement reçu.

Au lieu de se plaindre que les Montagnais de La Romaine recevaient trop d'argent en subventions de toutes sortes, il aurait dû les en remercier puisque cet argent est dépensé presque à 100 % dans les commerces que possèdent les Blancs de La Romaine.

Comme le dit l'adage, il n'est jamais bon de mordre la main qui te donne à manger.

C'est donc à cause de toutes ces histoires abracadabrantes de privilèges, alimentées par l'attitude cachottière des gouvernements qui nient, tout en sachant qu'ils existent, les véritables droits ancestraux des Autochtones, que ce genre de ragots de fond de taverne continuent à ternir l'image des Autochtones en période de négociation.

Les Québécois doivent donc comprendre que c'est au vu et au su de tout le monde, et non pas en catimini, que nous voulons négocier un nouveau contrat social et surtout que nous ne souhaitons pas le faire contre les Québécois, mais avec les Québécois, et pour les Atikamekw et les Montagnais.

Maintenant, si on s'y mettait vraiment...

Merci.

Bernard Cleary

Remerciements

À mes proches: Lise, mon épouse, Chantal, Dominique et Benoît.

À mes collaborateurs immédiats: Georges Bacon, Michel Belleau, René Boudreault, Denis Brassard, Anne Casavant, Paul Charest, Simon Coocoo, Renée Dupuis, Jacques Frenette, Micheline Gros-Louis, Gilbert Hamel, Bruno-Pierre Harvey, Germaine Mestanapéo, Mathias Mestanapéo, Zacharie Mollen, Ernest Ottawa, Jenny Rock, Joseph Tettaut, Jean-Claude Vollant

À d'autres collaborateurs: Guy Bellefleur, Marcel Boivin, Jacques Cleary, Robert Dominique, Marc Dubé, Aurélien Gill, Denis Gill, Jean-Baptiste Lalo, Edmond Malec, Charles Mark, Paul McGuish, Alexandre McKenzie, Armand McKenzie, Gaston McKenzie, Réal McKenzie, Jean-Pierre Moar, Réginald Moreau, Henri Ottawa, Claude Pedneault, Jean-Rock Picard, Jean-Marie Picard, Jack Picard, Jean-Charles Piétacho, Philippe Piétacho, Édouard Robertson, Johanne Robertson, Bernard Ross, Denis Ross, Daniel Vachon, Camil Vollant, Louis Vollant.

À mes principaux lecteurs et critiques: René Boudreault, Denis Brassard, Paul Charest, Gilbert Hamel, Henri Jalbert.

Bibliographie

Documents et écrits du Conseil Attikamek-Montagnais par: René Boudreault, Denis Brassard, Paul Charest, Renée Dupuis, Jacques Frenette, Gilbert Hamel, Bruno-Pierre Harvey.

Illustrations

Photographies de Serge Jauvin: Collection de l'Institut éducatif attikamek-montagnais; «Le pays infini»; Service de recherche du Conseil Attikamek-Montagnais.

Table des matières

Typographie et mise en pages sur micro-ordinateur: Mac GRAPH, Montréal.

Achevé d'imprimer en avril 1989 sur les presses
des Ateliers graphiques Marc Veilleux, à Cap-Saint-Ignace, Québec.